5.50

ŒUVRES   1

ŒUVRES

Publié avec le concours
du Centre National des Lettres

VAUVENARGUES

Introduction à la connaissance de l'esprit humain
Fragments
Réflexions critiques
Réflexions et maximes
Méditation sur la foi

Édition de 1747 suivie de Textes posthumes
et de Textes retranchés.

Chronologie, introduction,
notes et index
par
Jean DAGEN
Professeur à l'Université de Toulouse - Le Mirail

FLAMMARION

Pour recevoir régulièrement, sans aucun engagement de votre part, l'Actualité Littéraire Flammarion, il vous suffit d'envoyer vos nom et adresse à :

Flammarion, Service ALF, 26, rue Racine, 75278 PARIS Cedex 06.

Pour le CANADA à :

Flammarion Ltée, 163 Est, rue Saint-Paul, Montréal PQ H2Y 1G8.

Vous y trouverez présentées toutes les nouveautés mises en vente chez votre libraire : romans, essais, sciences humaines, documents, mémoires, biographies, aventures vécues, livres d'art, livres pour la jeunesse, ouvrages d'utilité pratique...

CHRONOLOGIE

1691 : Le 12 janvier, naît à Aix-en-Provence Joseph de Clapiers, seigneur de Vauvenargues et de Claps. Les Clapiers, dont la noblesse est attestée depuis le XIVe siècle, sont originaires d'Hyères. Ils s'installent au XVe siècle à Aix. C'est au XVIe siècle que la terre de Vauvenargues entre dans la famille par mariage. Fort considérée, alliée à la meilleure noblesse de Provence, la famille de Clapiers produit des militaires et surtout des conseillers à la Chambre des Comptes ou au Parlement. Les ascendants directs du moraliste sont Syndics de la noblesse de Provence. Des seigneurs de Vauvenargues sont élus premiers consuls d'Aix, comme le seront le père et le frère cadet de notre auteur.

1694 : Le 9 août, naît à Sisteron Marguerite de Bermond, fille de Jean-Antoine de Bermond, conseiller secrétaire du roi, et de Françoise de Beaumond.

1713 : Le 6 septembre, Joseph de Clapiers épouse Marguerite de Bermond.

1715 : Le 5 août, naît à Aix Luc de Clapiers, fils des précédents, le futur moraliste. L'hôtel des Clapiers était situé rue Donalari (aujourd'hui rue Vauvenargues), sa façade « de peu d'apparence » donnant sur la place de l'Hôtel de Ville, alors en cours de réalisation. Luc est baptisé le 6 août en la cathédrale Saint-Sauveur.

1716 : Le 26 août, naît à Aix Joseph-Antoine de Clapiers, frère puîné de Luc. Il sera à partir de 1732 officier au régiment de Flandre.

1717 : Le 15 octobre, naît au village de Vauvenargues Elisabeth-Thérèse de Clapiers, sœur cadette de Luc. Entrée au Carmel de Sainte-Magdeleine de Marseille le 3 avril 1744, elle y meurt le 18 août 1774.

1719 : Le 14 octobre, naît à Aix Nicolas-François-Xavier de Clapiers, dernier frère de Luc. Il est officier au régiment de Flandre de 1733 à 1744. Premier consul d'Aix en 1775 et 1776, il meurt le 27 juillet 1801. Sans enfant, il avait adopté un cousin dont les deux fils moururent sans postérité.
En 1791 Nicolas de Clapiers vend le domaine de Vauvenargues. Le château de Vauvenargues, construit sur un éperon dans une vallée profonde qui longe le versant septentrional de la montagne Sainte-Victoire, est une bâtisse sobre aux toits plats dont la façade à l'ouest est flanquée de deux tours rondes. Vauvenargues n'en parle guère que pour menacer de son inconfort un visiteur éventuel. A la différence de ses critiques, il ne perçoit pas la poésie sévère du site ni ne fait un symbole de la forteresse familiale.

1720-1721 : Joseph de Clapiers est premier consul d'Aix pendant l'épidémie de peste. Alors que les membres du Parlement ont quitté la ville, il demeure à son poste. En récompense la seigneurie de Vauvenargues est érigée en marquisat (mars 1722). Le père et le fils aîné portent tous deux le titre : le fait n'est pas douteux (sous la plume de sa tante, Luc est « le marquis », tandis que Joseph devient « le marquis de V. le père »), si les raisons en restent inconnues.

1730 : Sur l'enfance, l'adolescence, l'éducation de V., rien de sûr. Selon Suard dont les informations n'ont pu être contrôlées, « élevé dans un collège, il y montra peu d'ardeur pour l'étude, et n'en remporta qu'une connaissance très superficielle de la langue latine ». Le même Suard écrit encore, chose à vérifier dans les œuvres : « Privé des secours qu'il aurait pu trouver dans l'étude des grands écrivains de l'antiquité, toute sa littérature se bornait à la connaissance des bons auteurs français. » Il aurait cependant « étudié l'histoire et le droit public ».

Faute de renseignements, on a l'habitude de rapporter d'après une lettre à Mirabeau du 22 mars 1740, que vers quinze ou seize ans le futur moraliste était « fou » des *Vies* de Plutarque. A la même époque, il lut « un Sénèque » et « des lettres de Brutus à Cicéron ». « Je devins stoïcien de la meilleure foi du monde, mais stoïcien à lier [...] Je fus deux ans comme cela [...] Je ris actuellement de mes vieilles folies. »

1735 : Nommé lieutenant en second au Régiment du Roi, Infanterie, le 15 mars, puis lieutenant le 22 mai suivant, V. participe à la campagne d'Italie, dans la guerre de succession de Pologne.

1736 : V. rentre en France vers la fin du mois de mai. Commence alors la vie de garnison, coupée, selon l'usage de l'Ancien Régime, de longs congés.

1737 : La première des lettres connues de la correspondance échangée par V. et Mirabeau est de juillet 1737, la dernière d'août 1740. Victor de Riquetti, marquis de Mirabeau (1715-1789) est l'économiste, auteur de l'*Ami des hommes* (1758), et le père de Gabriel-Honoré Riquetti, comte de Mirabeau, le tribun.

En garnison à Besançon, V. accueille au Régiment du Roi Louis-Alexandre, chevalier de Mirabeau, frère du marquis, âgé de treize ans. Auprès de ce tout jeune officier V. tente de jouer un rôle de mentor.

Le manuscrit du *Discours sur la liberté* porte cette suscription : « fait à Besançon au mois de juillet 1737 ».

1738 : De juillet à la mi-septembre V. est à Paris, qu'il quitte pour Aix où il séjourne jusqu'en mars 1739. Il fait à l'intention de Mirabeau la chronique ironique de la vie aixoise. « Il est vrai, mon cher Mirabeau, que je n'aime pas la Provence ; mais [...] je haïrais moins ses défauts, si les miens y étaient ignorés ; car je n'ai point cette vertu austère dont vous faites profession. »

1739 : Le 19 mars, V. écrit à Saint-Vincens qu'il est à
Paris depuis trois jours : c'est la première des lettres
connues de V. à Saint-Vincens. Jules-François de
Fauris, seigneur de Saint-Vincens (1718-1798), reçu
conseiller au Parlement le 8 octobre 1737, président à
mortier le 10 mars 1746, est l'ami de V. et de son frère
Nicolas. Homme de confiance du premier, il se charge
volontiers de ses affaires d'argent.
V. est à Arras du 23 mars au 1er juillet. Lettre de
Mirabeau du 24 avril : « Quelle carrière d'agréments ne
vous ouvrent pas vos talents dans ce qu'on appelle la
République des lettres ! »
Par Péronne et Compiègne, V. gagne Reims où il
séjourne pendant le mois d'août. Il est à Verdun de
début septembre à avril 1740. Il souffre des yeux au
point de prendre deux hommes pour lui faire la lecture.
A Verdun, « j'ai acheté des lunettes dont je me sers
comme un homme de cinquante ans ». « Je m'ennuie de
traîner mon esponton dans la boue, à la tête de vingt
hommes, et de faire ainsi amende honorable dans les
rues, avec la redingote et la pluie sur le corps. »

1740 : V. pense à un voyage en Angleterre, « pour voir ce
peuple heureux et pour consulter sur mes yeux et sur
mes incommodités » : « projet fait en l'air ». Il arrive à
Metz en avril, mais, malade, va se soigner au château
de Vauvenargues : il s'y trouve vers la fin de juillet. Au
cours de l'été il se rend à Mirabeau où il rencontre
Lefranc de Pompignan et l'abbé de Monville.
Le 17 octobre, il écrit à Saint-Vincens : « Ma santé se
fortifie depuis que je suis ici ; les eaux de Vals m'ont
fait du bien. » Au même Saint-Vincens il demande
comment se procurer l'argent d'un séjour à Paris :
éviter à tout prix l'hiver à Vauvenargues, en famille ;
plutôt épouser, à échéance, et gager un prêt de deux
ans par une hypothèque sur la personne du débiteur.
Il part pour Paris « quasi sans un sol », le 5 décembre.

1741 : V. a regagné Metz le 20 février.
Joseph-Antoine, frère de V., est tué en Corse.
V. malade se rend aux eaux de Plombières.

Avec la guerre de succession d'Autriche, le Régiment du Roi rejoint l'armée de Bohême commandée par le maréchal de Belle-Isle. Prague est prise le 26 novembre.

1742 : V. arrive à Prague le 2 mars. Divers mouvements éloignent de la ville et y ramènent le Régiment du Roi. Hippolyte de Seytres y meurt en avril, épuisé par la campagne de Bohême : ce sous-lieutenant de dix-huit ans avait attiré l'affection de V. qui écrit son *Éloge* et lui dédie, croit-on, les *Conseils à un jeune homme,* les *Discours sur la gloire* et *Sur les plaisirs.*
L'armée assiégée dans Prague, des officiers sont tués au cours de sorties. V. est nommé capitaine le 23 août. La situation empirant, Belle-Isle réussit à quitter Prague par une nuit d'hiver. A marches forcées, dans la neige et le verglas, l'armée, fort diminuée, atteint Egra. Que fit V. ? On prétend, sans preuve, qu'il eut dans la retraite, les jambes gelées.

1743 : De Bavière V. rentre en France, au mois de mars. Son régiment tient garnison à Nancy. En avril, il envoie à son père et à Saint-Vincens l'*Éloge funèbre d'Hippolyte de Seytres.* Il entre en relations épistolaires avec Voltaire : à une lettre de critique littéraire (jugement sur Corneille et Racine) datée du 4 avril, Voltaire répond le 15 par des réflexions sur le goût et l'envoi de ses œuvres.
Le 8 avril, V. écrit à son colonel, le duc de Biron, et, par le truchement de ce dernier, au Roi : « Je sers depuis huit ans, en France, dans les emplois subalternes de la guerre, sans promesse et sans espérance. » Il passerait volontiers dans la diplomatie et suggère qu'on l'envoie « auprès du roi de Prusse ».
Le 22 avril, il soumet à Voltaire ses réflexions « sur trois orateurs célèbres » (Bossuet, Fénelon, Pascal).
V. prend part, dans l'armée du maréchal de Noailles, à la bataille de Dettingen (27 juin 1743), « cette malheureuse affaire » : une victoire transformée en défaite.
Le régiment de V. rentre en Alsace, puis s'installe à Arras (9 décembre).

Le 21 août, dans une lettre à Saint-Vincens, qui fait état des corrections et versions successives de l'*Éloge* et annonce l'envoi d'une *Prière à Dieu,* d'une *Méditation sur la foi* et de réflexions sur Bossuet, Fénelon, Pascal et La Bruyère, V. écrit: «J'exige une critique très sévère et sans nul adoucissement sur ce que je vous envoie.»

Le 12 décembre, nouvelles lettres au duc de Biron, au Roi et au secrétaire d'État des Affaires étrangères, Amelot: il s'agit encore de quitter l'armée pour la diplomatie.

1744: Le 14 janvier, constatant qu'il n'a pas été répondu à ses lettres du 8 avril et du 12 décembre 1743, V. communique au duc de Biron sa décision de démissionner. Il écrit le même jour à Amelot sa déception et son «désespoir». Le 6 février, il quitte Arras pour Paris. Voltaire a promis d'user de son influence en sa faveur. Présenté à Amelot, V. pourrait en effet espérer une place, si sa famille ne lui «faisait une nécessité» de retourner en Provence. «Si l'on avait voulu me mettre en état de demeurer un an de suite à Paris pour suivre les choses que j'y avais commencées...»

De Voltaire, le 5 avril: «Le grand, le pathétique, le sentiment, voilà mes premiers maîtres. Vous êtes le dernier.»

Aix, fin mai: «Je suis en Provence, et je ne compte pas y faire de vieux os.» D'après Marmontel, «c'est là que la petite vérole mit le comble à ses infirmités. Défiguré, par les traces qu'elle avait laissées, attaqué d'un mal de poitrine qui l'a conduit au tombeau et presque privé de la vue», il aurait même dû «remercier le Ministère des desseins qu'il avait sur lui».

1745: Un manuscrit que V. a confié à Voltaire, sans doute des réflexions critiques sur quelques poètes, sur Jean-Baptiste Rousseau en particulier, est venu à la connaissance du responsable du *Mercure* qui va le publier. Intervention de V.: pas de texte de sa main dans le *Mercure* avant 1753.

Rhume, fièvre : « tous les maux m'assiègent » (27 janvier).

Envoi de vers de jeunesse à Voltaire, qui répond le 3 avril : « Ce qui me charme surtout, [...] c'est cet amour si vrai que vous témoignez pour les beaux arts, c'est ce goût vif et délicat [...]. Venez donc à Paris. »

V. est à Paris vers la mi-mai. Sa santé est toujours aussi mauvaise. Il participe sans succès au concours d'éloquence de l'Académie française, avec un *Discours sur l'inégalité des richesses*.

A l'automne, il s'installe dans un logement modeste de l'hôtel de Tours, rue du Paon, au faubourg Saint-Germain (sur l'emplacement de l'actuel boulevard Saint-Germain, à hauteur de la rue de l'Éperon). Ses amis : Voltaire, Bauvin, Marmontel, et aussi d'Argental, Cideville, Le Clerc de Montmercy.

Le 28 septembre, approbation du manuscrit intitulé *Introduction à la connaissance de l'Esprit humain, suivie de Réflexions et de Maximes sur divers sujets*. Ce n'est que le 22 janvier 1746 que reçoit approbation le manuscrit intitulé *Paradoxes mêlés de Réflexions et de Maximes* : semble donc justifié l'« Avis du libraire » de l'édition originale, révélant qu'il avait fallu allonger l'ouvrage de textes « qu'on n'avait pas destinés à voir le jour ».

1746 : La première édition de l'*Introduction à la connaissance de l'esprit humain* est publiée chez Briasson en février, sans nom d'auteur. Le *Journal des savants* de février, le *Mercure* de mars, le *Journal de Trévoux,* succinctement en mai, longuement en janvier 1747, rendent compte de l'ouvrage ; naturellement aussi l'*Observateur littéraire* de Marmontel et Bauvin. A propos des « suffrages obtenus » V. écrit à Saint-Vincens : « Vous estimez trop ce petit succès. » A son ami Villevieille en lui envoyant le livre : « Tâchez de le lire doucement ; car je vous avertis que ce n'est pas un de ces livres qu'on entend trop vite. »

De Voltaire à V. en mai : « J'ai usé, mon très aimable philosophe, de la permission que vous m'avez donnée.

J'ai crayonné un des meilleurs livres que nous ayons en notre langue, après l'avoir relu avec un extrême recueillement. » Les annotations de Voltaire sont celles du célèbre exemplaire de la Bibliothèque Méjanes d'Aix-en-Provence. C'est sur cet exemplaire que V. prépare la seconde édition, aussitôt entreprise.

Quand Voltaire écrit peu après : « Je vais lire vos portraits », il s'agit des *Caractères* que V. n'inclura pas dans sa nouvelle édition.

En août, V. confie à Saint-Vincens : « Je ne crois pas que je retourne en Provence cet hiver ; ma santé est meilleure qu'elle n'a été depuis deux ans. »

En septembre, Autrichiens et Sardes, poussant Français et Espagnols hors d'Italie, pénètrent en Provence. Inquiet, V. pense à combattre avec les troupes levées dans la province ; mais le maréchal de Belle-Isle refuse les secours locaux.

1747 : Janvier : V. se plaint d'un « mal au pied » qui l'empêche de se tenir à sa table pour écrire.

Février : « Je garde ma chambre [...] il n'y a aucun changement à mon engelure ; la plaie est toujours de même et l'os fort gonflé [...] je ne digère point et je suis plein d'humeurs qui se portent sur ma poitrine et irritent ma toux. »

10 mars : « Il y a deux mois et demi que je garde ma chambre. » La vie de V. dans ces derniers mois est d'une extrême simplicité, mais nullement misérable, comme on l'a parfois prétendu.

V. meurt le dimanche 28 mai vers quatre heures trente du matin : en « chrétien philosophe », si l'on en croit Marmontel.

Les obsèques sont célébrées en l'église de la paroisse, Saint-Côme-Saint-Damien, située à la rencontre des rues des Cordeliers, actuelle rue de l'École-de-médecine, et de la Harpe : « Le 29 mai 1747 a été inhumé dans cette église le corps de Messire Luc de Clapiers, marquis de Vauvenargues, ancien capitaine du régiment du roi, infanterie, décédé d'hier à l'hôtel de Tours, rue du Paon, dans cette paroisse, âgé d'environ

trente ans.» L'église a été détruite lors du percement
du boulevard Saint-Michel; on n'y avait pas relevé
l'épitaphe de V.

10 juin: approbation de la seconde éition de l'*Introduction*... Il semble, à comparer les deux éditions et le
volume annoté de la Bibliothèque Méjanes, que les
abbés Trublet et Séguy, qui se chargèrent de cette
publication posthume, n'ont guère contrevenu aux intentions de l'auteur, sauf en reproduisant la *Méditation
sur la foi*.

Dans une lettre qu'il adresse à Saint-Vincens, le
23 juillet, du château de Vauvenargues, Nicolas de
Clapiers dit avoir reçu des lettres de Briasson et de
l'abbé Devaux, «l'un et l'autre me demandant les
papiers de mon frère pour faire imprimer un petit
ouvrage (il s'agit probablement de l'*Essai sur quelques
caractères*) qu'il avait promis à Briasson vingt jours
avant sa mort. Briasson me fait entendre dans sa lettre
que la nouvelle édition de l'*Introduction à la connaissance, etc.* est prête à voir le jour, mais il ne le dit pas
clairement».

Cette dernière édition est en effet mise en vente peu
après, on ne sait à quelle date exactement.

1762: Le 9 mai, meurt Joseph de Clapiers, marquis de
Vauvenargues, le père du moraliste.

1771: Le 18 octobre, meurt la mère de V.

1781: Barrois aîné publie de nouveau l'*Introduction* de
1747.

1797: Couret de Villeneuve publie les *Œuvres de Vauvenargues* en deux volumes in-12.
Les *Œuvres complètes de Vauvenargues,* procurées par
Agricol de Fortia d'Urban, en deux volumes in-12,
présentent d'importants inédits. L'éditeur a pu exploi-
ter des manuscrits détenus par la famille.

1806: Édition Suard, en deux volumes, des *Œuvres
complètes de Vauvenargues,* augmentée d'inédits, pré-
cédée d'une Notice de Suard, accompagnée de notes de
Suard et Morellet.

1821 : Brière publie deux volumes d'*Œuvres complètes* et
un volume d'*Œuvres posthumes*.

1857 : D.-L. Gilbert publie en deux importants volumes
les *Œuvres de Vauvenargues* et les *Œuvres posthumes
et inédites*. Gilbert utilise pour son édition un manuscrit déposé à la Bibliothèque du Louvre, « petit in-4° de
708 pages, entièrement écrit de la main de Vauvenargues, composé d'une série de cahiers de grandeur inégale ». Comparant ce texte à celui de nombreuses co-
pies autographes, « répandues aujourd'hui dans les
collections particulières », il relève d'abondantes variantes, corrections, additions.

1871 : Dans la nuit du 23 au 24 mai, pendant les combats
de la Commune, un incendie volontaire détruit totalement les manuscrits de la Bibliothèque du Louvre.

INTRODUCTION

Vauvenargues est l'homme d'un autre temps. Est-il plus du nôtre qu'il ne voulut être du sien ? Jusqu'à son style que distinguait le refus du goût contemporain, qu'aujourd'hui rien ne distinguerait sans son austérité anachronique. Vauvenargues peut passer pour un auteur démodé ; mais démodé, il l'est par essence. Par hygiène, par méthode, il entend se rendre indépendant des lieux et des temps, délibérément étranger. Ce n'est pas de sa part éloignement de circonstance : on l'imputerait trop facilement à quelque inappétence, à une déception décisive ; ce n'est pas davantage volonté d'évasion, fuite philosophique, retraite dans l'idéalisme. Se faire, sans défaillance, inactuel, cela constitue un devoir, définit une discipline. Cela impose la forme de l'œuvre et la sobriété en devient qualité intrinsèque : ceux qu'elle rebuterait se reconnaîtraient aussitôt esclaves de la modernité.

Être inactuel, c'est d'abord pour Vauvenargues ne pas coïncider avec le personnage qu'on lui propose. Quand Mirabeau le presse d'épouser le destin que ses dons promettent, l'humour le dispense de répondre. Il redoute, s'identifiant à un rôle, de circonscrire son existence. A cet égard, la carrière militaire compromet peu un homme de sa caste et la discrétion de ses lettres maintient à distance la réalité d'un métier d'ennui, de souffrance, de mort. Il faut n'être pas serf de ces obligations. C'est définir par corollaire l'écrivain : écrire ne peut fournir une raison sociale. L'écrivain se doit, par nature, d'être ailleurs, cet ailleurs étant le lieu de la vraie vie. Le professionnalisme en la matière est rédhibitoire.

Refuser un plan de vie, repousser comme sacrilège la carrière d'homme de lettres, ces deux refus engagent Vauvenargues, et l'engagent dans le réel, loin d'autoriser la dérobade. Car son paradoxe est d'éprouver la vertu de l'écart dans la plus grande proximité. Il n'y a d'intérêt à se faire inactuel qu'aux prises avec l'actualité, parmi les hommes et, s'il se peut, à leur tête. Le moraliste ne tire aucun parti du mépris et de la misanthropie. Mais dans les faits et les personnes, les particularités ne le retiennent pas. Il n'est question que de réduire le contingent à l'intelligible, afin de le maîtriser. Les événements ne méritent pas d'être conservés comme éléments d'une histoire ou comme anecdotes caractéristiques. Vauvenargues n'a pas de vocation d'historien ou de mémorialiste, ni de sociologue, pas même de chroniqueur : il diffère à la fois de La Rochefoucauld, de La Bruyère, de Chamfort. Sa pensée se veut libre des données chronologiques et géographiques. La signification qu'il attribue aux choses est indépendante de leur situation dans l'espace et le temps. De ce point de vue, la vie propre de l'écrivain peut s'oublier avec l'histoire.

La volonté de dépouillement est chez Vauvenargues extrême. Non seulement il répudie le pittoresque, bannit la description et l'évocation réaliste, se prive de la caricature et du comique, supprime ce qui relèverait du récit ; mais, dans son ascétisme radical, il incline à ne rien attendre de l'expérience. Persuadé, plus que La Bruyère, qu'on ne peut encore inventer, il fait de cette impuissance le principe de sa réflexion. Puisque tout est dit, rassemblons les vérités connues : il reste à les ordonner, à les concilier. Vauvenargues se présente donc comme un héritier et l'on n'a pas tort de le situer dans la lignée des moralistes classiques ; il s'en réclame lui-même. Mais c'est justement qu'il s'en réclame qui change tout. Il ne prend pas la suite, il arrive pour clore la recherche des moralistes en l'obligeant à se retourner sur elle-même. Moins successeur que juge ; une sorte de conscience seconde ; en somme le moraliste des moralistes. Et venu le dernier, il finirait par apparaître comme le premier, le plus pur.

L'ambition intellectuelle d'un Vauvenargues rassembleur n'est pas sans rappeler le dessein de Leibniz. Il s'agit d'aménager les rapports de vérités en apparence disparates, de préparer l'universelle compréhension. Tout naturellement, la nécessité de repenser du pensé force à concevoir une logique unificatrice. Le propre de Vauvenargues est de mettre en œuvre la méthode dialectique qui permet d'intégrer les systèmes antérieurs. La pensée « moraliste » découvre donc sa forme propre et la loi de son fonctionnement ; elle assure ainsi son intemporalité par la maîtrise de sa théorie.

On le voit, si Vauvenargues est philosophe, il ne l'est pas selon la définition des *Nouvelles Libertés de penser*. Par là aussi il se révèle inactuel. Voltaire a bien compris qu'il jure dans son siècle et s'est réjoui de reconnaître son inspiration première dans l'œuvre du jeune moraliste. Vauvenargues, en effet, reste en marge du courant principal de ce temps, réfractaire à cette philosophie du mouvement dont Voltaire se fait le propagandiste, non sans arrière-pensée.

Devient-on « philosophe » parce qu'on veut « se rendre utile », parce qu'on croit et travaille au progrès de l'homme et de la société ? Vauvenargues centre, au contraire, sa méditation sur l'individu, principe de vie et pôle d'intelligibilité. C'est par un « moi » que commence sa philosophie, non certes le moi qui se dépense dans la durée, au gré de hasards négligeables : ce moi singulier doit compter peu pour qui n'a pas tout renié du Jansénisme et de Pascal ; mais le moi de Descartes dont l'intuition originelle garantit toute certitude. Primauté du moi donc, recherche prioritaire des conditions de la vérité, aux dépens de finalités pratiques, cela suppose, comme pour Malebranche, une préalable « connaissance de l'esprit humain ». Vauvenargues s'y consacre, mais en psychologie non plus il ne va rejoindre les « philosophes » et l'empirisme, infidèle à Locke dont il se déclare pourtant lecteur assidu. Au lieu de contribuer à ce procès du moi que de Locke à Hume instruit la pensée anglaise et auquel Diderot, le contemporain de Vauvenargues, va chercher des réponses, il maintient et restaure l'instance personnelle.

Mais s'attachant au moi, à ce qu'il appelle « âme », le moraliste peut faire figure ou d'héritier ou de précurseur : héritier de l'égotisme et du spiritualisme classiques, de Montaigne et de Fénelon, précurseur des « frénésies individualistes », de Rousseau, de Chateaubriand, de Stendhal. En fait, chez lui, le moi métaphysique contient le moi vivant. Résistance que traduit la forme : il n'est pas indifférent de conserver la maxime, la réflexion, le caractère, voire le traité et le dialogue, par conséquent de ne pas préférer le journal ou la confession. Résistance qui exprime le sens même de l'œuvre ; car la tension y est essentielle et l'orientation de l'effort : il faut dépouiller l'homme concret, l'individu historique. L'écrivain ne finit pas de faire taire l'être actuel ; sa voix s'épure peu à peu, mais sans jamais devenir tout à fait, comme il conviendrait à la vérité, la voix de personne. Dans cette voix vibre toujours la force intérieure grâce à laquelle s'accomplit et se « surmonte » le moi, ce moi qui n'aura valu que pour porter « à quelque chose de plus haut et de plus humain que moi ». Frémissement imperceptible, tremblement infime d'une énergie tendue comme une corde, timbre d'un cristal effleuré, c'est l'accent secret, discret, peut-être trop pour nos oreilles, du très inactuel Vauvenargues.

*

Vauvenargues n'est pas écrivain par dépit. On dit qu'il serait venu à la littérature pour avoir manqué la gloire militaire ; que c'était à ses yeux déroger que de quitter l'épée pour la plume. Peut-être, encore que sa correspondance demeure là-dessus discrète et qu'on risque de se méprendre à déceler et détacher — exercice favori de commentateurs trop ingénieux — ses prétendues confidences. Tout le monde semble avoir toujours su que Vauvenargues écrirait, et lui le premier. L'humiliation du soldat réduit à l'écritoire : est-ce plus qu'une légende pathétique ? Mais de la douleur, du rêve déçu, quelle aubaine pour des biographes !

Les Clapiers, les Mirabeau, ces fils de la noblesse de

province, entraient dans la vie en entrant dans les armes.
Que représentait la carrière ? Une sorte de rite d'initia-
tion. Qu'en attendaient-ils ? Vauvenargues pouvait d'autant moins espérer la gloire de Turenne que l'intrigue, il
le comprit vite, faisait plus de colonels et de maréchaux
que la valeur. Pour lui, le métier militaire, avec d'abord
son prestige, ses devoirs, avec ensuite les campagnes, les
souffrances physiques, la mort des compagnons, ce fut
une métaphore de l'existence.

Autre rêve : faute d'être Turenne, devenir Richelieu ou
Mazarin. Diplomate, on fuirait la Provence, Aix et les
Aixois, la maison et le manoir paternels, choses qu'il
paraît décent de dédaigner. On illustrerait surtout dans les
missions et les affaires des capacités dont on ne doute
pas ; car on se sent, et on l'écrit au Roi, « appelé [...] par
quelque chose de plus invincible et de plus noble que
l'ambition ». Il y a du romanesque dans Vauvenargues ;
ce n'est pas si étonnant à considérer son origine, sa
formation, ses lectures — de Plutarque à Fénelon — les
œuvres de contemporains, Marivaux ou Prévost par
exemple. S'il condamne le romanesque quand il le rencontre dans les romans ou des réflexions de La Rochefoucauld, il le réhabilite subrepticement à la faveur de
l'idéalisme moral et, paradoxalement, au bénéfice de la
nature.

Comment ne pas voir qu'écrivant au duc de Biron et au
Roi, démissionnant ou offrant ses services, Vauvenargues le fait en homme supérieur à sa condition, supérieur
à toute condition, étranger déjà à l'humiliation de la
requête, réclamant plus qu'une grâce, un dû, une dignité
qui, de toute manière, ne peut lui faire défaut ? C'est
comme si ses lettres annonçaient à la fois la fatalité de son
échec et la certitude d'une bien autre revanche.

Nous savons, par le manuscrit du *Traité sur le libre-
arbitre,* que depuis 1737 au moins, Vauvenargues a décidé d'écrire. Tout le confirme, par exemple ces lettres à
Mirabeau, truffées de portraits et de réflexions morales,
qu'on publiera un jour, dit le destinataire, qu'en attendant
on fait lire autour de soi, si bien qu'elles valent à leur
auteur le surnom de « philosophe ». C'est un « philosophe

plein d'esprit », un « beau génie », qui renonce en 1743 à
la carrière des armes, avec la caution de Voltaire, avec
celle de Saint-Vincens aussi qu'il a réclamée avec insistance, celles de son père sans doute, de son frère cadet et
d'autres probablement. Quant à l'*Éloge d'Hippolyte de
Seytres*, il équivaut à l'acte de naissance de l'écrivain.
C'est l'adieu symbolique que Vauvenargues adresse à la
jeunesse, à la vertu et à la gloire militaires. Qui périt dans
cette aventure, sinon la figure idéale du héros ? Sentiment
à part, Hippolyte disparaît à temps : ce deuil éloquent
qu'il inspire, c'est l'avènement de la littérature : « Tu
croissais au milieu des fleurs et des songes de l'espérance ; tu croissais... O funeste guerre ! ô climat redoutable ! ô rigoureux hivers ! ô terre qui contient la cendre de
tes conquérants étonnés. » C'est Bossuet, ou presque, ce
Bossuet dont au même moment on compare le style à
ceux de Pascal et de Fénelon.

Nul n'ignore moins que Vauvenargues la vertu formatrice du pastiche, voire de la parodie. Comme Lautréamont retournera ses maximes, il refait celles de La Rochefoucauld, vérifiant pour son compte l'opinion
d'Éluard : « Le plagiat paraît à Lautréamont le plus simple
moyen de s'affirmer en se niant. » Vauvenargues fait
aussi bien du Fénelon, s'inspirant pour ses « caractères »
du Pygmalion de *Télémaque*. Mais qu'il imite Bossuet ou
La Bruyère, il ne songe qu'à révéler à travers la pratique
d'une pensée et d'un langage étrangers, l'écrivain qu'il
sait être. Opération alchimique : une fois éliminée la
substance purificatrice et brûlés les résidus, restera
l'authentique métal.

Une lettre à Saint-Vincens du 10 octobre 1739 éclaire
singulièrement ces exercices préparatoires. Vauvenargues y esquisse un panégyrique de la religion qu'il
conclut pathétiquement, puis commente ainsi : « J'aime
quelquefois à joindre de grands mots et à me perdre dans
une période ; cela me paraît plaisant. » Il avoue composer
ses phrases de réminiscences : « Je les couds à ma pensée
[...] ; lorsqu'elles ont passé sur le papier, que ma tête est
dégagée, et que tout est sous mes yeux, je ris de l'effet
singulier que fait cette bigarrure, et malheur à qui ça

tombe !» Malheur donc à qui prendrait pour argent comptant un jeu de style ! Mais alors, quand de plusieurs « pensées » Vauvenargues fabrique une *Imitation de Pascal,* serait-ce pour éprouver, c'est-à-dire assimiler et décanter, des qualités littéraires qu'en dépit de Voltaire il ne cesse de proclamer incomparables ? Et cette *Méditation sur la foi* que les abbés Trublet et Séguy reproduisent pieusement dans l'édition de 1747, il la soumettait en 1743 à ses censeurs comme un exercice de rhétorique... Ce n'est pas que l'on veuille décider ainsi des sentiments religieux de notre auteur ; sur le fonds, d'ailleurs, sa pensée nous paraît moins anti-cléricale mais plus résolument anti-pascalienne que celle de Voltaire. Ne sous-estimons pas toutefois l'intérêt qu'il porte à la technique de l' «expression», ni les effets de mystification, plus ou moins volontaire, qui peuvent en résulter. Il reste que Vauvenargues a longuement fait ses gammes, qu'il n'a vécu — les variantes de ses manuscrits l'attestent — que pour accorder les exigences, naturellement compatibles, de l'éloquence et de la vérité.

Pourquoi donc semble-t-il se convertir en 1743 à la littérature ? Pourquoi repousse-t-il ou élude-t-il auparavant les conseils et les questions de Mirabeau qui lui promet le succès de Paris et des salons ? Pourquoi, en revanche, à la veille de sa démission, entre-t-il en relations avec Voltaire ? A ces questions une réponse : écrivain, philosophe, «orateur», poète même, Vauvenargues l'est et veut l'être ; mais homme de lettres, jamais, à aucun prix. Il a horreur du «bel esprit moderne», il est persuadé que l'écrivain ne peut vivre de sa plume sans se compromettre avec la société et que la frivolité de la société ne peut manquer de gâter l'écrivain. La vérité et le «grand goût» se perdent nécessairement quand on se prête à l'influence des modes, quand on se plie, bon gré, mal gré, aux opinions d'un public corrompu et corrupteur. On devine, par contraste, la haute idée que se fait Vauvenargues de l'homme de talent. On comprend le sens de cette semiretraite où il se confine dans ses dernières années, de cette réserve sereine et généreuse que décrivent ses amis. Il connaît, mais ne dramatise pas, le déchirement que va ressentir Jean-Jacques Rousseau : dès ses premières lettres, il comprend la difficulté d'être, à l'encontre du public et du siècle, l'écrivain que mérite l'homme de vérité.

*

Le besoin d'écrire semble naître chez Vauvenargues de l'inquiétude d'une conscience scandalisée. Le scandale, c'est que l'homme, par sa négligence, se frustre de son humanité. Il dispose, à portée d'intelligence, d'une réserve littéralement inépuisable de significations, et il laisse s'en perdre la majeure part. Que ne sait-il, d'après Leibniz, qu'il n'est pas de série de points, si désordonnée qu'on l'imagine, qui ne compose une figure ? Pas d'objet, pas d'événement, dont on ne puisse, de l'aveu de Vauvenargues, décrire l'ordre propre et qu'on ne puisse comprendre dans un ensemble équilibré. Tout fragment considéré désigne la totalité, engendre donc une prolifération sans terme de sens relationnels. Mais on redoute la richesse par manque de générosité. Plutôt exclure et disjoindre, se retrancher du tout, restreindre son champ, pour imposer à une vérité tronquée ses structures égoïstes.

On se trompe en faisant de l'originalité une vertu : trouver n'est pas difficile, il suffit de se fier à son tempérament. La véritable originalité s'acquiert à penser comme tout le monde. Non que Vauvenargues veuille se ranger au modèle commun ; il demande d'appréhender conjointement, harmoniquement, ce que l'homme a déjà pensé et senti. Il déplore que le goût de la singularité entretienne la recherche des oppositions. On juge toujours plus expédient de monter en épingle les contradictions : témoin Pascal ; or il convient de lier et de concilier. Puisque chaque homme est l'origine d'une multitude de significations rayonnantes, connaître l'homme, c'est expliquer la possibilité de ces réseaux concomitants et de leurs centres différenciés, c'est, sinon désigner un idéal centre des centres, du moins saisir les raisons des divergences et justifier les transferts de sens.

Il n'est pour Vauvenargues de pensée véritable que
travaillant à restituer l'unité. Unité en devenir, dont le
philosophe est l'artisan et le symbole. Car, dans la ligne
du subjectivisme de Berkeley, Vauvenargues identifie
l'individu à son univers mental et dans cet univers doit se
manifester la même cohérence qui se découvre en tout. Je
ne puis penser l'unité que de manière unitaire : il serait
contradictoire d'accepter la contradiction dans l'esprit qui
s'identifie à la volonté d'unification.

Telle est la logique de Vauvenargues qu'il subordonne
toujours le physique au mental. Ainsi ne se soucie-t-il
nullement du rôle du corps dans l'élaboration de la
connaissance. Il ne s'arrête pas davantage au rapport de la
douleur et de la valeur morale ; il se situe à cet égard
au-delà même du stoïcisme, assez proche d'un Joë Bous-
quet, refusant qu'on fît dériver de son mal-être la qualité
de son spiritualisme. Il va jusqu'à prétendre que la mécanique humaine, telle que tentait de la décrire le *Traité des
passions*, serait mieux comprise à mesure qu'on analy-
serait et coordonnerait mieux les réalités psychologiques :
opinion significative quand La Mettrie publie son *Histoire naturelle de l'âme*. S'élevant à des considérations
épistémologiques, Vauvenargues affirme la supériorité de
la science morale ; malgré Newton, ou plutôt à cause de
Newton dont l'attraction lui apparaît comme une « qualité
occulte », il estime que la physique est condamnée à
« passer les bornes de l'esprit humain », à « s'étendre
au-delà de toutes ses conceptions » ; la morale, au
contraire, embrasse le seul domaine réellement accessi-
ble, effectivement connu.

Au lieu d'aller vers la spécificité de l'humain à partir
d'une explication scientifique du monde, au lieu d'adopter la méthode rationaliste, d'appliquer le modèle mathé-
matique à ce que l'on commence de nommer « sciences
de l'homme », Vauvenargues veut penser d'abord
l'homme et, nécessairement, à travers l'homme qu'il est,
qui pense, qui existe en raison, précisément, de l'idée
qu'il se fait de l'homme. Ainsi l'aspiration au savoir
trouve-t-elle sa source et sa justification dans l'aspiration
à l'existence. Je ne veux que la connaissance qui m'im-

porte, mais je veux toute la connaissance qui m'importe. Mieux j'appréhende mon humanité, plus j'existe.

Ainsi se trouverait défini l'objet de la philosophie, fondée l'entreprise du moraliste. De fait, la difficulté est seulement transportée dans le sujet. Comment en effet le principe d'existence devient-il critère de véracité ? Vauvenargues donne une réponse qui ne laisse pas d'être embarrassée. Il allègue une sorte d'intuition initiale par laquelle se dévoile « l'amour de l'être ou de la perfection de l'être » : curieuse intuition qui adjoint à la conscience du pur vouloir-vivre un postulat axiologique ; l'auteur croit, d'ailleurs, devoir aussitôt cautionner l'idée de perfection par l'expérience corrélative de l'imperfection. Il est clair du moins que, se refusant un absolu principiel, il place toute sa démarche sous le signe d'un absolu virtuel. Persévérer dans l'être, c'est vouloir une toujours moindre imperfection : la perfection se perçoit négativement ; elle se mesure surtout à la force qui porte vers elle.

Car Vauvenargues ne se soucie pas tant de formuler un objectif que de rendre compte d'un mouvement. C'est pourquoi il reprend à peu près l'idée pascalienne d'une double nature, grandeur et petitesse, mais il unit ce que Pascal séparait et, combinant les éléments antagonistes d'une psychologie paralysante, il obtient un mélange actif : « mélange de courage et de faiblesse, de tristesse et de présomption », en vertu duquel le moi, animé d'un rythme alterné, ne peut se reposer ni dans le sentiment de son imperfection, ni dans le sentiment de sa perfection. Il est donc essentiel que la vie morale soit ambivalente : sans cela, point d'activité, et, sans activité, point de valeur. Vauvenargues sent l'importance de son analyse et accuse son originalité. Il réfute La Rochefoucauld et l'idée que l'homme est condamné au vice par l'amour-propre. S'inspirant des textes de Lamy, Fénelon, Malebranche, qu'a suscités la polémique du pur amour, il explique, hors de tout contexte théologique, que l'amour que l'homme porte naturellement à son être se différencie en deux tendances de sens contraire : l'amour-propre et l'amour de nous-mêmes. Confondues dans leur source et souvent dans leurs manifestations, elles sont responsables de l'ambiguïté des conduites humaines. L'amour-propre, parce qu'il «est à lui-même son seul objet et sa seule fin», se révèle réducteur; il cause les passions qu'accompagne le sentiment de faiblesse ou de limitation: vanité, peur, colère. Il veut la possession et rend complaisant envers soi et ce qu'on s'approprie; ce qu'on ne peut acquérir, il incite à le dépriser. Il substitue donc aux catégories de l'être celles, exténuantes, de l'avoir; y compris dans l'ordre de l'esprit. Or connaître, ce n'est pas détenir, ni restreindre. Le bon usage de l'esprit dépend par conséquent de l'amour de nous-mêmes qui pousse à «s'aimer hors de soi davantage que dans son existence propre», à n'être «point à soi-même son unique objet». Les passions que provoque l'amour de nous-mêmes font que l'on veut aimer, conserver, agrandir. De la sorte, l'homme de Vauvenargues a la force de rompre la passivité qu'on l'avait condamné à subir, et d'accéder à la vertu.

Était-elle feinte, l'inquiétude de Vauvenargues méditant sur le divorce scandaleux de l'être et du savoir? Mais il n'a pas la certitude définitive du philosophe de l'*Éthique,* dont l'âme, d'autant plus parfaite et joyeuse qu'elle est plus active, s'élève à la béatitude contemplative. Il ne peut non plus, comme l'auteur du *Traité de l'existence de Dieu,* espérer l'invasion de l'Absolu. Avec un air de sage spinoziste, un goût fénelonien de la grandeur mystique, il entretient une pensée essentiellement, nécessairement inquiète. Elle a voulu se passer de la transcendance; aussi lui est-il interdit de posséder vérité et perfection. Elle existe par sa puissance de conquête.

*

«Connaissance de l'esprit humain»: est-ce spéculation pure? Pour éprouver le pouvoir de la psychologie, Vauvenargues en infère la psychologie du pouvoir. C'est ainsi que les moralistes se font théoriciens d'une action dont l'histoire les a frustrés, que l'occasion ait été manquée ou qu'elle ne se soit pas offerte. Dans ses dialogues et portraits, notre auteur passe sans scrupule de la maî-

trise des concepts à la maîtrise des hommes : il ne doute
pas que la première ait donné la seconde aux Catilina, aux
Turenne, aux Richelieu, aux Mazarin. Il en va de même
pour le Titus, le Cyrus, le Théophile, le Turnus, le
Clodius des *Caractères*. Enveloppant partenaire ou ad-
versaire de leur compréhension, ils pénètrent, prévoient,
provoquent le mécanisme mental de l'individu ou du
groupe qu'ils investissent. Ils se plient si exactement aux
pensées de celui qu'ils subjuguent et le plient à leur
volonté si subtilement que leur autorité devient imperceptible, que leur pouvoir en paraît abstrait, impersonnel ;
comme si, de tant ressembler au jeu de l'esprit, l'action y
gagnait l'innocence.

D'après sa correspondance, quelques réflexions nos-
talgiques et les *Mémoires* de Marmontel, sans doute Vauvenargues a-t-il souhaité pour lui-même, esquissé même,
de pareils destins. Mais, à la manière de ses personnages
dont l'existence romanesque, à peine se dessine-t-elle, se
fixe dans les formules théoriques d'une stratégie sans
objet, il peut se satisfaire de scénarios imaginaires. Car
s'il ne retient ni le plan de vie tracé par Mirabeau, ni
aucun projet pratique, il s'arroge tous les pouvoirs, n'en
choisissant aucun. Cette entreprise sans finalité, qui les
implique toutes, pourrait bien n'être que littérature. Présence sans contrainte ni obligation, immanence de l'esprit
qui se prend pour l'Esprit ; délicat effacement du moi,
heureux d'acquérir à ce prix le salut et la « gloire » de
l'universel : moins ma puissance est sensible, plus elle
paraît adéquate et belle.

La science vauvenarguienne de l'homme, quelque effi-
cacité qu'elle s'attribue, relève de l'esthétisme. L'esprit
tend à y prendre la saisie de sa propre image pour la
manifestation de sa puissance. Dans cette psychologie au
second degré, l'objet de la pensée semble devenu acces-
soire. Peu importe la réalité extérieure ; d'ailleurs Vauvenargues dit « secret » le rapport des idées et des choses.
Quant au produit de l'intelligence, s'il s'agit de cette
« épistémè » dont s'enorgueillissent les hommes des Lumières, il lui prête un médiocre intérêt. Qu'on en prenne
même une « forte teinture », il y consent, pourvu qu'on

« réserve son application principale pour le monde spirituel ».

Il est remarquable que sa description de l'activité intellectuelle retienne principalement des rapports et des qualités. Il n'adopte ni l'explication génétique de Locke, ni les classifications de la philosophie cartésienne, telles, par exemple, qu'elles apparaissent dans la *Recherche de la vérité*. Il conteste, en feignant de l'utiliser, la nomenclature habituelle. Ses analyses décomposent les définitions des facultés et des passions, substituent aux antagonismes des degrés et des passages. La *Critique* de La Rochefoucauld lui est occasion idéale de stigmatiser une conception sclérosée de la vie intérieure. D'après son *Introduction*, les modes de penser et de sentir s'engendrent et se combinent sans exclusive ; des uns aux autres, comme des vertus aux vices, pas de rupture, des différenciations, ce qui, dans le langage, suspend un bouleversement de l'âme à un préfixe, une préposition, une épithète, bref une nuance. On pourrait ne pas en finir de caractériser la sincérité en regard de la franchise, de la candeur, de l'ingénuité, de l'innocence, ou l'imposture en regard de la fausseté, de la dissimulation, de la fourberie, de la duperie. L'essentiel ici, c'est la dialectique même des variations. On comprend que tout soit question de justesse, de délicatesse, de finesse, de vivacité, de pénétration, de profondeur, d'étendue. L'analyse qui élimine les cloisonnements conceptuels et s'attache aux connexions, aux équilibres, aux proportions, aspire à restituer l'unité mouvante de l'homme moral. Elle est le propre d'une psychologie attentive aux formes et aux qualités, que l'on peut dire phénoménologique.

C'est ici qu'il convient de reconsidérer les droits respectifs du cœur et de la raison, et le rôle historique de Vauvenargues dans ce débat. Il est entendu qu'il réhabilite les passions et la nature humaine ; il est vrai qu'il écrit : « Les grandes pensées viennent du cœur » (encore est-ce pour répliquer à La Rochefoucauld). Mais ces oppositions de termes sont la monnaie courante du moraliste — l'époque de Vauvenargues joue de l'esprit et du cœur — et surtout il faut se défier des significations. Le cœur est le côté de la nature et l'immédiateté. Il se manifeste par le sentiment, la chose la moins précise qui soit : aptitude à percevoir et exprimer les réalités intimes, celles qui tiennent à la substance individuelle ou au fonds commun de l'humanité. Souvent sentiment équivaut à intuition ; employé par Vauvenargues au singulier, il suppose conscience et faculté de jugement. La raison, c'est la distance, la séparation ; elle se nomme aussi réflexion, s'accompagne du sang-froid, tire parti du temps pour s'y développer. Comme dira Buffon, « c'est le doute, c'est la délibération, c'est la comparaison ». C'est la capacité de différer, de produire par le discours une vérité de seconde main. Vauvenargues pourrait écrire que l'homme qui raisonne est un animal dépravé, parce que la raison sans le cœur devient déraison. Il n'existe pas à ses yeux d'incompatibilité d'essence ; mais la raison peut, pour son malheur, croire à son autonomie, s'y résoudre et se perdre.

Il ne s'agit pas de choisir le cœur contre la raison. Il n'y a pas de spontanéité absolue, mais toujours de la « conscience » déjà et de la « réflexion ». Quant à la raison, elle est, elle aussi, fille de la nature. On trouvera normal, quoi que pensent certains commentateurs, que l'esprit, par ailleurs tributaire du sentiment, puisse aller le réveiller jusque dans le cœur, comme il semble normal que la raison emprunte son énergie à la passion, passion qu'il faudrait ne pas assimiler à un principe de désordre et de délire. En réalité, la pensée de Vauvenargues habite une zone également familière à Marivaux, où le sentiment s'épanouit en moments d'intelligence, où la raison, liée aux révélations du cœur, compose son discours comme une constellation d'intuitions. L'un et l'autre refusent l'artifice des distinctions radicales.

La pensée du moraliste se révèle essentiellement synthétique. Elle s'intéresse aux qualités variables des phénomènes mentaux dans la mesure où elles caractérisent une instance plus compréhensive. Il est remarquable que dans l'*Introduction* l'étude des structures de l'esprit renvoie à la notion d'âme, que l'interprétation de traits individuels fasse appel aux notions globales de « tempérament» ou de «caractère». Il ne manque à cette psychologie que le terme de «personnalité», dont elle saurait faire usage. Mais en a-t-elle réellement besoin, puisqu'elle culmine dans l'idée de génie? Vauvenargues semble n'avoir conduit toute sa recherche sur l'esprit humain que pour aboutir au génie. Dans le génie se rassemblent et s'accomplissent l'individu et l'humanité. L'existence s'y concentre à l'occasion d'une œuvre où l'absolu se cristallise; et par lui le temps se trouve discrédité, le temps des lentes élaborations, le temps d'une histoire prétendument inventive et d'une éducation prétendument formatrice. La perfection a quelque chose de fulgurant : c'est la totalité saisie d'un seul regard, comme dit à peu près Crouzas, annexé par Vauvenargues.

La hiérarchie des esprits est couronnée par le génie; la hiérarchie des valeurs paraît s'achever sur l'idée de Beau : cela éclaire le cheminement du philosophe. On comprend la méfiance envers les catégories et l'esprit analytique, la méthode phénoménologique, l'exigence de synthèse. On comprend aussi que l'idée de pouvoir, par sa radicalité même, excluait toute pratique, ne pouvait que se donner des symboles imparfaits. Vauvenargues savait d'emblée, sans doute, qu'il n'y aurait jamais pour lui de pouvoir réel, mais seulement la représentation, préférable peut-être, d'un inexprimable pouvoir dont il lui reviendrait d'inventer la théorie et le langage.

*

L'œuvre du moraliste peut se lire comme une méditation sur sa propre possibilité. Après s'être convaincu qu'il n'a d'autre devoir que d'écrire, Vauvenargues se demande comment écrire; en fait, d'ailleurs, les deux problèmes s'imposent simultanément. Comment écrire? la question n'est pas de pure convention pour celui qui suspecte vivement l'objet de la littérature et les formes qu'elle revêt, qui entend ne pas se fier naïvement aux vertus du langage, mais réinventer ou rétablir les rapports harmonieux du langage et de la vérité. En cette matière, point d'acquis, il faut, à la lettre, tout recommencer :

Vauvenargues ne peut envisager d'écrire sans se regarder comme le premier écrivain.

Il s'agit d'abord de se donner une esthétique : nous savons que Vauvenargues y travaille en critique et en philosophe. Il s'agit de la mettre en pratique : à cet égard, ce que les manuscrits subsistants et les diverses versions conservées nous apprennent de l'atelier de notre auteur est éclairant : « placer » les mots, rendre nécessaire la « liaison des termes et des idées », c'est tout son tourment et sa raison d'être.

Sa tâche paraît d'autant plus malaisée qu'il ne dispose pas d'une doctrine stable. Il vient aux lettres alors que l'idée de goût fait l'objet de controverses auxquelles son maître Voltaire participe ; alors que la littérature du siècle de Louis XIV s'éloigne, désormais située dans une perspective historique. Des auteurs récents, le plus grand par la pensée pèche gravement par le style : Fontenelle ne peut tenir lieu de modèle. Malgré les essais sur Homère, sur les Anciens et les Modernes, sur les différents genres, malgré les traités du Beau, malgré l'abbé Dubos et ses *Réflexions critiques sur la poésie et la peinture*, ou à cause de cette prolifération de textes où s'exprime la fermentation d'une pensée qui ne se sait pas encore « esthétique », Vauvenargues se trouve ramené à ce qu'il n'a cessé de tenir pour fondamental.

Ce qui est en cause, au-delà du choix d'un genre et d'un style, c'est la nature du langage. Car l'écrivain a besoin d'un langage simple ; non point en vertu de quelque préférence momentanée ou personnelle, mais parce que le vrai étant nécessairement simple, la simplicité d'un langage prouve sa véracité. Mais qu'appelle-t-on simplicité en fait de langage ? Faut-il, pour la rencontrer, remonter, au moins symboliquement, le cours du temps et la chercher du côté des commencements, comme y invitera l'*Essai sur l'origine des langues* ? Sans s'adonner à une réflexion systématique, ainsi que vont le faire Maupertuis et Condillac, Vauvenargues comprend qu'il n'y a pas de solution simple du problème de la simplicité. Il accède ainsi à l'un des débats capitaux de son temps, car, à propos du langage, c'est de l'histoire de l'esprit et de la vérité que l'on parle, et de l'essence même de la littérature. Quelle littérature est encore légitime ?

Le salut semble s'offrir à l'écrivain dans l'écriture fragmentaire : le langage y figure le rythme interrompu du jaillissement naturel. Discontinuité de la parole, discontinuité d'une pensée scandée d'intuitions, Vauvenargues relève l'analogie de ce rythme et de l'alternance de la veille et du sommeil, ou même de la vie et de la mort. Il se montre attentif aux palingénésies répétées de l'être, qu'il observe dans l'âme : « mes passions et mes pensées meurent, mais pour renaître ». La forme la plus véridique devrait donc respecter l'imprévisible enchaînement des illuminations et des défaillances ? De fait, les discours pleins et les structures régulières inspirent à Vauvenargues grande méfiance. Mais la maxime classique, avec son dessin « archaïque », est, elle aussi et doublement, artificielle. Elle simule le fragment par la condensation, elle simule par la disposition et les rapports de ses éléments la continuité discursive. Reste la « réflexion », dont la forme extensive et libre laisse le propos ouvert sur un avant et un après virtuels ; sans être exclues, la symétrie et la pointe n'y sont pas indispensables. Et le moraliste, en effet, pressentant l'enjeu, se ménage une suffisante latitude : il intitule le dernier chapitre du volume de 1746 « Paradoxes mêlés de Réflexions et de Maximes ». Autant qu'on en puisse juger d'après des textes non datés, son évolution l'éloigne de la stricte maxime ; il préfère la « réflexion », ou la « pensée », ou même le « fragment ». C'est le même désir d'émanciper l'esprit et le style qui le pousse à réunir en un seul, plus ample, deux ou trois aphorismes, à composer, par modification de l'ordre primitif, des séquences de pensées que rapprochent le thème, la syntaxe et, assez souvent semble-t-il, une exigence de rythme et d'euphonie. Il admet donc, dans la pratique, le jeu dialectique du continu et du discontinu, d'autant qu'il a vu le texte engendrer la maxime et la maxime s'élargir en fragment. Pourtant, il ne renonce pas à l'éclat pur d'un langage absolu.

L'idéal paradoxal de l'esthétique de Vauvenargues tient en un mot : l'éloquence. Non que l'éloquence soit

incompatible avec l'écriture fragmentaire, puisqu'elle
«embrasse tous les divers caractères de l'élocution».
Mais définissant l'homme éloquent, qu'il souhaite
«grand et simple, énergique et clair, véhément sans déclamation, élevé sans ostentation, pathétique et fort sans
enflure», le moraliste formule deux exigences de sens
inverse. D'une part, il veut, avec le concours d'une
«grande imagination» et d'un «génie vigoureux», enrichir le style, l'orner d'images qui entretiennent un «heureux rapport avec les vérités qu'elles embellissent» : entreprise de poète, très légitime quand on distingue si peu
l'éloquence de la poésie qu'on définit la seconde, comme
Voltaire, une «éloquence harmonieuse». D'autre part, il
demande de retrancher tout ornement : s'il s'agit d'élimi-
ner les joliesses, badinages, afféteries d'une littérature
mondaine, point de surprise; mais un Démosthène de
dialogue dit à un Isocrate : «Je veux que [l'homme élo-
quent] n'ait jamais d'art, ou, du moins, que son art
consiste à peindre la nature plus fidèlement, à mettre les
choses à leur place, à ne dire que ce qu'il faut, et de la
manière qu'il le faut.» Il conviendrait donc que l'éloquence, d'abord tenue pour un art, se moquât d'elle-
même jusqu'à se renier. C'est par le suicide qu'elle réali-
serait son essence : elle s'identifierait à la voix de l'immanence, tout en exaltant la puissance de séduction de
l'art qu'elle ne veut plus être.

L'écrivain se donne un discours doté des vertus du
Verbe : tout poésie et vérité. Voilà enfin qu'est retrouvée
l'authentique parole. Alors «les grands hommes parlent
comme la nature». Alors «le sublime, la véhémence, le
raisonnement, la magnificence, la simplicité, la hardiesse» sont qualités si parfaitement consubstantielles à
l'éloquence que «toutes ces choses ensemble ne sont que
l'image d'une nature forte et vigoureuse». Équivalence
admirable des mots et des choses! Prestige de la parole
humaine, plus qu'humaine...

Dans la pensée de Vauvenargues, le génie de l'éloquence acquiert un pouvoir démiurgique. «Je voudrais,
dit le Démosthène du dialogue, qu'un homme éloquent
fût en état de pousser toutes ses idées au-delà de l'attente

de ceux qui l'écoutent, qu'il sortît des limites de leur jugement, et qu'il les maîtrisât par ses lumières, dans le même temps qu'il les domine par la force de son imagination et par la véhémence de ses sentiments. » L'éloquence frappe et conquiert. Elle est le don majeur des grands hommes et des héros les plus accomplis des *Caractères*. Pour plaire et persuader, elle s'adresse à l'âme, lui adresse un signe si juste et si fort qu'il l'éveille, qu'il éveille en elle sa capacité de vérité, qu'il la rend capable de la vérité qu'elle portait en elle. Le subjectif parlant au subjectif, le convainc de « lire dans le sein de la nature [...] une vérité souvent ignorée mais qui existe éternellement ». On juge par ses effets de la texture et de l'emprise de l'éloquence.

Inspiré par Fénelon et ses *Dialogues sur l'éloquence,* Vauvenargues rend, sans doute, le discours à sa fonction profane, mais il lui reconnaît des vertus proprement magiques. A l'en croire, non seulement l'éloquence agit à l'insu de l'auditeur et du locuteur, « qui, même sans le vouloir, fait passer sa créance ou ses passions dans l'esprit ou dans le cœur d'autrui » ; mais elle « donne vie à tout », « tout cède à sa voix », « elle seule enfin est capable de se célébrer dignement ». Organe de la pure vérité, elle est à la fois transparence et énergie absolue. La nature par son truchement se parle à elle-même. Conception évidemment tautologique ; du moins peut-on comprendre qu'on n'acquiert pas le droit de proférer la langue naturelle : on ne devient pas orateur, ni poète. Les élus laissent parler par leur bouche la voix divine. Sans y prendre garde, Vauvenargues a retrouvé le mythe d'Orphée.

*

S'il est une certitude fondamentale pour notre moraliste, c'est que le Vrai va de pair avec le Beau, la Nature constituant l'hypostase suprême. Cette certitude qui affleure tout au long de l'œuvre sans être jamais ni contestée ni non plus démontrée, prend notamment la forme suivante : le grand écrivain est peintre. A la différence de La Bruyère, « M. de La Rochefoucauld n'était pas peintre » : irrémédiable carence. Fénelon, en revanche, s'entend louer par un Pascal fictif de la vérité, du feu, de la grâce de ses peintures ; et Bossuet, qui ne doit pourtant rien envier à personne, admire dans Racine l'inimitable « vérité de [son] pinceau ». Pas de doute, « cette splendeur d'expression qui emporte avec elle la preuve des grandes pensées », c'est la lumière double du beau et du vrai. Mais Vauvenargues, lui-même, est-il peintre ? Quelle poétique habite sa prose ?

Partons d'une remarque de Voltaire. En face de la maxime LXXXII : « Les premiers jours du printemps ont moins de grâce que la vertu naissante d'un jeune homme », il écrit dans la marge du volume de la Méjanes : « Faible et poétique ». Critiques aussitôt de blâmer le censeur. Vauvenargues, lui, supprime la maxime. Par complaisance ? ou parce qu'il avoue l'artifice ? Le parti pris de « peindre » discrédite la comparaison. Et que penser de ces « orages de la jeunesse [...] environnés de jours brillants » ? Il y a dans ces équivalences, et dans d'autres semblables, une naïveté qui peut plaire, encore que les images de nature ne fassent pas nécessairement de la poésie naturelle. Notons l'intention, mais considérons plutôt certaines constantes significatives de l'imaginaire vauvenarguien.

Le moraliste exploite avec prédilection le champ lexical de la « grandeur ». La catégorie du « grand » est assez ambiguë pour intéresser autant le domaine des sensations que l'échelle des valeurs, pour autoriser par conséquent des transferts stylistiques et des glissements sémantiques. Qualité dynamique, puisqu'elle détermine un jeu de différences et d'oppositions, la grandeur définit moins une mesure réelle qu'elle ne suggère croissance et dépassement. Du point de vue moral, être grand, c'est grandir.

Selon Vauvenargues, grandes âmes, grands hommes, grands desseins, grandes places, grandes choses relèvent d'une essence commune. Essence inexprimable, mais si peu douteuse que là « où il y a de la grandeur, nous la sentons malgré nous », « que les grandes âmes aiment naturellement tout ce qui est digne de leur estime ». Exprimée en dispositions morales, elle devient « magnani-

mité» et «humanité», ce sentiment qui enveloppe l'espèce humaine. A l'égard des capacités de l'entendement,
on parlera d'«étendue» : l'étendue d'esprit «agrandit les
sujets», permet aux «auteurs sublimes [de] remplir l'intervalle [des] extrêmes» et d'«embrasser toute la sphère
de l'esprit humain».

La hauteur accompagne la grandeur. Tout se passe, en
effet, comme si l'élargissement du champ de vision cor-
respondait à l'élévation du point de vue. Avec l'altitude
apparaît une gamme de connotations valorisantes, en
même temps que s'imposent l'idée d'énergie ascension-
nelle et celle, réciproque, de l'«ascendant». L'échelle
des grandeurs culmine au sublime, mot favori de Vauvenargues pour désigner l'insurpassable.

A la thématique de la hauteur il faut relier celle, com-
plémentaire et non antinomique, de la profondeur. C'est
le fait d'une «vaste imagination» que d'«embrasser et
pénétrer rapidement toute l'économie des choses humaines». De même Théophile acquiert à force de pénétration
l'ampleur et la supériorité d'âme; son esprit perçant
«s'insinue et descend dans le cœur des hommes». Après
l'image de la montée, celle de la plongée, après l'espace
d'en haut, la liberté des profondeurs; celle-ci exige l'art
de se glisser, de se dissimuler, de se fondre dans l'univers
secret où l'on entre, afin d'en prendre insensiblement,
insidieusement, possession. La pénétration, comme
l'élévation, prépare un élargissement de l'être; elle mène
aussi à la grandeur; c'est pourquoi il paraît moins surprenant qu'on ne l'a prétendu, de faire l'éloge de l'intrigue,
de l'«esprit de manège».

Faut-il souligner les effets de contraste? A l'étendue
d'esprit s'opposent les «vues courtes», les «petites règles», le «cercle d'idées», l' «enceinte étroite des opinions». Aux sentiments exaltants font antithèse les passions restrictives et la sévérité. Au panégyrique de la
tolérance répond le procès de l'austérité, fille de l'ignorance, de l'amour-propre, de la jalousie, pour tout dire de
la «petitesse de cœur». C'est en vertu de semblables
critères qu'est condamnée la pauvreté, elle qui emprisonne les âmes de grand champ. Vauvenargues éprouve

jusqu'à l'angoisse, l'obsession du confinement et de l'immobilisation.

On trouverait peut-être banals ces jeux de l'imagination et ces variations sur le lexique, s'ils ne dessinaient la structure symbolique de la pensée de Vauvenargues, et si l'on ne voyait au travers de figures communes et d'une gamme assez restreinte de mots, se déployer, dans le silence spécieux de la métaphysique, la hiérarchie des valeurs et sensibles et morales. La liberté se définit analogiquement par l'aisance que procure l'immensité ouverte. La rectitude du jugement, c'est le regard qu'on jette de haut sur les choses et qui révèle leurs vraies «proportions» : le mot est cher à notre auteur. Parce qu'elle est refus tant de l'altitude que de la profondeur, Vauvenargues condamne la médiocrité, tandis qu'il préconise la familiarité, notion que l'on croirait à tort proche de la précédente, parce qu'elle favorise l'«essor» de l'âme en élargissant le cercle dit familier, parce que le commerce des hommes enseigne l' «art de se proportionner à tous les esprits, qui demande un génie si vaste». Toute la configuration d'une philosophie se trouve ainsi reliée à des notations physiques, à une perception orientée de l'espace et du mouvement.

La symbolique de Vauvenargues est assez complexe pour inquiéter le bon sens de l'abbé Morellet. Annotant l'*Introduction,* il stigmatise au chapitre «De l'étendue de l'esprit» une «métaphore incohérente». L'abbé n'a pas tort. Mais, il ne le comprend pas, au travers de ce carambolage d'images, la langue de Vauvenargues trouve laborieusement sa consistance propre. Avec la thématique de la lumière elle complète le système de ses correspondances internes. Les jeux de la lumière y viennent en effet sanctionner l'activité de l'esprit, en vertu d'un mécanisme purement imaginaire. C'est ainsi que la clarté peut «orne[r] les pensées profondes», que l'erreur soumise à l'épreuve radiologique de l'expression se dissout. Si la netteté de la parole géniale est «lumineuse», comme l'est la naïveté, n'y voyons pas simple poncif. On réhabilitera surtout, malgré Voltaire, la maxime célèbre : «Les feux de l'aurore ne sont pas si doux que les premiers regards

de la gloire. » Car la gloire n'est rien d'autre pour Vauvenargues la substance lumineuse qu'il lui restitue, elle
n'est que l'espoir de clarté qu'on «cultive dans l'obscurité ». Elle est le «soleil bienfaisant», l' «âme invisible
de tous ceux qui sont capables de quelque vertu», rien de
palpable, l'objet d'une passion sans objet, un rayonne-
ment. Ni chimère, toutefois, ni illusion, puisque, effectivement, elle «embellit les héros». Au centre de l'œuvre
du moraliste, elle en est l'emblème parfait : elle doit sa
réalité, en tant, précisément, que foyer de la pensée, à la
seule densité poétique du langage.

L'écrivain trouve son compte à entretenir, le fît-il à son
insu, une philosophie de l'immanence ; les qualités des
choses se confondent avec les modalités du sentiment
qu'il en a et le langage développe ses ressources analogi-
ques sans s'asservir à son objet. Mais, étant donné la
reconstruction phénoménologique de la vie morale,
considérant un monde où les valeurs se caractérisent par
leurs rapports, comment le moraliste va-t-il fixer la valeur
de référence ?

*

Qu'est-ce que la vertu ? Vauvenargues sait d'emblée
qu'il saura répondre à la question. C'est pourquoi il s'y
prépare, soigneusement, en composant un *Traité sur le
libre-arbitre*. Comme les grands maîtres de la morale,
comme les Stoïciens, comme Spinoza, il pense qu'on ne
peut parler de la vertu qu'après avoir prouvé que tout est
nécessité. Nietzsche jeune écrit «Libre arbitre et fatum».

Inspiré par Spinoza ou, plus probablement, par Boulainviller qu'il apprécie et dont la *Réfutation des erreurs
de Spinoza,* pseudo-réfutation comme on sait, est publiée
en 1731, notre moraliste commence par faire litière de
quelques spéculations traditionnelles. L'idée de nécessité
a un grand pouvoir purgatif. Elle réduit le problème de la
liberté, avec ses implications métaphysiques et morales.
Elle dispense de gloser sur l'indépendance de la volonté
et sur l'obligation de suspendre le sens de l'existence
individuelle à des valeurs transcendantes. Vauvenargues

met tout son soin à décrire la genèse interne de décisions
prétendues volontaires : montrant que sont superflues les
hypothèses fondées sur les influences relatives des principes du bien et du mal, il considère que « nos passions et
nos idées actuelles sont le principe universel de toutes nos
volontés ». Même tempérée de concessions théologiques,
sa conclusion est décisive : « Reconnaissez toujours que la
raison même, la sagesse et la vertu ne sont que des
dépendances du principe de notre être. » Aucun idéalisme, semble-t-il, dans cette pensée qui se détache résolument de la doctrine platonicienne.

La vertu n'est pas à chercher hors de soi, elle n'est pas
une idée ; elle tient, on vient de le voir, au principe de
l'être. Comme la « virtus », elle désigne la valeur carac-
téristique de la personne, la force morale qu'illustrent les
personnages de Plutarque, le « courage » sans l'affectation de grandeur qui rend antipathiques au moraliste les
héros de Corneille. Inhérente aux tempéraments vigoureux, aux passions véhémentes (ce sont aussi les qualifi-
catifs de l'éloquence), la vertu est essentiellement énergie. Il ne suffit pas, explique Vauvenargues, de bien voir
son chemin pour marcher, il faut encore « avoir des pieds,
et la volonté avec la puissance de les remuer ». Sa vertu
n'est pas sans ressembler à la nietzschéenne « volonté de
puissance ». On ne discerne pas en elle de finalité précise : l'important est que je veux être l'être qui veut.
Force d'affirmation et « démonstrations de force », la
« vertu » se trouve habituellement contenue par l'austérité
et le sang-froid, réprimée par la morale, comprimée par
l'éducation dans l'âme des enfants et des jeunes gens. Or
je vaux autant que la puissance que je déploie, puissance
qui s'augmente du sentiment que j'en acquiers.

Pareille vertu n'a rien de commun avec les vertus que
codifient et hiérarchisent les morales conventionnelles.
La divergence est confirmée par cette variante du *Discours sur le caractère des différents siècles* : « Quand je
parle de vertu, je n'entends point ces qualités imaginaires
que la philosophie a inventées [...] je parle de cette
supériorité des âmes fortes que l'éternel Auteur de la
nature a daigné accorder à quelques hommes. » Au nom

de cette « vigueur de l'âme », il est normal de suspecter les valeurs et les qualités reconnues : saine critique que l'étude du mécanisme des bons sentiments ; il est normal aussi de négliger les contradictions et d'admettre les vices au service de la « vertu ». Comme fera Diderot, Vauvenargues admire l'énergie des grands révoltés, menât-elle au crime. Il eût plus volontiers partagé le sort de Catilina, au risque d'être poignardé, que celui du censeur Caton. « J'aime, écrit-il à Mirabeau, un homme fier et violent, pourvu qu'il ne soit pas sévère. »

La vertu ne peut vouloir que la gloire, elle ne peut souhaiter s'enfouir dans des conduites honorables, des passions sans envergure : ce que sont pour notre auteur l'amitié et l'amour. La première, avec ses dispositions salutaires, sied aux « esprits timides et sérieux ». Elle est bonne à soulager les cœurs qu'oppresse le mystère, à séduire des âmes vaguement timorées. L'assouvissement qu'elle procure trompe provisoirement ceux qui se croient comblés, mais, fixant le cœur, elle oblige bientôt à sentir le néant d'une jouissance sans avenir. Quant à l'amour, il s'annonce par l'« attendrissement » et se solde par une « défaite » ; exclusif comme l'amour-propre, il inspire le repliement agressif et l'humeur craintive de l'égoïsme. A l'égal de l'amitié et de l'amour, font chétive figure au jugement du moraliste des vertus aussi éminentes que la charité : il serait instructif de recenser là-dessus les réserves et les omissions.

A la vertu s'assortit naturellement une philosophie de l'action : il vaut mieux dire, avec l'écrivain lui-même, de l'activité. Voulût-il s'opposer à l'impulsion des forces qui travaillent en permanence l'univers et le moi, que l'homme ne le pourrait qu'en retournant ces forces contre elles-mêmes. Il est donc nécessaire et sage, en dépit des morales de l'abstention, de se conformer au principe naturel d'activité. C'est ce que fait le Titus des *Caractères,* héros excessif d'une éthique parfaitement anti-pascalienne. Le personnage excelle en tout, jusque dans le plaisir, il vit et meurt d'agir : être inquiétant, dont la fébrilité semble répondre à la menace de l'ennui ; figure exaspérée de l'idéal vauvenarguien. On en retient la gratuité d'une existence qui n'est que dissipation de puissance. On en retient l'image d'une perversion par excès; car, s'il est vrai que « notre âme ne se possède véritablement que lorsqu'elle s'exerce tout entière », il est permis de penser, et le moraliste y invite, que l'exercice le plus complet de sa vertu, notre âme peut l'attendre de la contemplation. Tenir la contemplation pour une action, ce n'est pas renier l'action, mais la sublimer et transformer la contemplation en activité créatrice.

Créatrice, l'activité l'est, au premier chef, de valeurs. Et cela nous explique comme la vertu de Vauvenargues peut devenir, au sens habituel du mot, vertueuse. C'est que l'axiologie, qui refuse l'essentialisme, emprunte sa logique à l'éthique du dépassement. Je dois inventer mes valeurs parce que je le puis, parce que j'en conserve au long de mon activité la capacité formelle. Rien n'est possible si je commence par arrêter les limites du bien et du mal, mais si l'un est à l'autre ce qu'est l'ombre à la lumière, je définis, sans exclure, un plus et un moins être. Car on ne conçoit pas l'idée de privation sans celle de réalité et on ne saurait admettre que la privation vaille mieux que la réalité. Au regard de cette logique, il n'existe que des défauts relatifs. L'activité crée de l'ordre en restituant le juste rapport des valeurs; la perversion est due, forcément, à l' « impuissance d'assortir les choses ».

Vauvenargues tient à ce point la passivité pour responsable du mal ou de la non-valeur, il identifie si bien la vertu à l'énergie, qu'il exclut les jugements qu'inspirerait un état de moindre vitalité. Il n'accorde aucun crédit à la souffrance et à la maladie. Il demande avec une remarquable insistance qu'on ne reconnaisse de signification privilégiée ni à la beauté d'une mort, ni à la proximité de la mort, ni à l'idée de la mort. Jusqu'au repentir, au souvenir, aux complaisances envers le passé, quelque forme qu'elles revêtent, qu'il accuse de paralyser la vertu.

Telle est cette philosophie de l'activité que l'on y voit la valeur se déterminer elle-même et que le mouvement de l'esprit y développe l'essence en devenir de la valeur. Le dynamisme de la vertu se reconnaît ainsi dans certains coups de force de la raison. Le philosophe sceptique, par exemple, est confondu par l'absurdité de sa propre conduite : argument banal. Moins banal qu'il ne le semble : une dialectique assez subtile s'y révèle dont l'auteur fait un usage presque systématique. Il met en œuvre, à sa manière, le principe de négativité, en considérant que la vérité des valeurs n'est que dans leur rapport réciproque, et que la valeur se déclare en niant, mais intégrant dans son devenir, une moindre valeur antérieure. C'est à ce type de logique qu'il recourt contre les pyrrhoniens, même s'il s'aide de S'Gravesande pour détruire le doute absolu et de Buffier pour établir les premiers principes. C'est encore parce que le négatif contient le positif, qu'il tire de la coutume l'existence nécessaire et la primauté de la nature. C'est un raisonnement analogue qui permet, dans l'*Introduction,* au chapitre « Du bien et du mal moral », de distinguer le vice de la vertu sans verser dans l'abstraction ni altérer les rapports des forces morales ; d'ailleurs la dialectique du bien et du mal, devenue subrepticement — la chose est notable — dialectique du vice et de la vertu, se prolonge et se confirme, au même chapitre, dans la complémentarité de l'ombre et de la lumière, dans la détermination de la santé par la maladie, du courage par la peur, du génie par l'imbécillité, et, pour tout dire, de la puissance et de l'éternité par le néant.

Vauvenargues ne saurait concevoir que la pensée en mouvement rencontrât des réalités neutres : il n'y a que des degrés de valeur. De même, dans l'existentiel, il n'y a que des degrés de puissance. Faut-il donc avouer que la vertu est toujours plus ou moins vertueuse, qu'elle ne l'est jamais absolument ? Mais comment s'accommoder de la régression à l'infini, alors surtout que l'on a cru pouvoir accéder à l'absolu par une sorte d'effraction ? D'où viendrait cette certitude qui baigne l'œuvre ? Si je puis dire le sens de la vertu, n'est-ce pas que de ce sens je détiens le signe ? Mais en connaîtrais-je le signe si, dans l'ignorance où je suis du terme, je ne pouvais me retourner vers l'origine ? Plus elle est dynamique et, à sa façon, optimiste, plus la pensée du moraliste se charge de nostalgie.

*

La pensée avance en sûreté dès qu'elle s'imagine revenir vers une vérité qui depuis toujours l'attendait. Vieille vérité que rendent neuve le sentiment que j'en ai et le langage qu'elle m'inspire. Pourvu que ma parole se donne cette netteté où se décèlent la «bonne foi des philosophes» et le «vernis des maîtres», je puis, sans ressasser, proclamer encore ces certitudes anciennes dont chacun se croit à tort suffisamment instruit. Le risque de tomber dans le trivial est bien compensé par l'assurance de ne pas se perdre. On dirait que la dialectique ne se hasarde à progresser qu'à la condition de savoir que son aventure la ramène à son point de départ.

Tout est retour : retour à soi, par le dépouillement, «soyez simple, naturel, modeste, uniforme»; retour à l'homme, au travers des artifices et des préjugés; retour aux principes; retour, en définitive, à un commencement perpétuel et mythique. Il s'agit de chercher dans un présent obscur les traces d'une clarté antérieure. La croyance à l'éden de la vérité astreint l'esprit à un incessant mais joyeux «nostos». Comme Fénelon, comme Montesquieu, comme Rousseau, Vauvenargues se fait obligation de transmuer le passé humain, afin de dégager du temps des figures d'éternité, d'apercevoir dans les civilisations des vertus de nature. Son Démosthène déclare : «Le caractère des grandes vérités est l'antiquité.» Il ajoute, renvoyant aux modèles galvaudés de l'âge patriarcal : «Les grands écrivains imitent les pasteurs des peuples : ceux-ci n'annoncent point aux hommes une nouvelle doctrine et de nouvelles vérités.» Des fragments d'un *Discours sur l'éloquence* reprennent l'antienne : «Comment faisaient les anciens philosophes dans leurs écoles? [...] Ils expliquaient les vieux principes de la philosophie [...] ils ne s'appliquaient qu'à maintenir dans leur pureté les vérités anciennes.» Voilà donc les anciens qui se réclament de plus anciens dans une réduplication, par elle-même déterminante, de la structure du parler.

Vauvenargues emprunte, comme tout le monde, ses

exemples aux littératures grecque et latine, mais il le fait en dénonçant l'illusion qu'il cultive. Après Fontenelle, La Hontan, Delisle de La Drevetière, il fait dialoguer le Sauvage et l'Européen, attribuant, comme il se doit, à son Américain la thèse de la maturité précoce de l'homme et de la décadence des siècles subséquents ; mais son Portugais conclut sur un doute : y eut-il un temps et un lieu où la nature humaine parvint à sa perfection ? En même temps donc l'auteur utilise la fiction rétrospective et la conteste ; il la conteste et ne veut pas s'en priver.

Le temps paraît ne constituer à ses yeux qu'une catégorie logique. S'il est de l'ordre naturel de se dépenser selon la succession des instants, il appartient aussi à la nature de procurer la référence intemporelle. Je suis dans le temps l'être qui peut s'en évader pour dire quelques paroles éternelles. L'idée que j'ai de la nature et de son rythme itératif, de l' « âme éternelle du monde » que je crois disposée à me rendre, au terme de ses métamorphoses cycliques, ce qu'une mort m'aura volé, cette idée, dont je vérifie la justesse par mes avatars intimes, semble, en effet, me garantir la chance de transcender le temps de l'intérieur.

Vauvenargues ne cultive pas davantage la conscience de l'histoire. Manifestement, la profonde perspective des siècles accumulés ne lui importe guère ! Il estime ne rien gagner à l'inventaire des causes et à l'étude de leurs enchaînements, étude et inventaire toujours suspects au demeurant. De plus, et ce n'est pas son moindre défaut, l'histoire prétend fabriquer de la valeur et du sens. Or, tout bien pesé, les hommes et les siècles se valent. Point de peuple spécialement doué pour l'erreur ; point d'époque à laquelle réserver le privilège de la barbarie. Ne voyons-nous pas qu'au moment où s'accroissent les « lumières de l'esprit », l'âme et avec elle le goût s'affaiblissent ? Alors, à quoi bon une philosophie du perfectionnement ? et sur quel fondement repose-t-elle ? Il est vrai que le refus d'un salut historique, le mépris de simples évolutions pourraient s'accompagner de cynisme. En fait, Vauvenargues a médité « sur l'inégalité des richesses » : elle lui inspire un double sentiment de révolte, à cause de

la souffrance imméritée des pauvres, à cause de l'abaissement auquel castes et privilèges condamnent le génie,
privé de son véritable théâtre. Pas de cynisme donc ; une
résignation stoïque ; et surtout la conscience d'un devoir
en regard duquel s'effacent les considérations historiques, le devoir d'« obéir à son génie ». Cela ramène au
choix fondamental, à cette conviction que pour l'intelligence le temps n'a pas de signification.

Il reste qu'il ne suffit pas de renier l'histoire, encore
faut-il se libérer de l'héritage des hommes. C'est dans
cette intention que Vauvenargues utilise l'œuvre de Fontenelle, fût-ce en inversant la visée de l'auteur. Le Fontenelle dont il se réclame a peint « la faiblesse et la vanité de
l'esprit humain », dénoncé le goût des fables et du merveilleux, combattu le respect des traditions, l'autorité des
anciens, la superstition ; il a détruit l'édifice d'erreurs
élevé au fil des siècles, pour donner sa place au vrai et
« agrandir les vues de la morale ». En somme, il a rendu à
l'esprit sa virginité d'avant l'histoire, préparant de la
sorte la voie du moraliste. Peu importe qu'il ait aussi
restauré le discours historique et décrit le progrès de
l'esprit, c'est en considération de son entreprise critique
qu'il passera pour « un des plus grands philosophes de la
terre » et que Vauvenargues veut bien se dire l'adepte de
l' « esprit philosophique ». Ce qu'il écrit de Fontenelle
permettrait de situer l'originalité de Vauvenargues, en
marge du courant « philosophique », loin, plus que ne le
sera Rousseau, des « anti-lumières ». Son dessein semble
être, en effet, d'affranchir la pensée de cette fiction que
lui impose aussi bien une doctrine du progrès qu'une
doctrine de la régression. Il use tour à tour des deux
démarches sans se sentir jamais véritablement contraint
par le cours de l'histoire ni déterminé par l'appel d'une
« contre-histoire », sans croire qu'il devrait choisir résolument entre pessimisme et optimisme. Les deux attitudes
relèvent à ses yeux, quand elles se font systématiques,
d'une même perversion, exploitent le même alibi d'une
raison collective. D'une manière ou d'une autre, ses
contemporains humanisent l'histoire ; il s'attache, lui, à
« renaturaliser » l'homme.

Nostalgie de l'intemporel, négation de l'historique : mais à quoi Vauvenargues prétend-il, s'il ne croit pas aux mythes dont il use, si le sens et le contresens de l'histoire lui paraissent également insignifiants, s'il ne recourt à ces concepts qu'afin de pouvoir, en définitive, s'en passer ? Peut-être le perçoit-on dans un texte tel que son « Plan d'un livre de philosophie », où il met à profit et domine la double perspective historique. Il y forme le projet de « rapprocher en peu de mots toutes les vérités importantes, et [de] former un corps de principes ». A cette fin, il convient, en tout domaine, de réduire et purger, pour concilier, fixer, comprendre. C'est le multiple qu'il faut réduire : multiplication des connaissances, vraies ou fausses, des points de vue particuliers, des livres. La richesse empêche de « prendre des vues générales », de « former un esprit vaste » : ce que démontrerait l'œuvre monstrueuse de Bayle. L'unique objet du « Plan » est de « tout réunir sous un même point de vue », de bâtir un système où se puisse « saisir » d'un regard la pluralité infinie des « vues éparses », de rapprocher tous les siècles pour que de leur comparaison instantanée jaillisse la vérité simple de la nature, de composer « un ouvrage » propre à « être saisi facilement et d'un coup d'œil ». Vauvenargues rêve-t-il du Livre ? ou seulement d'une forme pure, d'une structure absolue qui se laisserait totalement et immédiatement posséder ? L'univers rassemblé, cohérent, parfaitement lisible, entrant d'un coup dans ma pensée ; l'univers c'est-à-dire la nature qui serait dès lors la loi de tous les réels et de tous les possibles. Évadée des catégories du temps et de l'espace, la vérité est en moi, tout entière. Elle n'est que dans le temps où je la possède et je ne suis que dans le temps où elle se donne à moi. Moment littéralement ineffable, si toutefois l'on veut appliquer à Vauvenargues ce qu'il écrit d'Hippolyte de Seytres : « Il ne pouvait s'assujettir à expliquer par des paroles et par des retours fatigants, ce qu'il concevait d'un coup d'œil. »

*

« Une âme tendre et délicate », dit Baudelaire de Vauvenargues ; c'est-à-dire, selon le poète, une âme sûrement blessée et promise au sacrifice permanent d'elle-même. Est-ce une âme résignée ? L'œuvre ne porte, en effet, aucune marque de révolte. Pourtant on s'abuse sans doute si l'on se fie à cette retenue. Dans Brutus, son héros de prédilection, Vauvenargues peut avoir, presque à son insu, symboliquement représenté son parcours intérieur. Cet homme « simple, aimable et doux » devient par conscience le tranquille meurtrier d'un bienfaiteur qui lui fut un père. Une « âme tendre et délicate » va de la confiance à la rébellion, de la rébellion au crime, la rébellion et le crime restaurant les valeurs qui semblaient autoriser la confiance primitive. Dispensons-nous de gloser sur les liens du meurtrier et de la victime, mais relevons l'intervention de l'auteur : « si [Brutus] avait pu satisfaire par son propre sang à ses devoirs, je suis persuadé [...] qu'il eût sauvé César » ; c'est pourquoi, moi, Vauvenargues, sachant qu'il eut cette pensée, je prétends qu'« il faut l'adorer ». Étrange adoration, aux motifs si troublants qu'on songe, mais trop tard, à s'en repentir : « le premier mouvement éteint, je crois que César valait mieux ! » Non seulement le meurtre, le sang « paternel » versé sont approuvés de la raison comme une folie nécessaire, mais, venant d'un homme aimable et doux, cette folie appelle l'admiration et l'amour. Sans procéder à une assimilation facile, admettons que la sérénité de Vauvenargues est ambiguë.

Comme Brutus doit contester l'ordre établi par César, ordre dont il jouit mais qui l'emprisonne, ordre fondé sur le mensonge et qui se sacralise en se perpétuant, le moraliste libère les forces de critique et de révolte. Il entre en lutte contre les erreurs, les artifices, les impostures, en particulier quand ils affectent le langage et l'obligent à devenir l'ennemi de lui-même.

Vauvenargues ne peut se faire l'apôtre d'une sagesse qu'il juge compromise. Pas plus que Brutus, il ne veut d'une sagesse de résignation. Il récuse une sagesse de modération, « asservie aux lois communes ». Il hait la sagesse d'austérité. Plus volontiers que la prudence, il

préconise l'imprudence. Aux «âmes égales» il préfère celle qui «s'élance vers la générosité, vers le courage, vers la compassion», dût-elle retomber par la suite
«dans les mouvements contraires». La régularité a beaucoup moins de mérite à son avis que les sautes de tempérament, les accès de violence, les coups de folie.
C'est le même écrivain qui, naturellement, tient l'invention pour l' «unique preuve du génie» et fait éloge des
«saillies».

Le système critique est cohérent, il ne mène pourtant
pas à une révolte généralisée. Parce que Brutus ne peut
vouloir se rendre odieux, parce que le prix du crime était
de retrouver les valeurs primitives, voici qu'un renverse-
ment se produit. En fait, on n'avait pas cessé d'aimer
César; on ne veut pas que disparaisse ce qu'il représente.
Car la suprême tristesse viendrait d'anéantir ce qu'on a
combattu, au lieu d'accepter que les contraires s'impli-
quent. Ainsi, dans l'ordre de l'esprit, les plus fortes
hardiesses vont de pair avec la tolérance : Voltaire remarque chez Vauvenargues l'absence de parti pris et de
partialité. Pour la même raison, le moraliste se trouve,
quelque critique qu'il émette, tout à fait exempt d'amertume (la chose est digne d'intérêt). L'ironie n'est pas de
mise dans son œuvre, il n'use ni de l'anecdote ou du
portrait satiriques, ni de la plaisanterie, ni du trait. Ses
aphorismes ne sont pas des condamnations. C'est encore
une façon de ne pas contrevenir aux principes retrouvés
que de renoncer aux effets du romanesque, du pathétique,
de la dramatisation, aux procédés du comique. L'auteur
caractérise son dessein et son style personnels quand il
écrit : «La plaisanterie des philosophes est si mesurée
qu'on ne la distingue pas de la raison.» Au lieu de
s'exclure du jeu à la faveur de la mise en œuvre littéraire,
celui qui n'était qu'un juge s'intègre désormais à une
vision du monde conçue en termes de corrélation.

A travers critiques et oppositions se dessine une harmonie nouvelle. Elle est apparemment semblable à celle
dont d'abord se satisfaisait la confiance naïve. En réalité,
tout est modifié par le recentrage du monde. Car le
principe de cohérence, c'est le moi maintenant qui le

promulgue. L'unité n'est plus donnée, elle est produite en permanence par la puissance unifiante du sujet.

Le processus intérieur que nous avons tenté de schématiser, développe une certitude primordiale, présente tout au long de l'œuvre de Vauvenargues : c'est qu'il y a un langage de la vérité et une vérité absolue du langage. Cette certitude pourrait ne renvoyer qu'à l'idée de nature, et le moraliste ne se prive pas d'y recourir. Mais la nature elle-même n'est que la nature dont je proclame l'identité. Je nomme du naturel, le naturel m'anime ; c'est le rapport qui compte, et c'est la même parole qui circule dans des sens inverses. En fait, mon discours se commente et jouit de lui-même, dans un jeu éminemment narcissique. Je me reconnais dans ce qui n'est pas moi, éprouvant mon pouvoir à distendre indéfiniment mon emprise et à recueillir le monde dans des mots qui ne trompent pas. Ainsi se procure-t-on le sentiment d'existence le plus intense ; car, de même que plus l'âme s'exerce, mieux elle perçoit sa plénitude, de même « la plus grande perfection de l'âme, c'est d'être capable de plaisir ». Coïncidence du vivre et du penser consacrée par une éthique du plaisir peu répandue parmi les moralistes.

Quant à la confiance qu'entretient Vauvenargues à l'égard du langage, elle serait plutôt d'un poète. Du moins produit-elle une sorte d'effet poétique global, un effet d'irréalité. De tant croire à la « réalité » du langage, Vauvenargues déréalise son discours. Comme la vérité tient aux formes et au mouvement de la pensée qui l'appréhende, l'univers concret se trouve exclu de l'œuvre : le réel ne s'y manifeste que par prétérition, dans l'éloignement qui résulte de l'abstraction. Par là même le moi semble demeurer à l'abri des risques matériels : la violence physique, la douleur, le sang et jusqu'à la mort ne concernent pas l'écrivain, ou c'est d'une telle distance que le tragique est contenu par la calme maîtrise du discours. Quoi de plus irréel enfin que la lévitation permanente de la grande âme, celle, par excellence, du philosophe ? Elle s'élève au-dessus des choses : « le passé, le présent et l'avenir sont immobiles devant ses yeux ; elle porte sa vue au loin » ; mais, simultanément, en vertu de son immanence, « elle incorpore à soi toutes les choses de la terre ; elle tient à tout ; tout la touche ; rien ne lui est étranger ». Puissance magique, mythe salvateur. L'écrivain fait indéfiniment advenir l'être dans le devenir de son discours.

Jean DAGEN.

BIBLIOGRAPHIE

Andrée HOF propose un « État présent des *incertitudes* sur Vauvenargues » dans la *Revue d'Histoire littéraire de la France,* novembre-décembre 1969.

Biographie

La discrétion de V. réduit ses biographes à la sécheresse ou à des reconstitutions plus ou moins improbables. On trouve des informations sûres dans les travaux de G. SAINTVILLE : *Quelques notes sur V.* (Vrin, 1932), *Recherches sur la famille de V.* (Vrin, 1932), *Autour de la mort de V.* (Vrin, 1932), *Lettres inédites de V. et de son frère cadet* (Les Belles Lettres, 1933) ; dans la publication d'Henri MYDLARSKI, « Lettres inédites d'une tante de V. », *Revue d'Histoire littéraire,* juillet-août 1975.

Éditions

Il n'y en a pas pénurie, mais depuis plus d'un siècle — faut-il dire : depuis 1747 ? — éditer Vauvenargues relève souvent du bricolage : aménagements de façade et découpages de fantaisie. Point d'édition critique : sur cette irritante carence et les moyens d'y remédier, Jeroom VERCRUYSSE fait savamment le point au vol. CLXX (1977) des *Studies on Voltaire,* sous le titre « Vauvenargues trahi : pour une édition authentique de ses œuvres ». Il reste que nous devons faire cas des éditions du XIXᵉ siècle et de leur stratification, que nous ne saurions nous dispenser de recourir encore à l'édition Gilbert (voir la chronologie à l'année 1857), heureusement reproduite par Slatkine Reprints (Genève, 1970).

Études sur Vauvenargues

Pour une présentation synthétique de l'écrivain et de l'œuvre, consulter Jean EHRARD, *Littérature française, le XVIIIe siècle, I (1720-1750)*, Arthaud, 1974.

Rappelons le *Vauvenargues* de Maurice PALÉOLOGUE (Hachette, 1890) et *Le Marquis de Vauvenargues* de Gustave LANSON (Hachette, 1930). Le livre de Fernand VIAL, *Une philosophie et une morale du sentiment, Luc de Clapiers, Marquis de Vauvenargues* (Droz, 1938), reste utile.

Quelques essais ou articles, anciens ou récents :

SAINTE-BEUVE, *Causeries du lundi*, articles de 1850 (t. III) et 1857 (t. XIV).

PRÉVOST-PARADOL, un chapitre des *Études sur les moralistes français*, Hachette, 1864.

Henri COULET, « Le succès et l'échec dans la morale de V. », *Annales de la Faculté des lettres d'Aix*, t. XLIV, 1968, du même, « Voltaire lecteur de V. », *Cahiers de l'Association Internationale des Études françaises*, n° 30, 1978.

Jean DEPRUN, « V. et l'amour de soi », *Annales de la Faculté des Lettres d'Aix*, t. XLIV, 1968.

Henri MYDLARSKI, « V. lecteur de Pascal », *Revue des Sciences humaines*, avril-juin 1972 ; et du même, « V. juge littéraire de son siècle », *Studies on Voltaire*, vol. CL, 1976.

On nous permettra d'attirer plus particulièrement l'attention sur l'étude que Georges POULET consacre à V. dans *La Distance intérieure*, Plon, 1952 ; sur celle de Joachim MERLANT, dans *De Montaigne à Vauvenargues*, Paris, 1914 ; sur les travaux de Corrado ROSSO : *La « Maxime » Saggi per una tipologia critica*, E.S.I., Napoli, 1968, et surtout *Virtù e critica della virtù nei moralisti francesi*, Libreria Goliardica, Pisa, 1964 (nouvelle édition en 1971), dont deux chapitres très substantiels sont réservés à V.

NOTE LIMINAIRE

Les règles de l'édition critique que nous reprochons à nos prédécesseurs de transgresser, nous les transgressons aussi, mais moins, le moins possible et jamais sans avertir.

La première partie du volume est la reproduction exacte et intégrale de l'édition de 1747. Seule, l'orthographe est modernisée.

Dans la seconde partie sont rassemblés sous trois rubriques, qui correspondent aux rubriques de l'édition de 1747, les textes provenant des manuscrits de Vauvenargues. Nous adoptons la version proposée par Gilbert, avec les réserves que l'on sait. Il aurait fallu, en particulier, épurer la section des « Réflexions et Maximes » : nous y avons renoncé afin de conserver une numérotation depuis longtemps en usage.

La troisième partie est composée des réflexions et maximes retranchées de l'édition originale. Nous avons procédé au collationnement des éditions de 1746, 1747 et 1857 de manière à restituer le texte et l'ordre premiers. Cette opération nous permet en outre de retrouver dix-huit réflexions ou maximes que Gilbert avait égarées et dont ses imitateurs nous privaient sans le vouloir.

Notre quatrième partie présente des textes propres à éclairer, directement ou indirectement, la personnalité de Vauvenargues : textes de contemporains, textes du moraliste lui-même. Ces derniers ont l'intérêt supplémentaire d'illustrer des genres absents des autres parties.

Nous ne reproduisons pas les annotations marginales de Voltaire. Cela n'aurait de sens qu'à la double condition d'éditer le texte de 1746 qui les a inspirées, et de les reproduire toutes, y compris les signes (traits divers, renvois, etc.) et les abréviations.

Nous ne donnons pas d'extraits de la correspondance échangée par Vauvenargues et Voltaire. Il est aisé de lire ces lettres dans la *Correspondance* de Voltaire, édition Besterman (ou au volume II de cette même *Correspondance*, dans la « Bibliothèque de la Pléiade »).

Les notes, enfin, sont succinctes. A cette économie plusieurs raisons : Vauvenargues fait à l'histoire et aux événements de son temps des allusions peu fréquentes ; l'œuvre, telle que nous la présentons, contient la définition des termes essentiels de son lexique ; l'index permet par rapprochements de préciser le sens des mots et d'en apprécier les variations.

L'index nous paraît, en effet, indispensable au lecteur d'une œuvre toute composée de fragments.

PREMIÈRE PARTIE

L'ÉDITION DE 1747

INTRODUCTION
A LA
CONNAISSANCE
DE L'ESPRIT HUMAIN

PRÉFACE
DE LA
SECONDE ÉDITION

Toutes les bonnes maximes sont dans le monde, dit Pascal, *il ne faut que les appliquer*[1]; mais cela est très difficile. Ces maximes n'étant pas l'ouvrage d'un seul homme, mais d'une infinité d'hommes différents, qui envisageaient les choses par divers côtés, peu de gens ont l'esprit assez profond pour concilier tant de vérités et les dépouiller des erreurs dont elles sont mêlées. Au lieu de songer à réunir ces divers points de vue, nous nous amusons à discourir des opinions des philosophes, et nous les opposons les uns aux autres, trop faibles pour rapprocher ces maximes éparses, et pour en former un système raisonnable. Il ne paraît pas même que personne s'inquiète beaucoup des lumières et des connaissances qui nous manquent. Les uns s'endorment sur l'autorité des préjugés, et en admettent même de contradictoires, faute d'aller jusqu'à l'endroit par lequel ils se contrarient; et les autres passent leur vie à douter et à se disputer, sans s'embarrasser des sujets de leurs disputes et de leurs doutes.

Je me suis souvent étonné, lorsque j'ai commencé à réfléchir, de voir qu'il n'y eut aucun principe sans contradiction, point de terme même sur les grands sujets dans l'idée duquel on convint. Je disais quelquefois en moi-même : il n'y a point de démarche indifférente dans la vie. Si nous la conduisons sans la connaissance de la vérité, quel abîme !

Qui sait ce qu'il doit estimer, ou mépriser, ou haïr, s'il ne sait ce qui est bien ou ce qui est mal ? Et quelle idée aura-t-on de soi-même, si on ignore ce qui est estimable, etc.

· On ne trouve point les principes, me disait-on. Voyons s'il est vrai, répondais-je ; car cela même est un principe très fécond, et qui peut nous servir de fondement.

Cependant j'ignorais la route que je devais suivre pour sortir des incertitudes qui m'environnaient. Je ne savais précisément ni ce que je cherchais, ni ce qui pouvait m'éclairer, et je connaissais peu de gens qui fussent en état de m'instruire. Alors j'écoutai cet instinct qui excitait ma curiosité et mes inquiétudes ; et je dis : Que veux-je savoir ? Que m'importe-t-il de connaître ? Les choses qui ont avec moi les rapports les plus nécessaires ? Sans doute. Or où trouverai-je ces rapports, sinon dans l'étude de moi-même, et la connaissance des hommes, qui sont l'unique fin de mes actions, et l'objet de toute ma vie ? Mes plaisirs, mes chagrins, mes passions, mes affaires, tout roule sur eux. Si j'existais seul sur la terre, sa possession entière serait peu pour moi : je n'aurais plus ni soins, ni plaisirs, ni désirs ; la fortune et la gloire même ne seraient pour moi que des noms ; car il ne faut pas s'y méprendre : nous ne jouissons que des hommes, le reste n'est rien. Mais, continuai-je, éclairé par une nouvelle lumière : qu'est-ce que l'on ne trouve pas dans la connaissance de l'homme ? Les devoirs des hommes rassemblés en société, voilà la morale ; les intérêts réciproques de ces sociétés, voilà la politique ; leurs obligations envers Dieu, voilà la religion.

Occupé de ces grandes vues, je me proposai de parcourir d'abord toutes les qualités de l'esprit, ensuite toutes les passions, et enfin toutes les vertus et tous les vices, qui n'étant que des qualités humaines, ne peuvent être connues que dans leur principe. Je méditai donc sur ce plan, et je posai les fondements d'un long travail. Les passions inséparables de la jeunesse, des infirmités continuelles, la guerre survenue dans ces circonstances, ont interrompu cette étude. Je me proposais de la reprendre un jour dans le repos, lorsque de nouveaux contretemps m'ont ôté en quelque manière l'espérance de donner plus de perfection à cet ouvrage.

Je me suis attaché, autant que j'ai pu, dans cette seconde édition, à corriger les fautes de langage qu'on m'a fait remarquer dans la première. J'ai retouché le style en beaucoup d'endroits. On trouvera quelques chapitres plus développés et plus étendus qu'ils n'étaient d'abord. Et tel est celui du génie. On pourra remarquer aussi les augmentations que j'ai faites, dans les conseils à un jeune homme, et dans·les réflexions critiques sur les poètes, auxquels j'ai joint Rousseau [2] et Quinault, auteurs célèbres, dont je n'avais pas encore parlé. Enfin on verra que j'ai fait des changements encore plus considérables dans les maximes. J'ai supprimé plus de deux cents pensées, ou trop obscures, ou trop communes, ou inutiles [3]. J'ai changé l'ordre des maximes que j'ai conservées [4] ; j'en ai expliqué quelques-unes ; et j'en ai ajouté quelques autres, que j'ai répandues indifféremment parmi les anciennes. Si j'avais pu profiter de toutes les observations que mes amis ont daigné faire sur mes fautes, j'aurais rendu peut-être ce petit ouvrage moins indigne d'eux. Mais ma mauvaise santé ne m'a pas permis de leur témoigner par ce travail le désir que j'ai de leur plaire.

LIVRE I

DE L'ESPRIT EN GÉNÉRAL

Ceux qui ne peuvent rendre raison des variétés de l'esprit humain, y supposent des contrariétés inexplicables. Ils s'étonnent qu'un homme qui est vif ne soit pas pénétrant ; que celui qui raisonne avec justesse, manque de jugement dans sa conduite ; qu'un autre qui parle nettement ait l'esprit faux, etc. Ce qui fait qu'ils ont tant de peine à concilier ces prétendues bizarreries, est qu'ils confondent les qualités du caractère avec celles de l'esprit, et qu'ils rapportent au raisonnement des effets qui appartiennent aux passions. Ils ne remarquent pas qu'un esprit juste qui fait une faute, ne la fait quelquefois que pour satisfaire une passion, et non par défaut de lumière. Et lorsqu'il arrive à un homme vif de manquer de pénétration, ils ne songent pas que pénétration et vivacité sont deux choses assez différentes quoique ressemblantes, et qu'elles peuvent être séparées. Je ne prétends pas découvrir toutes les sources de nos erreurs sur une matière sans bornes. Lorsque nous croyons tenir la vérité par un endroit, elle nous échappe par mille autres. Mais j'espère qu'en parcourant les principales parties de l'esprit, je pourrai observer leurs différences essentielles, et faire évanouir un très grand nombre de ces contradictions imaginaires qu'admet l'ignorance. L'objet de ce premier livre est de faire connaître, par des définitions et par des réflexions, fondées sur l'expérience, toutes ces différentes qualités des hommes qui sont comprises sous le nom d'esprit. Ceux qui recherchent les causes physiques de ces mêmes qualités, en pourraient peut-être parler avec moins d'incertitude, si on réussisait dans cet ouvrage à développer les effets, dont ils étudient les principes.

IMAGINATION, RÉFLEXION, MÉMOIRE

Il y a trois principes remarquables dans l'esprit; l'imagination, la réflexion, et la mémoire.

J'appelle imagination le don de concevoir les choses d'une manière figurée, et de rendre ses pensées par des images. Ainsi l'imagination parle toujours à nos sens; elle est l'inventrice des arts et l'ornement de l'esprit.

La réflexion est la puissance de nous replier sur nos idées, de les examiner, de les modifier, ou de les combiner de diverses manières. Elle est le grand principe du raisonnement, du jugement, etc.

La mémoire conserve le précieux dépôt de l'imagination et de la réflexion. Il serait superflu de s'arrêter à peindre son utilité non contestée. Nous n'employons dans la plupart de nos raisonnements que nos réminiscences; c'est sur elles que nous bâtissons: elles sont le fondement et la matière de tous nos discours. L'esprit que la mémoire cesse de nourrir s'éteint dans les efforts laborieux de ses recherches. S'il y a un ancien préjugé contre les gens d'une heureuse mémoire, c'est parce qu'on suppose qu'ils ne peuvent embrasser et mettre en ordre tous leurs souvenirs; parce qu'on présume que leur esprit ouvert à toute sorte d'impressions est vide, et ne se charge de tant d'idées empruntées, qu'autant qu'il en a peu de propres: mais l'expérience a contredit ces conjectures par de grands exemples. Et tout ce qu'on peut en conclure avec raison, est qu'il faut avoir de la mémoire dans la proportion de son esprit, sans quoi on se trouve nécessairement dans un de ces deux vices: le défaut, ou l'excès.

FÉCONDITÉ

Imaginer, réfléchir, se souvenir, voilà donc les trois principales facultés de notre esprit. C'est là tout le don de penser, qui précède et fonde les autres. Après vient la fécondité, puis la justesse, etc.

Les esprits stériles laissent échapper beaucoup de choses, et n'en voient pas tous les côtés : mais l'esprit fécond sans justesse se confond dans son abondance, et la chaleur du sentiment qui l'accompagne est un principe d'illusion beaucoup à craindre ; de sorte qu'il n'est pas étrange de penser beaucoup, et peu juste.

Personne ne pense, je crois, que tous les esprits soient féconds, ou pénétrants, ou éloquents, ou justes dans les mêmes choses. Les uns abondent en images, les autres en réflexions, les autres en citations, etc. Chacun selon son caractère, ses inclinations, ses habitudes, sa force ou sa faiblesse.

VIVACITÉ

La vivacité consiste dans la promptitude des opérations de l'esprit. Elle n'est pas toujours unie à la fécondité. Il y a des esprits lents, fertiles ; il y en a de vifs, stériles. La lenteur des premiers vient quelquefois de la faiblesse de leur mémoire, ou de la confusion de leurs idées, ou enfin de quelque défaut dans leurs organes, qui empêche leurs esprits de se répandre avec vitesse. La stérilité des esprits vifs, dont les organes sont bien disposés, vient de ce qu'ils manquent de force pour suivre une idée, ou de ce qu'ils sont sans passions ; car les passions fertilisent l'esprit sur les choses qui leur sont propres. Et cela pourrait expliquer de certaines bizarreries : un esprit vif dans la conversation qui s'éteint dans le cabinet ; un génie perçant dans l'intrigue qui s'appesantit dans les sciences, etc.

C'est aussi par cette raison que les personnes enjouées, que tous les objets frivoles intéressent, paraissent les plus vives dans le monde. Les bagatelles qui soutiennent la conversation, étant leur passion dominante, elles excitent toute leur vivacité, et lui fournissent une occasion continuelle de paraître. Ceux qui ont des passions plus sérieuses, étant froids sur ces puérilités, toute la vivacité de leur esprit demeure concentrée.

Pénétration

La pénétration est une facilité à concevoir, à remonter au principe des choses, ou à prévenir leurs effets par une vive suite d'inductions.

C'est une qualité qui est attachée comme les autres à notre organisation ; mais que nos habitudes et nos connaissances perfectionnent : nos connaissances, parce qu'elles forment un amas d'idées qu'il n'y a plus qu'à réveiller ; nos habitudes, parce qu'elles ouvrent nos organes, et donnent aux esprits un cours facile et prompt.

Un esprit extrêmement vif peut être faux, et laisser échapper beaucoup de choses par vivacité, ou par impuissance de réfléchir, et n'être pas pénétrant : mais l'esprit pénétrant ne peut être lent ; son vrai caractère est la vivacité et la justesse unies à la réflexion.

Lorsqu'on est trop préoccupé de certains principes sur une science, on a plus de peine à recevoir d'autres idées sur la même science et une nouvelle méthode : mais c'est là encore une preuve que la pénétration est dépendante, comme je l'ai dit, de nos connaissances et de nos habitudes. Ceux qui font une étude puérile des énigmes, en pénètrent plutôt le sens que les plus subtils philosophes.

De la justesse, de la netteté, du jugement

La netteté est l'ornement de la justesse ; mais elle n'en est pas inséparable. Tous ceux qui ont l'esprit net, ne l'ont pas juste. Il y a des hommes qui conçoivent très distinctement, et qui ne raisonnent pas conséquemment. Leur esprit trop faible ou trop prompt ne peut suivre la liaison des choses, et laisse échapper leurs rapports. Ceux-ci ne peuvent assembler beaucoup de vues, et attribuent quelquefois à tout un objet, ce qui convient au peu qu'ils en connaissent. La netteté de leurs idées empêche qu'ils ne s'en défient. Eux-mêmes se laissent éblouir par l'éclat des images qui les préoccupent ; et la lumière de leurs expressions les attache à l'erreur de leurs pensées.

La justesse vient d'un sentiment du vrai formé dans l'âme, accompagné du don de rapprocher les conséquences des principes, et de combiner leurs rapports. Un homme médiocre peut avoir de la justesse à son degré, un petit ouvrage de même. C'est sans doute un grand avantage, de quelque sens qu'on le considère : toutes choses en divers genres ne tendent à la perfection, qu'autant qu'elles ont de justesse.

Ceux qui veulent tout définir, ne confondent pas le jugement et l'esprit juste ; ils rapportent à ce dernier l'exactitude dans le raisonnement, dans la composition, dans toutes les choses de pure spéculation, la justesse dans la conduite de la vie, ils l'attachent au jugement.

Je dois ajouter qu'il y a une justesse et une netteté d'imagination ; une justesse et une netteté de réflexion, de mémoire, de sentiment, de raisonnement, d'éloquence, etc. Le tempérament et la coutume mettent des différences infinies entre les hommes, et resserrent ordinairement beaucoup leurs qualités. Il faut appliquer ce principe à chaque partie de l'esprit, il est très facile à comprendre.

Je dirai encore une chose que peu de personnes ignorent : on trouve quelquefois dans l'esprit des hommes les plus sages, des idées par leur nature inaliables, que l'éducation, la coutume, ou quelque impression fort violente ont liées irrévocablement dans leur mémoire. Ces idées sont tellement jointes et se présentent avec tant de force, que rien ne les peut séparer ; ces ressentiments de folie sont sans conséquence, et prouvent seulement, d'une manière incontestable, l'invincible pouvoir de la coutume.

DU BON SENS

Le bon sens n'exige pas un jugement bien profond ; il semble consister plutôt à n'apercevoir les objets que dans la proportion exacte qu'ils ont avec notre nature ou avec notre condition. Le bon sens n'est donc pas de penser sur les choses avec trop de sagacité, mais à les concevoir d'une manière utile, à les prendre dans le bon sens.

Celui qui voit avec un microscope, aperçoit, sans doute, dans les choses plus de qualité; mais il ne les aperçoit point dans leur proportion naturelle avec la nature de l'homme, comme celui qui ne se sert que de ses yeux. Image des esprits subtils, ils pénètrent souvent trop loin; celui qui regarde naturellement les choses, a le bon sens.

Le bon sens se forme d'un goût naturel pour la justesse et la médiocrité; c'est une qualité du caractère, plutôt encore que de l'esprit. Pour avoir beaucoup de bon sens, il faut être fait de manière que la raison domine sur le sentiment, l'expérience sur le raisonnement.

Le jugement va plus loin que le sens, mais ses principes sont plus variables.

DE LA PROFONDEUR

La profondeur est le terme de la réflexion. Quiconque a l'esprit véritablement profond, doit avoir la force de fixer sa pensée fugitive; de la retenir sous ses yeux pour en considérer le fond, et de ramener à un point une longue chaîne d'idées: c'est à ceux principalement qui ont cet esprit en partage, que la netteté et la justesse sont plus nécessaires. Quand ces avantages leur manquent, leurs vues sont mêlées d'illusions et couvertes d'obscurités. Et néanmoins comme de tels esprits voient toujours plus loin que les autres dans les choses de leur ressort, ils se croient aussi bien plus proches de la vérité que le reste des hommes; mais ceux-ci ne pouvant les suivre dans leurs sentiers ténébreux, ni remonter des conséquences jusqu'à la hauteur des principes, ils sont froids et dédaigneux pour cette sorte d'esprit qu'ils ne sauraient mesurer.

Et même entre les gens profonds, comme les uns le sont sur les choses du monde, et les autres dans les sciences, ou dans un art particulier, chacun préférant son objet dont il connaît mieux les usages, c'est aussi de tous les côtés matière de dissension.

Enfin, on remarque une jalousie encore plus particulière entre les esprits vifs et les esprits profonds, qui n'ont l'un qu'au défaut de l'autre ; car les uns marchant plus vite, et les autres allant plus loin, ils ont la folie de vouloir entrer en concurrence, et ne trouvant point de mesure pour des choses si différentes, rien n'est capable de les rapprocher.

DE LA DÉLICATESSE, DE LA FINESSE, ET DE LA FORCE

La délicatesse vient essentiellement de l'âme ; c'est une sensibilité dont la coutume plus ou moins hardie détermine aussi le degré. Des nations ont mis de la délicatesse, où d'autres n'ont trouvé qu'une langueur sans grâce ; celles-ci au contraire. Nous avons mis peut-être cette qualité à plus haut prix qu'aucun autre peuple de la terre : nous voulons donner beaucoup de choses à entendre sans les exprimer et les présenter sous des images douces et voilées : nous avons confondu la délicatesse et la finesse, qui est une sorte de sagacité sur les choses de sentiment. Cependant la nature sépare souvent des dons qu'elle a faits si divers : grand nombre d'esprits délicats ne sont que délicats ; beaucoup d'autres ne sont que fins ; on en voit même qui s'expriment avec plus de finesse qu'ils n'entendent, parce qu'ils ont plus de facilité à parler qu'à concevoir. Cette dernière singularité est remarquable ; la plupart des hommes sentent au-delà de leurs faibles expressions : l'éloquence est peut-être le plus rare comme le plus gracieux de tous les dons.

La force vient aussi d'abord du sentiment, et se caractérise par le tour de l'expression ; mais quand la netteté et la justesse ne lui sont pas jointes, on est dur au lieu d'être fort, obscur au lieu d'être précis, etc.

DE L'ÉTENDUE DE L'ESPRIT

Rien ne sert au jugement et à la pénétration comme l'étendue de l'esprit. On peut la regarder, je crois, comme une disposition admirable des organes qui nous donne d'embrasser beaucoup d'idées à la fois sans les confondre.

Un esprit étendu considère les êtres dans leurs rapports mutuels : il saisit d'un coup d'œil tous les rameaux des choses ; il les réunit à leur source et dans un centre commun ; il les met sous un même point de vue. Enfin il répand sa lumière sur de grands objets, et sur une vaste surface.

On ne saurait avoir un grand génie sans avoir l'esprit étendu, mais il est possible qu'on ait l'esprit étendu sans avoir de génie, car ce sont deux choses distinctes : le génie est actif, fécond ; l'esprit étendu fort souvent se borne à la spéculation, est froid, paresseux, et timide.

Personne n'ignore que cette qualité dépend aussi beaucoup de l'âme, qui donne ordinairement à l'esprit ses propres bornes, et le rétrécit ou l'étend, selon l'effort qu'elle-même se donne.

DES SAILLIES

Le mot de saillie vient de sauter ; avoir des saillies, c'est passer sans graduation d'une idée à une autre, qui peut s'y allier. C'est saisir les rapports des choses les plus éloignées ; ce qui demande sans doute de la vivacité et un esprit agile. Ces transitions soudaines et inattendues causent toujours une grande surprise ; si elles se portent à quelque chose de plaisant, elles excitent à rire ; si à quelque chose de profond, elles étonnent ; si à quelque chose de grand, elles élèvent : mais ceux qui ne sont pas capables de s'élever, ou de pénétrer d'un coup d'œil des rapports trop approfondis, n'admirent que ces rapports bizarres et sensibles, que les gens du monde saisissent si bien. Et le philosophe qui rapproche par de lumineuses sentences les vérités en apparence les plus séparées, réclame inutilement contre cette injustice : les hommes frivoles qui ont besoin de temps pour suivre ces grandes démarches de la réflexion, sont dans une espèce d'impuissance de les admirer, attendu que l'admiration ne se donne qu'à la surprise, et vient rarement par degrés.

Les saillies tiennent en quelque sorte dans l'esprit le même rang que l'humeur peut avoir dans les passions. Elles ne supposent pas nécessairement de grandes lumières, elles peignent le caractère de l'esprit; ainsi ceux qui approfondissent vivement les choses, ont des saillies de réflexions : les gens d'une imagination heureuse, des saillies d'imagination; d'autres des saillies de mémoire; les méchants, des méchancetés; les gens gais, des choses plaisantes, etc.

Les gens du monde qui font leur étude de ce qui peut plaire ont porté plus loin que les autres ce genre d'esprit; mais parce qu'il est difficile aux hommes de ne pas outrer ce qui est bien, ils ont fait du plus naturel de tous les dons un jargon plein d'affectation. L'envie de briller leur a fait abandonner par réflexion le vrai et le solide, pour courir sans cesse après les allusions et les jeux d'imagination les plus frivoles; il semble qu'ils soient convenus de ne plus rien dire de suivi, et de ne saisir dans les choses que ce qu'elles ont de plaisant et leur surface. Cet esprit qu'ils croient si aimable est sans doute bien éloigné de la Nature, qui se plaît à se reposer sur les sujets qu'elle embellit, et trouve la variété dans la fécondité de ses lumières, bien plus que dans la diversité de ses objets. Un agrément si faux et si superficiel est un art ennemi du cœur et de l'esprit, qu'il resserre dans des bornes étroites; un art qui ôte la vie de tous les discours, en bannissant le sentiment qui en est l'âme, et qui rend les conversations du monde aussi ennuyeuses, qu'insensées et ridicules.

Du goût

Le goût est une aptitude à bien juger des objets du sentiment. Il faut donc avoir de l'âme pour avoir du goût; il faut avoir aussi de la pénétration, parce que c'est l'intelligence qui remue le sentiment. Ce que l'esprit ne pénètre qu'avec peine ne va pas souvent jusqu'au cœur, ou n'y fait qu'une impression faible; c'est là ce qui fait que les choses qu'on ne peut saisir d'un coup d'œil, ne sont point du ressort du goût.

Le bon goût consiste dans un sentiment de la belle nature ; ceux qui n'ont pas un esprit naturel, ne peuvent avoir le goût juste.

Toute vérité peut entrer dans un livre de réflexion, mais dans les ouvrages de goût nous aimons que la vérité soit puisée dans la Nature ; nous ne voulons pas d'hypothèses, tout ce qui n'est qu'ingénieux est contre les règles du goût.

Comme il y a des degrés et des parties différentes dans l'esprit, il y en a de même dans le goût. Notre goût peut, je crois, s'étendre autant que notre intelligence ; mais il est difficile qu'il passe au-delà. Cependant ceux qui ont une sorte de talent se croient presque toujours un goût universel, ce qui les porte quelquefois jusqu'à juger des choses qui leur sont les plus étrangères. Mais cette présomption qu'on pourrait supporter dans les hommes qui ont des talents, se remarque aussi parmi ceux qui raisonnent des talents, et qui ont une teinture superficielle des règles du goût, dont ils font des applications tout à fait extraordinaires. C'est dans les grandes villes, plus que dans les autres, qu'on peut observer ce que je dis ; elles sont peuplées de ces hommes suffisants qui ont assez d'éducation et d'habitude du monde, pour parler des choses qu'ils n'entendent point, aussi sont-elles le théâtre des plus impertinentes décisions ; et c'est là que l'on verra mettre à côté des meilleurs ouvrages, une fade compilation des traits les plus brillants de morale et de goût, mêlés à de vieilles chansons et à d'autres extravagances, avec un style si bourgeois et si ridicule, que cela fait mal au cœur.

Je crois que l'on peut dire sans témérité que le goût du grand nombre n'est pas juste : le cours déshonorant de tant d'ouvrages ridicules en est une preuve sensible. Ces écrits, il est vrai, ne se soutiennent pas ; mais ceux qui les remplacent ne sont pas formés sur un meilleur modèle : l'inconstance apparente du public ne tombe que sur les auteurs. Cela vient de ce que les choses ne font d'impression sur nous que selon la proportion qu'elles ont avec

notre esprit; tout ce qui est hors de notre sphère nous
échappe, le bas, le naïf, le sublime, etc.

Il est vrai que les habiles réforment nos jugements,
mais ils ne peuvent changer notre goût, parce que l'âme a
ses inclinations indépendantes de ses opinions; ce que
l'on ne sent pas d'abord, on ne le sent pas par degrés,
comme l'on fait en jugeant. De là vient qu'on voit des
ouvrages critiqués du peuple, qui ne lui en plaisent pas
moins; car il ne les critique que par réflexion, et les goûte
par sentiment.

Que les jugements du public épurés par le temps et
par les maîtres soient donc, si l'on veut, infaillibles;
mais distinguons-les de son goût, qui paraît toujours récu-
sable.

Je finis ces observations: on demande depuis longtemps s'il est possible de rendre raison des matières de
sentiment: tous avouent que le sentiment ne peut se
connaître que par expérience; mais il est donné aux habiles d'expliquer sans peine les causes cachées qui l'excitent: cependant bien des gens de goût n'ont pas cette
facilité, et nombre de dissertateurs qui raisonnent à l'infini, manquent du sentiment qui est la base des justes
notions sur le goût.

DU LANGAGE ET DE L'ÉLOQUENCE

On peut dire en général de l'expression qu'elle répond
à la nature des idées, et par conséquent aux divers caractères de l'esprit.

Ce serait néanmoins une témérité de juger de tous les
hommes par le langage. Il est rare peut-être de trouver
une proportion exacte entre le don de penser et celui de
s'exprimer: les termes n'ont pas une liaison nécessaire
avec les idées: on veut parler d'un homme qu'on connaît
beaucoup, dont le caractère, la figure, le maintien, tout
est présent à l'esprit, hors son nom qu'on veut nommer,
et qu'on ne peut rappeler; de même de beaucoup de
choses dont on a des idées fort nettes, mais que l'expression ne suit pas: de là vient que d'habiles gens manquent

quelquefois de cette facilité à rendre leurs idées que des hommes superficiels possèdent avec avantage.

La précision et la justesse du langage dépendent de la propriété des termes qu'on emploie.

La force ajoute à la justesse et à la brièveté ce qu'elle emprunte du sentiment; elle se caractérise d'ordinaire par le tour de l'expression.

La finesse emploie des termes qui laissent beaucoup à entendre.

La délicatesse cache sous le voile des paroles ce qu'il y a dans les choses de rebutant.

La noblesse a un air aisé, simple, précis, naturel.

Le sublime ajoute à la noblesse une force et une hauteur qui ébranlent l'esprit, qui l'étonnent et le jettent hors de lui-même; c'est l'expression la plus propre d'un sentiment élevé, ou d'une grande et surprenante idée.

On ne peut sentir le sublime d'une idée dans une faible expression: mais la magnificence des paroles avec de faibles idées est proprement du phébus: le sublime veut des pensées élevées avec des expressions et des tours qui en soient dignes.

L'éloquence embrasse tous les divers caractères de l'élocution; peu d'ouvrages sont éloquents, mais on voit des traits d'éloquence semés dans plusieurs écrits.

Il y a une éloquence qui est dans les paroles, qui consiste à rendre aisément et convenablement ce que l'on pense de quelque nature qu'il soit; c'est là l'éloquence du monde. Il y en a une autre dans les idées mêmes et dans les sentiments, jointe à celle de l'expression, c'est la véritable.

On voit aussi des hommes que le monde échauffe, et d'autres qu'il refroidit. Les premiers ont besoin de la présence des objets: les autres d'être retirés et abandonnés à eux-mêmes; ceux-là sont éloquents dans leurs conversations, ceux-ci dans leurs compositions.

Un peu d'imagination et de mémoire, un esprit facile, suffisent pour parler avec élégance; mais que de choses entrent dans l'éloquence: le raisonnement et le sentiment, le naïf et le pathétique, l'ordre et le désordre, la force et la grâce, la douceur et la véhémence, etc.

Tout ce qu'on a jamais dit du prix de l'éloquence n'en est qu'une faible expression. Elle donne la vie à tout; dans les sciences, dans les affaires, dans la conversation, dans la composition, dans la recherche même des plaisirs, rien ne peut réussir sans elle. Elle se joue des passions des hommes, les émeut, les calme, les pousse et les détermine à son gré : tout cède à sa voix; elle seule enfin est capable de se célébrer dignement.

DE L'INVENTION

Les hommes ne sauraient créer le fond des choses; ils le modifient. Inventer n'est donc pas créer la matière de ses inventions, mais lui donner la forme. Un architecte ne fait pas le marbre qu'il emploie à un édifice, il le dispose; et l'idée de cette disposition, il l'emprunte encore de différents modèles qu'il fond dans son imagination pour former un nouveau tout. De même un poète ne crée pas les images de sa poésie, il les prend dans le sein de la nature, et les applique à différentes choses pour les figurer aux sens; et encore le philosophe; il saisit une vérité souvent ignorée, mais qui existe éternellement, pour joindre à une autre vérité et pour en former un principe. Ainsi se produisent en différents genres les chefs-d'œuvre de la réflexion et de l'imagination. Tous ceux qui ont la vue assez bonne pour lire dans le sein de la nature, y découvrent, selon le caractère de leur esprit, ou le fond et l'enchaînement des vérités que les autres hommes effleurent, ou l'heureux rapport des images avec les vérités qu'elles embellissent. Les esprits qui ne peuvent pénétrer jusqu'à cette source féconde, ou qui n'ont pas assez de force et de justesse pour lier leurs sensations et leurs idées, donnent des fantômes sans vie, et prouvent plus sensiblement que tous les philosophes, notre impuissance à créer.

Je ne blâme pas néanmoins ceux qui se servent de cette expression, pour caractériser avec plus de force le don d'inventer. Ce que j'ai dit se borne à faire voir que la Nature doit être le modèle de nos inventions, et que ceux qui la quittent ou la méconnaissent, ne peuvent rien faire de bien.

Savoir après cela pourquoi des hommes quelquefois médiocres, excellent à des inventions où des hommes plus éclairés ne peuvent atteindre ; c'est là le secret du génie que je vais tâcher d'expliquer.

DU GÉNIE ET DE L'ESPRIT

Je crois qu'il n'y a point de génie sans activité. Je crois que le génie dépend en grande partie de nos passions. Je crois qu'il se forme du concours de beaucoup de différentes qualités, et des convenances secrètes de nos inclinations avec nos lumières. Lorsque quelqu'une des conditions nécessaires manque, le génie n'est point, ou n'est qu'imparfait : et on lui conteste son nom.

Ce qui forme donc le génie des négociations, ou celui de la guerre, ou celui de la poésie, etc., ce n'est pas un seul don de la nature, comme on pourrait croire : ce sont plusieurs qualités soit de l'esprit, soit du cœur, qui sont inséparablement et intimement réunies.

Ainsi l'imagination, l'enthousiasme, le talent de peindre ne suffisent pas pour faire un poète : il faut encore qu'il soit né avec une extrême sensibilité pour l'harmonie, avec le génie de sa langue et l'art des vers.

Ainsi la prévoyance, la fécondité, la célérité de l'esprit sur les objets militaires, ne formeraient pas un grand capitaine, si la sécurité dans le péril, la vigueur du corps dans les opérations laborieuses du métier, et enfin une activité infatigable n'accompagnaient ces autres talents.

C'est la nécessité de ce concours de tant de qualités indépendantes les unes des autres, qui fait apparemment que le génie est toujours si rare. Il semble que c'est une espèce de hasard, quand la Nature assortit ces divers mérites dans un même homme. Je dirais volontiers qu'il lui en coûte moins pour former un homme d'esprit, parce qu'il n'est pas besoin de mettre entre ses talents cette correspondance que veut le génie.

Cependant on rencontre quelquefois des gens d'esprit

qui sont plus éclairés que d'assez beaux génies. Mais soit que leurs inclinations partagent leur application, soit que la faiblesse de leur âme les empêche d'employer la force de leur esprit, on voit qu'ils demeurent bien loin après ceux qui mettent toutes leurs ressources et toute leur activité en œuvre en faveur d'un objet unique.

C'est cette chaleur du génie et cet amour de son objet, qui lui donne d'imaginer et d'inventer sur cet objet même. Ainsi selon la pente de leur âme, et le caractère de leur esprit, les uns ont l'invention de style, les autres celle du raisonnement, ou l'art de former des systèmes. D'assez grands génies ne paraissent presque avoir eu que l'invention de détail. Tel est Montaigne. La Fontaine, avec un génie différent de celui de ce philosophe, est néanmoins un autre exemple de ce que je dis. Descartes au contraire avait l'esprit systématique, et l'invention de dessein. Mais il manquait, je crois, de l'imagination dans l'expression, qui embellit les pensées les plus communes.

A cette invention du génie est attaché, comme on sait, un caractère original, qui tantôt naît des expressions et des sentiments d'un auteur, tantôt de ses plans, de son art, de sa manière d'envisager et d'arranger les objets. Car un homme qui est maîtrisé par la pente de son esprit et par des impressions particulières et personnelles qu'il reçoit des choses, ne peut, ni ne veut dérober son caractère à ceux qui l'épient.

Cependant il ne faut pas croire que ce caractère original doive exclure l'art d'imiter. Je ne connais point de grands hommes qui n'aient adopté des modèles. Rousseau a imité Marot ; Corneille, Lucain et Sénèque ; Bossuet, les prophètes ; Racine, les Grecs et Virgile. Et Montaigne dit quelque part qu'il y a en lui *une condition aucunement singeresse et imitatrice* [5]. Mais ces grands hommes, en imitant, sont demeurés originaux, parce qu'ils avaient à peu près le même génie que ceux qu'ils prenaient pour modèles ; de sorte qu'ils cultivaient leur propre caractère, sous ces maîtres qu'ils consultaient, et qu'il surpassaient quelquefois : au lieu que ceux qui n'ont que de l'esprit sont toujours de faibles copistes des meilleurs modèles, et n'atteignent jamais leur art. Preuve incontestable qu'il faut du génie pour bien imiter, et même un génie étendu pour prendre divers caractères ; tant s'en faut que l'imitation donne l'exclusion au génie.

J'explique ces petits détails, pour rendre ce chapitre plus complet, et non pour instruire les gens de lettres qui ne peuvent les ignorer. J'ajouterai encore une réflexion en faveur des personnes moins savantes : c'est que le premier avantage du génie est de sentir et de concevoir plus vivement les objets de son ressort, que ces mêmes objets ne sont sentis et aperçus des autres hommes.

A l'égard de l'esprit, je dirai que ce mot n'a d'abord été inventé que pour signifier en général les différentes qualités que j'ai définies, la justesse, la profondeur, le jugement, etc. Mais parce que nul homme ne peut les rassembler toutes, chacune de ces qualités a prétendu s'approprier exclusivement le nom générique ; d'où sont nées des disputes très frivoles : car au fond il importe peu que ce soit la vivacité ou la justesse, ou telle autre partie de l'esprit, qui emporte l'honneur de ce titre. Le nom ne peut rien pour les choses. La question n'est pas de savoir si c'est à l'imagination ou au bon sens qu'appartient le terme d'esprit. Le vrai intérêt, c'est de voir laquelle de ces qualités, ou des autres que j'ai nommées, doit nous inspirer plus d'estime. Il n'y en a aucune qui n'ait son utilité, et j'ose dire son agrément. Il ne serait peut-être pas difficile de juger s'il y en a de plus utiles, ou de plus aimables, ou de plus grandes les unes que les autres. Mais les hommes sont incapables de convenir entre eux du prix des moindres choses. La différence de leurs intérêts et de leurs lumières maintiendra éternellement la diversité de leurs opinions, et la contrariété de leurs maximes.

DU CARACTÈRE

Tout ce qui forme l'esprit et le cœur est compris dans le caractère. Le génie n'exprime que la convenance de certaines qualités ; mais les contrariétés les plus bizarres entrent dans le même caractère et le constituent.

On dit d'un homme qu'il n'a point de caractère, lorsque les traits de son âme sont faibles, légers, changeants ; mais cela même fait un caractère, et l'on s'entend bien là-dessus.

Les inégalités du caractère influent sur l'esprit ; un homme est pénétrant, ou pesant, ou aimable, selon son humeur.

On confond souvent dans le caractère les qualités de l'âme et celles de l'esprit. Un homme est doux et facile, on le trouve insinuant. Il a l'humeur vive et légère, on dit qu'il a l'esprit vif ; il est distrait et rêveur, on croit qu'il a l'esprit lent et peu d'imagination. Le monde ne juge des choses que par leur écorce ; c'est une chose qu'on dit tous les jours, mais que l'on ne sent pas assez. Quelques réflexions en passant sur les caractères les plus généraux nous y feront faire attention.

DU SÉRIEUX

Un des caractères les plus généraux, c'est le sérieux ; mais combien de causes différentes n'a-t-il pas, et combien de caractères sont compris dans celui-ci ? On est sérieux par tempérament, par trop ou trop peu de passions, trop ou trop peu d'idées, par timidité, par habitude et par mille autres raisons.

L'extérieur distingue tous ces divers caractères aux yeux d'un homme attentif.

Le sérieux d'un esprit tranquille porte un air doux et serein.

Le sérieux des passions ardentes est sauvage, sombre, allumé.

Le sérieux d'une âme abattue donne un extérieur languissant.

Le sérieux d'un homme stérile paraît froid, lâche et oisif.

Le sérieux de la gravité, prend un air concerté comme elle.

Le sérieux de la distraction porte des dehors singuliers.

Le sérieux d'un homme timide n'a presque jamais de maintien.

Personne ne rejette en gros ces vérités, mais faute de principes bien liés et bien conçus, la plupart des hommes sont dans le détail et dans leurs applications particulières, opposés les uns aux autres et à eux-mêmes ; ils font voir la nécessité indispensable de bien manier les principes les plus familiers, et de les mettre tous ensemble sous un point de vue, qui en découvre la fécondité et la liaison.

DU SANG-FROID

Nous prenons quelquefois pour le sang-froid une passion sérieuse et concentrée, qui fixe toutes les pensées d'un esprit ardent, et le rend insensible aux autres choses.

Le véritable sang-froid vient d'un sang doux, tempéré, et peu fertile en esprits. S'il coule avec trop de lenteur, il peut rendre l'esprit pesant ; mais lorsqu'il est reçu par des organes faciles et bien conformés, la justesse, la réflexion, et une singularité aimable souvent l'accompagnent. Nul esprit n'est plus désirable.

On parle encore d'un autre sang-froid que donne la force d'esprit, soutenue par l'expérience et de longues réflexions ; sans doute c'est là le plus rare.

DE LA PRÉSENCE D'ESPRIT

La présence d'esprit se pourrait définir, une aptitude à profiter des occasions pour parler ou pour agir. C'est un avantage qui a manqué souvent aux hommes les plus éclairés, qui demande un esprit facile, un sang-froid modéré, l'usage des affaires, et selon les différentes occurrences, divers avantages ; de la mémoire et de la sagacité dans la dispute ; de la sécurité dans les périls ; et dans le monde, cette liberté de cœur, qui nous rend attentifs à tout ce qui s'y passe, et nous tient en état de profiter de tout, etc.

DE LA DISTRACTION

Il y a une distraction assez semblable aux rêves du sommeil, qui est lorsque nos pensées flottent et se suivent d'elles-mêmes sans force et sans direction. Le mouvement des esprits se ralentit peu à peu ; ils errent à l'aventure sur les traces du cerveau [6], et réveillent des idées sans suite et sans vérité ; enfin les organes se ferment, nous ne formons plus que des songes, et c'est là proprement rêver les yeux ouverts.

Cette sorte de distraction est bien différente de celle où jette la méditation. L'âme obsédée dans la méditation d'un objet qui fixe sa vue, et qui la remplit tout entière, agit beaucoup dans ce repos ; c'est un état tout opposé, cependant elle y tombe ensuite épuisée par ses réflexions.

DE L'ESPRIT DU JEU

C'est une manière de génie que l'esprit du jeu, puisqu'il dépend également de l'âme et de l'intelligence. Un homme que la perte trouble ou intimide, que le gain rend trop hasardeux, un homme avare, ne sont pas plus faits pour jouer, que ceux qui ne peuvent atteindre à l'esprit de combinaison. Il faut donc un certain degré de lumière et de sentiment, l'art des combinaisons, le goût du jeu, et l'amour mesuré du gain.

On s'étonne à tort que des sots possèdent ce faible avantage. L'habitude et l'amour du jeu, qui tournent toute leur application et leur mémoire de ce seul côté, suppléent l'esprit qui leur manque.

Fin du premier livre.

LIVRE II

DES PASSIONS

Toutes les passions roulent sur le plaisir et la douleur, comme dit M. Locke : c'en est l'essence et le fond.

Nous éprouvons en naissant ces deux états : le plaisir, parce qu'il est naturellement attaché à être : la douleur, parce qu'elle tient à être imparfaitement.

Si notre existence était parfaite, nous ne connaîtrions que le plaisir. Étant imparfaite nous devons connaître le plaisir et la douleur : or c'est de l'expérience de ces deux contraires que nous tirons l'idée du bien et du mal.

Mais comme le plaisir et la douleur ne viennent pas à tous les hommes par les mêmes choses, ils attachent à divers objets l'idée du bien et du mal : chacun selon son expérience, ses passions, ses opinions, etc.

Il n'y a cependant que deux organes de nos biens et de nos maux : les sens, et la réflexion.

Les impressions qui viennent par les sens sont immédiates et ne peuvent se définir ; on n'en connaît pas les ressorts : elles sont l'effet du rapport qui est entre les choses et nous, mais ce rapport secret ne nous est pas connu.

Les passions qui viennent par l'organe de la réflexion sont moins ignorées. Elles ont leur principe dans l'amour de l'être, ou de la perfection de l'être, ou dans le sentiment de son imperfection et de son dépérissement.

Nous tirons de l'expérience de notre être une idée de grandeur, de plaisir, de puissance que nous voudrions toujours augmenter : nous prenons dans l'imperfection de notre être une idée de petitesse, de sujétion, de misère, que nous tâchons d'étouffer : voilà toutes nos passions.

Il y a des hommes en qui le sentiment de l'être est plus fort que celui de leur imperfection ; de là l'enjouement, la douceur, la modération des désirs.

Il y en a d'autres en qui le sentiment de leur imperfection est plus vif que celui de l'être ; de là l'inquiétude, la mélancolie, etc.

De ces deux sentiments unis, c'est-à-dire, celui de nos forces et celui de notre misère, naissent les plus grandes passions ; parce que le sentiment de nos misères nous pousse à sortir de nous-mêmes, et que le sentiment de nos ressources nous y encourage et nous porte par l'espérance. Mais ceux qui ne sentent que leur misère sans leur force, ne se passionnent jamais tant ; car ils n'osent rien espérer : ni ceux qui ne sentent que leur force sans leur impuissance, car ils ont trop peu à désirer ; ainsi il faut un mélange de courage et de faiblesse, de tristesse et de présomption. Or cela dépend de la chaleur du sang et des esprits [7] ; et la réflexion qui modère les velléités des gens froids, encourage l'ardeur des autres, en leur fournissant des ressources qui nourrissent leurs illusions. D'où vient que les passions des hommes d'un esprit profond sont plus opiniâtres et plus invincibles, car ils ne sont pas obligés de s'en distraire comme le reste des hommes par épuisement de pensées ; mais leurs réflexions au contraire sont un entretien éternel à leurs désirs qui les échauffe ; et cela explique encore pourquoi ceux qui pensent peu, ou qui ne sauraient penser longtemps de suite sur la même chose, n'ont que l'inconstance en partage.

De la gaieté, de la joie, de la mélancolie

Le premier dégré du sentiment agréable de notre existence est la gaieté. La joie est un sentiment plus pénétrant. Les hommes enjoués n'étant pas d'ordinaire si ardents que le reste des hommes, ils ne sont peut-être pas capables des plus vives joies ; mais les grandes joies durent peu et laissent notre âme épuisée.

La gaieté plus proportionnée à notre faiblesse que la

joie nous rend confiants et hardis, donne un être et un
intérêt aux choses les moins importantes, fait que nous
nous plaisons par instinct en nous-mêmes, dans nos possessions, nos entours, notre esprit, notre suffisance, malgré d'assez grandes misères.

Cette intime satisfaction nous conduit quelquefois à
nous estimer nous-mêmes par de très frivoles endroits ; et
il me semble que les personnes enjouées sont ordinairement un peu plus vaines que les autres.

D'autre part, les mélancoliques sont ardents, timides,
inquiets, et ne se sauvent la plupart de la vanité que par
l'ambition et l'orgueil.

DE L'AMOUR-PROPRE
ET DE L'AMOUR DE NOUS-MÊMES

L'amour est une complaisance dans l'objet aimé. Aimer une chose, c'est se complaire dans sa possession, sa
grâce, son accroissement, craindre sa privation, ses dé-
chéances, etc.

Plusieurs philosophes [8] rapportent généralement à
l'amour-propre toute sorte d'attachements. Ils prétendent
qu'on s'approprie tout ce que l'on aime, qu'on n'y cherche que son plaisir et sa propre satisfaction, qu'on se met
soi-même avant tout ; jusques-là qu'ils nient que celui qui
donne sa vie pour un autre, le préfère à soi. Ils passent le
but en ce point, car si l'objet de notre amour nous est plus
cher sans l'être, que l'être sans l'objet de notre amour, il
paraît que c'est notre amour qui est notre passion dominante et non notre individu propre ; puisque tout nous
échappe avec la vie, le bien que nous nous étions appropriés par notre amour, comme notre être véritable. Ils
répondent que la passion nous fait confondre dans ce
sacrifice notre vie et celle de l'objet aimé ; que nous
croyons n'abandonner qu'une partie de nous-mêmes pour
conserver l'autre : au moins ils ne peuvent nier que celle
que nous conservons, nous paraît plus considérable que
celle que nous abandonnons. Or, dès que nous nous
regardons comme la moindre partie dans le tout, c'est une

préférence manifeste de l'objet aimé. On peut dire la même chose d'un homme qui, volontairement et de sang-froid, meurt pour la gloire : la vie imaginaire qu'il achète au prix de son être réel, est une préférence bien incontestable de la gloire, et qui justifie la distinction que quelques écrivains [9] ont mise avec sagesse entre l'amour-propre et l'amour de nous-mêmes. Ceux-ci conviennent bien que l'amour de nous-mêmes entre dans toutes nos passions, mais ils distinguent cet amour de l'autre. Avec l'amour de nous-mêmes, disent-ils, on peut chercher hors de soi son bonheur ; on peut s'aimer hors de soi davantage que dans son existence propre ; on n'est point à soi-même son unique objet. L'amour-propre au contraire subordonne tout à ses commodités et son bien-être, il est à lui-même son seul objet et sa seule fin ; de sorte qu'au lieu que les passions qui viennent de l'amour de nous-mêmes nous donnent aux choses, l'amour-propre veut que les choses se donnent à nous et se fait le centre de tout.

Rien ne caractérise donc l'amour-propre, comme la complaisance qu'on a dans soi-même et les choses qu'on s'approprie.

L'orgueil est un effet de cette complaisance. Comme on n'estime naturellement les choses qu'autant qu'elles plaisent, et que nous nous plaisons si souvent à nous-mêmes devant toutes choses ; de là ces comparaisons toujours injustes qu'on fait de soi-même à autrui, et qui fondent tout notre orgueil.

Mais les prétendus avantages pour lesquels nous nous estimons étant grandement variés ; nous les désignons par les noms que nous leur avons rendu propres. L'orgueil qui vient d'une confiance aveugle dans nos forces, nous l'avons nommé présomption ; celui qui s'attache à de petites choses, vanité ; celui qui se fonde sur la naissance, hauteur ; celui qui est courageux, fierté.

Tout ce qu'on ressent de plaisir en s'appropriant quelque chose, richesse, agrément, héritage, etc., et ce qu'on éprouve de peines par la perte des mêmes biens, ou la crainte de quelque mal, la peur, le dépit, la colère, tout cela vient de l'amour-propre.

L'amour-propre se mêle à presque tous nos sentiments,

ou du moins l'amour de nous-mêmes ; mais pour prévenir l'embarras que les disputes qu'on a sur ces termes feraient naître, j'use d'expressions synonymes, qui me semblent moins équivoques. Ainsi je rapporte tous nos sentiments à celui de nos perfections et de notre imperfection : ces deux grands principes nous portent de concert à aimer, estimer, conserver, agrandir et défendre du mal notre frêle existence. C'est la source de tous nos plaisirs et déplaisirs, et la cause féconde des passions qui viennent par l'organe de la réflexion.

Tâchons d'approfondir les principales ; nous y suivrons plus aisément la trace des petites qui ne sont que des dépendances et des branches de celle-ci.

DE L'AMBITION

L'instinct qui nous porte à nous agrandir, n'est aucune part si sensible que dans l'ambition : mais il ne faut pas confondre tous les ambitieux. Les uns attachent la grandeur solide à l'autorité des emplois ; les autres aux grandes richesses, les autres au faste des titres, etc., plusieurs vont à leur but sans nul choix des moyens. Quelques-uns par de grandes choses, et d'autres par les plus petites : ainsi telle ambition est vice, telle, vertu ; telle, vigueur d'esprit, telle, égarement et bassesse, etc.

Toutes les passions prennent le tour de notre caractère. Nous avons vu ailleurs que l'âme influait beaucoup sur l'esprit ; l'esprit influe aussi sur l'âme : c'est de l'âme que viennent tous les sentiments ; mais c'est par les organes de l'esprit que passent les objets qui les excitent. Selon les couleurs qu'il leur donne ; selon qu'il les pénètre, qu'il les embellit, qu'il les déguise, l'âme les rebute ou s'y attache. Quand donc même on ignorerait que tous les hommes ne sont pas égaux par le cœur, il suffit de savoir qu'ils envisagent les choses selon leurs lumières, peut-être encore plus inégales, pour comprendre la différence, qui distingue les passions mêmes qu'on désigne du même nom. Si différemment partagés par l'esprit et les sentiments, ils s'attachent au même objet sans aller au même intérêt, et cela n'est pas seulement vrai des ambitieux, mais aussi de toute passion.

De l'amour du monde

Que de choses sont comprises dans l'amour du monde. Le libertinage, le désir de plaire, l'envie de primer, etc., l'amour du sensible et du grand ne sont nulle part si mêlés.

Le génie et l'activité portent les hommes à la vertu et à la gloire ; les petits talents, la paresse, le goût des plaisirs, la gaieté et la vanité les fixent aux petites choses ; mais en tous c'est le même instinct ; et l'amour du monde renferme de vives semences de presque toutes les passions.

Sur l'amour de la gloire

La gloire nous donne sur les cœurs une autorité naturelle, qui nous touche, sans doute, autant que nulle de nos sensations, et nous étourdit plus sur nos misères qu'une vaine dissipation : elle est donc réelle en tout sens.

Ceux qui parlent de son néant inévitable, soutiendraient peut-être avec peine le mépris ouvert d'un seul homme. Le vide des grandes passions est rempli par le grand nombre des petites : les contempteurs de la gloire se piquent de bien danser, ou de quelque misère encore plus basse. Ils sont si aveugles qu'ils ne sentent pas que c'est la gloire qu'ils cherchent si curieusement, et si vains, qu'ils osent la mettre dans les choses les plus frivoles. La gloire, disent-ils, n'est vertu, ni mérite ; ils raisonnent bien en cela : elle n'est que leur récompense ; mais elle nous excite donc au travail et à la vertu, et nous rend souvent estimables afin de nous faire estimer.

Tout est très abject dans les hommes : la vertu, la gloire, la vie ; mais les choses les plus petites ont des proportions reconnues. Le chêne est un grand arbre près du cerisier ; ainsi les hommes à l'égard les uns des autres. Quelles sont les vertus et les inclinations de ceux qui méprisent la gloire ? l'ont-ils méritée ?

De l'amour des sciences et des lettres

La passion de la gloire, et la passion des sciences se ressemblent dans leur principe ; car elles viennent l'une et l'autre du sentiment de notre vide et de notre imperfection. Mais l'une voudrait se former comme un nouvel être hors de nous ; et l'autre s'attache à étendre et à cultiver notre fond. Ainsi la passion de la gloire veut nous agrandir au-dehors et celle des sciences au-dedans.

On ne peut avoir l'âme grande, ou l'esprit un peu pénétrant, sans quelque passion pour les lettres. Les arts sont consacrés à peindre les traits de la belle nature ; les sciences à la vérité. Les arts ou les sciences embrassent tout ce qu'il y a dans la pensée de noble ou d'utile ; de sorte qu'il ne reste à ceux qui les rejettent, que ce qui est indigne d'être peint ou enseigné, etc.

La plupart des hommes honorent les lettres comme la religion et la vertu, c'est-à-dire, comme une chose qu'ils ne peuvent ni connaître, ni pratiquer, ni aimer.

Personne néanmoins n'ignore que les bons livres sont l'essence des meilleurs esprits, le précis de leurs connaissances et le fruit de leurs longues veilles. L'étude d'une vie entière s'y peut recueillir dans quelques heures ; c'est un grand secours.

Deux inconvénients sont à craindre dans cette passion : le mauvais choix et l'excès. Quant au mauvais choix, il est probable que ceux qui s'attachent à des connaissances peu utiles ne seraient pas propres aux autres, mais l'excès se peut corriger.

Si nous étions sages, nous nous bornerions à un petit nombre de connaissances, afin de les mieux posséder. Nous tâcherions de nous les rendre familières et de les réduire en pratique ; la plus longue et la plus laborieuse théorie n'éclaire qu'imparfaitement. Un homme qui n'aurait jamais dansé, posséderait inutilement les règles de la danse ; il en est sans doute de même des métiers d'esprit.

Je dirai bien plus ; rarement l'étude est utile, lorsqu'elle n'est pas accompagnée du commerce du monde. Il ne faut

pas séparer ces deux choses : l'une nous apprend à penser, l'autre à agir ; l'une à parler, l'autre à écrire ; l'une à
disposer nos actions, et l'autre à les rendre faciles.

L'usage du monde nous donne encore de penser naturellement, et l'habitude des sciences de penser profondément.

Par une suite nécessaire de ces vérités, ceux qui sont
privés de l'un et l'autre avantage par leur condition,
fournissent une preuve incontestable de l'indigence naturelle de l'esprit humain. Un vigneron, un couvreur,
resserrés dans un petit cercle d'idées très communes,
connaissent à peine les plus grossiers usages de la raison,
et n'exercent leur jugement, supposé qu'ils en aient reçu
de la nature, que sur des objets très palpables. Je sais bien
que l'éducation ne peut suppléer le génie. Je n'ignore pas
que les dons de la Nature valent mieux que les dons de
l'art. Cependant l'art est nécessaire pour faire fleurir les
talents. Un beau naturel négligé ne porte jamais de fruits
mûrs. Peut-on regarder comme un bien un génie à peu
près stérile ? Que servent à un grand seigneur les domai-
nes qu'il laisse en friche ? est-il riche de ces champs
incultes ?

DE L'AVARICE

Ceux qui n'aiment l'argent que pour le dépenser ne
sont pas véritablement avares. L'avarice est une extrême
défiance des événements, qui cherche à s'assurer contre
les instabilités de la fortune par une excessive prévoyance, et manifeste cet instinct avide, qui nous sollicite
d'accroître, d'étayer, d'affermir notre être. Basse et dé-
plorable manie, qui n'exige ni connaissance, ni vigueur
d'esprit, ni jeunesse, et qui prend par cette raison dans la
défaillance des sens, la place des autres passions.

DE LA PASSION DU JEU

Quoique j'aie dit que l'avarice naît d'une défiance
ridicule des événements de la fortune, et qu'il semble que

l'amour du jeu vienne au contraire d'une ridicule confiance aux mêmes événements, je ne laisse pas de croire qu'il y a des joueurs avares et qui ne sont confiants qu'au jeu; encore ont-ils, comme on dit, un jeu timide et serré.

Des commencements, souvent heureux, remplissent l'esprit des joueurs de l'idée d'un gain très rapide, qui paraît toujours sous leurs mains : cela détermine.

Par combien de motifs d'ailleurs n'est-on pas porté à jouer? Par cupidité, par amour du faste, par goût des plaisirs, etc. Il suffit donc d'aimer quelqu'une de ces choses pour aimer le jeu : c'est une ressource pour les acquérir; harsardeuse à la vérité, mais propre à toute sorte d'hommes, pauvres, riches, faibles, malades, jeunes et vieux, ignorants et savants, sots et habiles, etc., aussi n'y a-t-il point de passion plus commune que celle-ci.

DE LA PASSION DES EXERCICES

Il y a dans la passion des exercices un plaisir pour les sens, et un plaisir pour l'âme. Les sens sont flattés d'agir, de galoper un cheval, d'entendre un bruit de chasse dans une forêt; l'âme jouit de la justesse de ses sens, de la force et de l'adresse de son corps, etc. Aux yeux d'un philosophe qui médite dans son cabinet cette gloire est bien puérile; mais dans l'ébranlement de l'exercice, on ne scrute pas tant les choses. En approfondissant les hommes, on rencontre des vérités humiliantes, mais incontestables.

Vous voyez l'âme d'un pécheur qui se détache en quelque sorte de son corps pour suivre un poisson sous les eaux, et le pousser au piège que sa main lui tend. Qui croirait qu'elle s'applaudit de la défaite du faible animal et triomphe au fond du filet? Toutefois rien n'est si sensible.

Un grand à la chasse aime mieux tuer un sanglier qu'une hirondelle : par quelle raison? Tous la voient.

DE L'AMOUR PATERNEL

L'amour paternel ne diffère pas de l'amour-propre. Un enfant ne subsiste que par ses parents, dépend d'eux, vient d'eux, leur doit tout; ils n'ont rien qui leur soit si propre.

Aussi un père ne sépare point l'idée d'un fils de la sienne, à moins que le fils n'affaiblisse cette idée de propriété par quelque contradiction; mais plus un père s'irrite de cette contradiction, plus il s'afflige, plus il prouve ce que je dis.

DE L'AMOUR FILIAL ET FRATERNEL

Comme les enfants n'ont nul droit sur la volonté de leurs pères, la leur étant au contraire combattue, cela leur fait sentir qu'ils sont des êtres à part, et ne peut pas leur inspirer de l'amour-propre, parce que la propriété ne saurait être du côté de la dépendance. Cela est visible; c'est par cette raison que la tendresse des enfants n'est pas aussi vive que celle des pères; mais les lois ont pourvu à cet inconvénient. Elles sont un garant aux pères contre l'ingratitude des enfants, comme la nature est aux enfants un otage assuré contre l'abus des lois; il était juste d'assurer à la vieillesse les secours qu'elle avait prêtés à la faiblesse de l'enfance.

La reconnaissance prévient dans les enfants bien nés ce que le devoir leur impose. Il est dans la saine nature d'aimer ceux qui nous aiment et nous protègent; et l'habitude d'une juste dépendance en fait perdre le sentiment; mais il suffit d'être homme pour être bon père; et si on n'est homme de bien, il est rare qu'on soit bon fils.

Du reste qu'on mette à la place de ce que je dis la sympathie ou le sang, et qu'on me fasse entendre pourquoi le sang ne parle pas autant dans les enfants que dans les pères; pourquoi la sympathie périt quand la soumission diminue; pourquoi des frères souvent se haïssent sur des fondements si légers, etc.

Mais quel est donc le nœud de l'amitié des frères ? Une fortune, un nom commun, même naissance et même éducation, quelquefois même caractère ; enfin l'habitude de se regarder comme appartenants les uns aux autres, et comme n'ayant qu'un seul être.

DE L'AMITIÉ QUE L'ON A
POUR LES BÊTES

Il peut entrer quelque chose qui flatte les sens dans le goût qu'on nourrit pour certains animaux. Quand ils nous appartiennent, j'ai toujours pensé qu'il s'y mêle de l'amour-propre : rien n'est si ridicule à dire, et je suis fâché qu'il soit vrai ; mais nous sommes si vides que s'il s'offre à nous la moindre ombre de propriété, nous nous y attachons aussitôt. Nous prêtons à un perroquet des pensées et des sentiments ; nous nous figurons qu'il nous aime, qu'il nous craint, qu'il sent nos faveurs, etc., ainsi nous aimons l'avantage que nous nous accordons sur lui. Quel empire ! mais c'est là l'homme.

DE L'AMITIÉ

C'est l'insuffisance de notre être qui fait naître l'amitié, et c'est l'insuffisance de l'amitié même qui la fait périr.

Est-on seul, on sent sa misère, on sent qu'on a besoin d'appui, on cherche un fauteur de ses goûts, un compagnon de ses plaisirs et de ses peines ; on veut un homme dont on puisse posséder le cœur et la pensée. Alors l'amitié paraît être ce qu'il y a de plus doux au monde ; a-t-on ce qu'on a souhaité, on change bientôt de pensée.

Lorsqu'on voit de loin quelque bien, il fixe d'abord nos désirs, et lorsqu'on y parvient, on en sent le néant. Notre âme dont il arrêtait la vue dans l'éloignement, ne saurait s'y reposer quand elle voit au-delà : ainsi l'amitié qui de loin bornait toutes nos prétentions cesse de les borner de près ; elle ne remplit pas le vide qu'elle avait promis de remplir ; elle nous laisse des besoins qui nous distraient et nous portent vers d'autres biens.

Alors on se néglige, on devient difficile, on exige bientôt comme un tribut les complaisances qu'on avait d'abord reçues comme un don. C'est le caractère des hommes de s'approprier peu à peu jusqu'aux grâces dont ils jouissent ; une longue possession les accoutume naturellement à regarder les choses qu'ils possèdent comme à eux ; ainsi l'habitude les persuade qu'ils ont un droit naturel sur la volonté de leurs amis. Ils voudraient s'en former un titre pour les gouverner ; lorsque ces prétentions sont réciproques, comme on voit souvent, l'amour-propre s'irrite et crie des deux côtés, produit de l'aigreur, des froideurs et d'amères explications, etc.

On se trouve aussi quelquefois mutuellement des défauts qu'on s'était cachés ; ou l'on tombe dans des passions qui dégoûtent de l'amitié, comme les maladies violentes dégoûtent des plus doux plaisirs.

Aussi les hommes extrêmes ne sont pas les plus capables d'une constante amitié. On ne la trouve nulle part si vive et si solide que dans les esprits timides et sérieux, dont l'âme modérée connaît la vertu ; car elle soulage leur cœur oppressé sous le mystère et sous le poids du secret, détend leur esprit, l'élargit, les rend plus confiants et plus vifs, se mêle à leurs amusements, à leurs affaires et à leurs plaisirs mystérieux : c'est l'âme de toute leur vie.

Les jeunes gens sont aussi très sensibles et très confiants ; mais la vivacité de leurs passions les distrait et les rend volages. La sensibilité et la confiance sont usées dans les vieillards ; mais le besoin les rapproche et la raison est leur lien : les uns aiment plus tendrement, les autres plus solidement.

Le devoir de l'amitié s'étend plus loin qu'on ne croit ; nous suivons notre ami dans ses disgrâces, mais dans ses faiblesses nous l'abandonnons : c'est être plus faible que lui.

Quiconque se cache, obligé d'avouer les défauts des siens, fait voir sa bassesse. Êtes-vous exempt de ces vices ? Déclarez-vous donc hautement ; prenez sous votre protection la faiblesse des malheureux ; vous ne risquez

rien en cela ; mais il n'y a que les grandes âmes qui osent
se montrer ainsi. Les faibles se désavouent les uns les
autres, et se sacrifient lâchement aux jugements souvent
injustes du public ; ils n'ont pas de quoi résister, etc.

DE L'AMOUR

Il entre ordinairement beaucoup de sympathie dans
l'amour, c'est-à-dire, une inclination dont les sens forment le nœud ; mais quoiqu'ils en forment le nœud, ils
n'en sont pas toujours l'intérêt principal ; il n'est pas
impossible qu'il y ait un amour exempt de grossièreté.

Les mêmes passions sont bien différentes dans les
hommes. Le même objet peut leur plaire par des endroits
opposés ; je suppose que plusieurs hommes s'attachent à
la même femme, les uns l'aiment pour son esprit, les
autres pour sa vertu, les autres pour ses défauts, etc. Et il
se peut faire encore que tous l'aiment pour des choses
qu'elle n'a pas, comme lorsque l'on aime une femme
légère que l'on croit solide. N'importe, on s'attache à
l'idée qu'on se plaît à s'en figurer ; ce n'est même que
cette idée que l'on aime, ce n'est pas la femme légère.
Ainsi l'objet des passions n'est pas ce qui les dégrade ou
ce qui les anoblit, mais la manière dont on envisage cet
objet. Or j'ai dit qu'il était possible que l'on cherchât
dans l'amour quelque chose de plus pur que l'intérêt de
nos sens. Voici ce qui me le fait croire. Je vois tous les jours
dans le monde qu'un homme environné de femmes, auxquelles il n'a jamais parlé, comme à la messe, au sermon,
ne se décide pas toujours pour celle qui est la plus jolie, et
qui même lui paraît telle. Quelle est la raison de cela ?
C'est que chaque beauté exprime un caractère tout particulier, et celui qui entre le plus dans le nôtre nous le
préférons. C'est donc le caractère qui nous détermine
quelquefois ; c'est donc l'âme que nous cherchons : on ne
peut me nier cela. Donc tout ce qui s'offre à nos sens ne
nous plaît alors que comme une image de ce qui se cache
à leur vue ; donc nous n'aimons alors les qualités sensibles que comme les organes de notre plaisir, et avec

subordination aux qualités insensibles dont elles sont l'expression ; donc il est au moins vrai que l'âme est ce qui nous touche le plus. Or ce n'est pas aux sens que l'âme est agréable, mais à l'esprit : ainsi l'intérêt de l'esprit devient l'intérêt principal, et si celui des sens lui était opposé, nous le lui sacrifirions. On n'a donc qu'à nous persuader qu'il lui est vraiment opposé, qu'il est une tache pour l'âme. Voilà l'amour pur.

Amour cependant véritable qu'on ne saurait confondre avec l'amitié ; car dans l'amitié, c'est l'esprit qui est l'organe du sentiment ; ici ce sont les sens. Et comme les idées qui viennent par les sens sont infiniment plus puissantes que les vues de la réflexion, ce qu'elles inspirent est passion. L'amitié ne va pas si loin.

DE LA PHYSIONOMIE

La physionomie est l'expression du caractère et celle du tempérament. Une sotte physionomie est celle qui n'exprime que la complexion, comme un tempérament robuste, etc. Mais il ne faut jamais juger sur la physionomie : car il y a tant de traits mêlés sur le visage et dans le maintien des hommes, que cela peut souvent confondre ; sans parler des accidents qui défigurent les traits naturels, et qui empêchent que l'âme ne se manifeste, comme la petite vérole, la maigreur, etc.

On pourrait conjecturer plutôt sur le caractère des hommes, par l'agrément qu'ils attachent à de certaines figures qui répondent à leurs passions, mais encore s'y tromperait-on.

DE LA PITIÉ

La pitié n'est qu'un sentiment mêlé de tristesse et d'amour ; je ne pense pas qu'elle ait besoin d'être excitée par un retour sur nous-mêmes, comme on croit. Pourquoi la misère ne pourrait-elle sur notre cœur ce que fait la vue d'une plaie sur nos sens ! N'y a-t-il pas des choses qui affectent immédiatement l'esprit? L'impression des nouveautés ne prévient-elle pas toujours nos réflexions? Notre âme est-elle incapable d'un sentiment désintéressé?

DE LA HAINE

La haine est une déplaisance dans l'objet haï. C'est une tristesse qui nous donne, pour la cause qui l'excite, une secrète aversion : on appelle cette tristesse jalousie, lorsqu'elle est un effet du sentiment de nos désavantages comparés au bien de quelqu'un. Quand il se joint à cette jalousie de la haine et une volonté dissimulée par faiblesse de vengeance, c'est envie.

Il y a peu de passions où il n'entre de l'amour ou de la haine. La colère n'est qu'une aversion subite et violente, enflammée d'un désir aveugle de vengeance.

L'indignation, un sentiment de colère et de mépris; le mépris, un sentiment mêlé de haine et d'orgueil; l'antipathie, une haine violente et qui ne raisonne pas.

Il entre aussi de l'aversion dans le dégoût; il n'est pas une simple privation comme l'indifférence; et la mélancolie qui n'est communément qu'un dégoût universel sans espérance, tient encore beaucoup de la haine.

A l'égard des passions qui viennent de l'amour, j'en ai déjà parlé ailleurs; je me contente donc de répéter, ici, que tous les sentiments que le désir allume, sont mêlés d'amour ou de haine.

DE L'ESTIME, DU RESPECT ET DU MÉPRIS

L'estime est un aveu intérieur du mérite de quelque chose; le respect est le sentiment de la supériorité d'autrui.

Il n'y a pas d'amour sans estime, j'en ai déjà dit la raison. L'amour étant une complaisance dans l'objet aimé, et les hommes ne pouvant se défendre de trouver un prix aux choses qui leur plaisent, peu s'en faut qu'ils ne règlent leur estime sur le degré d'agrément que les objets ont pour eux. Et s'il est vrai que chacun s'estime personnellement plus que tout autre, c'est, ainsi qu'on l'a déjà dit, parce qu'il n'y a rien qui nous plaise ordinairement tant que nous-mêmes.

Ainsi non seulement on s'estime avant tout, mais on estime encore toutes les choses que l'on aime ; comme la chasse, la musique, les chevaux, etc. et ceux qui méprisent leurs propres passions, ne le font que par réflexion et par un effort de raison, car l'instinct les porte au contraire.

Par une suite naturelle du même principe, la haine rabaisse ceux qui en sont l'objet, avec le même soin que l'amour les relève. Il est impossible aux hommes de se persuader que ce qui les blesse n'ait pas quelque grand défaut ; c'est un jugement confus que l'esprit porte en lui-même, comme il en use au contraire en aimant.

Et si la réflexion contrarie cet instinct, car il y a des qualités qu'on est convenu d'estimer et d'autres de mépriser ; alors cette contradiction ne fait qu'irriter la passion, et plutôt que de céder aux traits de la vérité, elle en détourne les yeux. Ainsi elle dépouille son objet de ses qualités naturelles pour lui en donner de conformes à son intérêt dominant. Ensuite elle se livre témérairement et sans scrupules à ses préventions insensées.

Il n'y a presque point d'homme dont le jugement soit supérieur à ses passions. Il faut donc bien prendre garde, lorsqu'on veut se faire estimer à ne pas se faire haïr, mais tâcher au contraire de se présenter par des endroits agréables, parce que les hommes penchent à juger du prix des choses par le plaisir qu'elles leur font.

Il y en a à la vérité qu'on peut surprendre par une conduite opposée, en paraissant au-dehors plus pénétré de soi-même qu'on n'est au-dedans ; cette confiance extérieure les persuade et les maîtrise.

Mais il est un moyen plus noble de gagner l'estime des hommes. C'est de leur faire souhaiter la nôtre par un vrai mérite, et ensuite d'être modeste et de s'accommoder à eux ; quand on a véritablement les qualités qui emportent l'estime du monde, il n'y a plus qu'à les rendre populaires pour leur concilier l'amour ; et lorsque l'amour les adopte il en fait relever le prix. Mais pour les petites finesses qu'on emploie, en vue de surprendre ou de conserver les suffrages ; attendre les autres, se faire valoir, réveiller par des froideurs étudiées ou des amitiés ménagées le goût inconstant du public ; c'est la ressource des hommes superficiels qui craignent d'être approfondis ; il faut leur laisser ces misères dont ils ont besoin avec leur mérite spécieux.

Mais c'est trop s'arrêter aux choses ; tâchons d'abréger ces principes par de courtes définitions.

Le désir est une espèce de mésaise que le goût du bien met en nous, et l'inquiétude un désir sans objet.

L'ennui vient du sentiment de notre vide ; la paresse naît d'impuissance ; la langueur est un témoignage de notre faiblesse, et la tristesse de notre misère.

L'espérance est le sentiment d'un bien prochain ; et la reconnaissance celui d'un bienfait.

Le regret consiste dans le sentiment de quelque perte ; le repentir dans celui d'une faute ; le remords dans celui d'un crime et la crainte du châtiment.

La timidité peut être la crainte du blâme, la honte en est la conviction.

La raillerie naît d'un mépris content.

La surprise est un ébranlement soudain à la vue d'une nouveauté.

L'étonnement une surprise longue et accablante ; l'admiration une surprise pleine de respect.

La plupart de ces sentiments ne sont pas trop composés, et n'affectent pas aussi durablement notre âme que les grandes passions : l'amour, l'ambition, l'avarice, etc. Le peu que je viens de dire à leur occasion, répandra une sorte de lumière sur ceux dont je me réserve de parler ailleurs.

DE L'AMOUR
DES OBJETS SENSIBLES

Il serait impertinent de dire que l'amour des choses sensibles, comme l'harmonie, les saveurs, etc. n'est qu'un effet de l'amour-propre, du désir de nous agrandir, etc. Cependant tout cela s'y mêle quelquefois ; il y a des musiciens, des peintres qui n'aiment chacun dans leur art que l'expression des grandeurs, et qui ne cultivent leurs talents que pour la gloire ; ainsi d'une infinité d'autres.

Les hommes, que les sens dominent, ne sont pas ordinairement si sujets aux passions sérieuses ; l'ambition, l'amour de la gloire, etc. Les objets sensibles les amusent et les amollissent, et s'ils ont les autres passions, ils ne les ont pas aussi vives.

On peut dire la même chose des hommes enjoués, parce qu'ayant une manière d'exister assez heureuse, ils n'en cherchent pas une autre avec ardeur. Trop de choses les distraient ou les préoccupent.

On pourrait entrer là-dessus et sur tous les sujets que j'ai traités dans des détails intéressants. Mais mon dessein n'est pas de sortir des principes, quelque sécheresse qui les accompagne ; ils sont l'objet unique de tout mon discours. Et je n'ai ni la volonté, ni le pouvoir, de donner plus d'application à cet ouvrage.

DES PASSIONS EN GÉNÉRAL

Les passions s'opposent aux passions, et peuvent se servir de contrepoids ; mais la passion dominante ne peut se conduire que par son propre intérêt, vrai ou imaginaire, parce qu'elle règne despotiquement sur la volonté, sans laquelle rien ne se peut.

Je regarde humainement les choses, et j'ajoute dans cet esprit : toute nourriture n'est pas propre à tous les corps ; tous objets ne sont suffisants pour toucher de certaines âmes. Ceux qui croient les hommes souverains arbitres de leurs sentiments, ne connaissent pas la nature ; qu'on obtienne qu'un sourd s'amuse des sons enchanteurs de Murer [10], qu'on demande à une joueuse, qui fait une grosse partie, qu'elle ait la complaisance et la sagesse de s'y ennuyer, nul art ne le peut.

Les sages se trompent encore en offrant la paix aux

passions. Les passions lui sont ennemies. Ils vantent la modération à ceux qui sont nés pour l'action et pour une vie agitée; qu'importe à un homme malade la délicatesse d'un festin qui le dégoûte.

Nous ne connaissons pas les défauts de notre âme; mais quand nous pourrions les connaître nous voudrions rarement les vaincre.

Nos passions ne sont pas distinctes de nous-mêmes; il y en a qui sont tout le fondement et toute la substance de notre âme. Le plus faible de tous les êtres voudrait-il périr pour se voir remplacé par le plus sage? Qu'on me donne un esprit plus juste, plus aimable, plus pénétrant, j'accepte avec joie tous ces dons; mais si l'on m'ôte encore l'âme qui doit en jouir, ces présents ne sont plus pour moi.

Cela ne dispense personne de combattre ses habitudes, et ne doit inspirer aux hommes ni abattement, ni tristesse. Dieu peut tout; la vertu sincère n'abandonne pas ses amants; les vices mêmes d'un homme bien né peuvent se tourner à sa gloire.

Fin du second livre.

LIVRE III

DU BIEN ET DU MAL
MORAL

Ce qui n'est bien ou mal qu'à un particulier, et qui peut être le contraire de cela à l'égard du reste des hommes, ne peut être regardé en général comme un mal, ou comme un bien.

Afin qu'une chose soit regardée comme un bien par toute la société, il faut qu'elle tende à l'avantage de toute la société. Et afin qu'on la regarde comme un mal, il faut qu'elle tende à sa ruine : voilà le grand caractère du bien et du mal moral.

Les hommes étant imparfaits n'ont pu se suffire à eux-mêmes. De là la nécessité de former des sociétés. Qui dit une société, dit un corps qui subsiste par l'union de divers membres, et confond l'intérêt particulier dans l'intérêt général ; c'est là le fondement de toute la morale.

Mais parce que le bien commun exige de grands sacrifices, et qu'il ne peut se répandre également sur tous les hommes, la religion qui répare le vice des choses humaines, assure des indemnités dignes d'envie à ceux qui nous semblent lésés.

Et toutefois ces motifs respectables n'étant pas assez puissants pour donner un frein à la cupidité des hommes, il a fallu encore qu'ils convinssent de certaines règles pour le bien public, fondé à la honte du genre humain sur la crainte odieuse des supplices ; et c'est l'origine des lois.

Nous naissons, nous croissons à l'ombre de ces conventions solennelles ; nous leur devons la sûreté de notre vie, et la tranquillité qui l'accompagne. Les lois sont aussi le seul titre de nos possessions ; dès l'aurore de notre vie, nous en recueillons les doux fruits, et nous nous engageons toujours à elles par des liens plus forts. Quiconque prétend se soustraire à cette autorité, dont il tient tout, ne peut trouver injuste qu'elle lui ravisse tout jusqu'à la vie. Où serait la raison qu'un particulier ose en sacrifier tant d'autres à soi seul, et que la société ne pût par sa ruine racheter le repos public ?

C'est un vain prétexte de dire qu'on ne se doit pas à des lois qui favorisent l'inégalité des fortunes. Peuvent-elles égaler les hommes, l'industrie, l'esprit, les talents ? Peuvent-elles empêcher les dépositaires de l'autorité d'en user selon leur faiblesse ?

Dans cette impuissance absolue d'empêcher l'inégalité des conditions, elles fixent les droits de chacune, elles les protègent.

On suppose d'ailleurs avec quelque raison que le cœur des hommes se forme sur leur condition. Le laboureur a souvent dans le travail de ses mains la paix et la satiété qui fuient l'orgueil des grands. Ceux-ci n'ont pas moins de désirs que les hommes les plus abjects ; ils ont donc autant de besoins : voilà dans l'inégalité une sorte d'égalité.

Ainsi on suppose aujourd'hui toutes les conditions égales, ou nécessairement inégales. Dans l'une et l'autre supposition l'équité consiste à maintenir invariablement leurs droits réciproques, et c'est là tout l'objet des lois.

Heureux qui les sait respecter comme elles méritent de l'être. Plus heureux qui porte en son cœur celles d'un heureux naturel. Il est bien facile de voir que je veux parler des vertus. Leur noblesse et leur excellence sont l'objet de tout ce discours : mais j'ai cru qu'il fallait d'abord établir une règle sûre pour les bien distinguer du vice. Je l'ai rencontrée sans effort, dans le bien et le mal moral ; je l'aurais cherchée vainement dans une moins grande origine. Dire simplement que la vertu est vertu, parce qu'elle est bonne en son fond, et le vice tout au contraire ; ce n'est pas les faire connaître. La force et la beauté sont aussi de grands biens ; la vieillesse et la maladie des maux réels : cependant on n'a jamais dit que ce fût là vice, ou vertu. Le mot de vertu emporte l'idée de quelque chose d'estimable à l'égard de toute la terre : le vice au contraire. Or il n'y a que le bien et que le mal moral, qui portent ces grands caractères. La préférence de l'intérêt général au personnel, est la seule définition qui soit digne de la vertu et qui doive en fixer l'idée. Au contraire, le sacrifice mercenaire du bonheur public à l'intérêt propre, est le sceau éternel du vice.

Ces divers caractères ainsi établis et suffisamment discernés, nous pouvons distinguer encore les vertus naturelles, des acquises. J'appelle vertus naturelles, les vertus de tempérament. Les autres sont les fruits pénibles de la réflexion. Nous mettons ordinairement ces dernières à plus haut prix, parce qu'elles nous coûtent davantage. Nous les estimons plus à nous, parce qu'elles sont les effets de notre fragile raison. Je dis : la raison elle-même n'est-elle pas un don de la Nature, comme l'heureux tempérament ? L'heureux tempérament exclut-il la raison ? N'en est-il pas plutôt la base ? Et si l'un peut nous égarer, l'autre est-elle plus infaillible ?

Je me hâte, afin d'en venir à une question plus sérieuse. On demande si la plupart des vices ne concourent pas au bien public, comme les plus pures vertus. Qui ferait fleurir le commerce sans la vanité, l'avarice, etc. En un sens cela est très vrai ; mais il faut m'accorder aussi, que le bien produit par le vice est toujours mêlé de grands maux. Ce sont les lois qui arrêtent le progrès de ses désordres. Et c'est la raison, la vertu qui le subjuguent, qui le contiennent dans certaines bornes, et le rendent utile au monde.

A la vérité la vertu ne satisfait pas sans réserve toutes nos passions. Mais si nous n'avions aucun vice, nous n'aurions pas ces passions à satisfaire, et nous ferions par devoir ce qu'on fait par ambition, par orgueil, par avarice, etc. Il est donc ridicule de ne pas sentir que c'est le vice qui nous empêche d'être heureux par la vertu. Si elle est si insuffisante à faire le bonheur des hommes, c'est parce que les hommes sont vicieux ; et les vices, s'ils vont au bien, c'est qu'ils sont mêlés de vertus, de patience, de tempérance, de courage, etc. Un peuple qui n'aurait en partage que des vices, courrait à sa perte infaillible.

Quand le vice veut procurer quelque grand avantage au monde, pour surprendre l'admiration, il agit comme la vertu, parce qu'elle est le vrai moyen, le moyen naturel du bien : mais celui que le vice opère, n'est ni son objet, ni son but. Ce n'est pas à un si beau terme que tendent ses déguisements. Ainsi le caractère distinctif de la vertu subsiste ; ainsi rien ne peut l'effacer.

Que prétendent donc quelques hommes [11], qui confondent toutes ces choses, ou qui nient leur réalité ? Qui peut les empêcher de voir qu'il y a des qualités qui tendent naturellement au bien du monde, et d'autres à sa destruction ? Ces premiers sentiments élevés, courageux, bienfaisants à tout l'univers, et par conséquent estimables à l'égard de toute la terre, voilà ce qu'on nomme vertu. Et ces odieuses passions, tournées à la ruine des hommes, et par conséquent criminelles envers le genre humain, c'est ce que j'appelle des vices. Qu'entendent-ils eux par ces noms ? Cette différence éclatante du faible et du fort, du faux et du vrai, du juste et de l'injuste, etc. leur échappe-t-elle ? Mais le jour n'est pas plus sensible. Pensent-ils que l'irréligion dont ils se piquent puisse anéantir la vertu ? Mais tout leur fait voir le contraire. Qu'imaginent-ils donc ? Qui leur trouble l'esprit ? Qui leur cache qu'ils ont eux-mêmes parmi leurs faiblesses des sentiments de vertu ?

Est-il un homme assez insensé pour douter que la santé soit préférable aux maladies ? Non, il n'y en a point dans le monde. Trouve-t-on quelqu'un qui confonde la sagesse avec la folie ? Non, personne assurément. On ne voit personne non plus qui ne préfère la vérité à l'erreur. Personne qui ne sente bien que le courage est différent de la crainte, et l'envie de la bonté. On ne voit pas moins clairement que l'humanité vaut mieux que l'inhumanité, qu'elle est plus aimable, plus utile, et par conséquent plus estimable ; et cependant... O ! faiblesse de l'esprit humain, il n'y a point de contradiction dont les hommes ne soient capables dès qu'ils veulent approfondir.

N'est-ce pas le comble de l'extravagance, qu'on puisse

réduire en question, si le courage vaut mieux que la peur ? On convient qu'il nous donne sur les hommes et sur nous-mêmes un empire naturel. On ne nie pas non plus que la puissance enferme une idée de grandeur, et qu'elle soit utile. On sait encore que la peur est un témoignage de faiblesse ; et on convient que la faiblesse est très nuisible, qu'elle jette les hommes dans la dépendance, et qu'elle prouve ainsi leur petitesse. Comment peut-il donc se trouver des esprits assez déréglés pour mettre de l'égalité dans des choses si inégales ?

Qu'entend-on par un grand génie ? Un esprit qui a de grandes vues, puissant, fécond, éloquent, etc. Et par une grande fortune ? Un état indépendant, commode, élevé, glorieux. Personne ne dispute donc qu'il y ait de grands génies, et de grandes fortunes. Les caractères de ces avantages sont trop bien marqués. Ceux d'une âme vertueuse sont-ils moins sensibles ? Qui peut nous les faire confondre ? Sur quel fondement ose-t-on égaler le bien et le mal ? Est-ce sur ce que l'on suppose que nos vices et nos vertus sont des effets nécessaires de notre tempérament ? Mais les maladies, la santé ne sont-elles pas des effets nécessaires de la même cause ? Les confond-on cependant, et a-t-on jamais dit que c'étaient des chimères, qu'il n'y avait ni santé ni maladies ? Pense-t-on que tout ce qui est nécessaire n'est d'aucun mérite ? Mais c'est une nécessité en Dieu d'être tout-puissant, éternel. La puissance et l'éternité seront-elles égales au néant ? Ne seront-elles plus des attributs parfaits ? Quoi ! parce que la vie et la mort sont en nous des états de nécessité, n'est-ce plus qu'une même chose, et indifférente aux humains ? Mais peut-être que les vertus que j'ai peintes comme un sacrifice de notre intérêt propre à l'intérêt public, ne sont qu'un pur effet de l'amour de nous-mêmes. Peut-être ne faisons-nous le bien que parce que notre plaisir se trouve dans ce sacrifice. Étrange objection ! Parce que je me plais dans l'usage de ma vertu, en est-elle moins profitable, moins précieuse à tout l'univers, ou moins différente du vice, qui est la ruine du genre humain ? Le bien où je me plais change-t-il de nature ? Cesse-t-il d'être bien ?

Les oracles de la piété, continuent nos adversaires,

condamnent cette complaisance. Est-ce à ceux qui nient la vertu à la combattre par la religion qui l'établit? Qu'ils sachent qu'un Dieu bon et juste ne peut réprouver le plaisir que lui-même attache à bien faire. Nous prohiberait-il ce charme, qui accompagne l'amour du bien? Lui-même nous ordonne d'aimer la vertu, et sait mieux que nous qu'il est contradictoire d'aimer une chose sans s'y plaire. S'il rejette donc nos vertus, c'est quand nous nous approprions les dons que sa main nous dispense, que nous arrêtons nos pensées à la possession de ses grâces, sans aller jusqu'à leur principe; que nous méconnaissons le bras qui répand sur nous les bienfaits, etc.

Une vérité s'offre à moi. Ceux qui nient la réalité des vertus, sont forcés d'admettre des vices. Oseraient-ils dire que l'homme n'est pas insensé et méchant? Toutefois s'il n'y avait que des malades, saurions-nous ce que c'est que la santé?

DE LA GRANDEUR D'AME

Après ce que nous avons dit, je crois qu'il n'est pas nécessaire de prouver que la grandeur d'âme est quelque chose d'aussi réel que la santé, etc. Il est difficile de ne pas sentir dans un homme qui maîtrise la fortune, et qui par des moyens puissants arrive à des fins élevées, qui subjugue les autres hommes par son activité, par sa patience ou par des profonds conseils; je dis qu'il est difficile de ne pas sentir dans un génie de cet ordre une noble réalité.

La grandeur d'âme est donc un instinct élevé, qui porte les hommes au grand, de quelque nature qu'il soit; mais qui les tourne au bien ou au mal, selon leurs passions, leurs lumières, leur éducation, leur fortune, etc. Égale à tout ce qu'il y a sur la terre de plus élevé, tantôt elle cherche à soumettre par toutes sortes d'efforts ou d'artifices les choses humaines à elle, et tantôt dédaignant ces choses, elle s'y soumet elle-même, sans que sa soumission l'abaisse: pleine de sa propre grandeur elle s'y repose en secret, contente de se posséder. Qu'elle est belle, quand la vertu dirige tous ses mouvements; mais qu'elle est dangereuse alors qu'elle se soustrait à la règle ! Représentez-vous Catilina [12] au-dessus de tous les préjugés de sa naissance, méditant de changer la face de la terre et d'anéantir le nom Romain : concevez ce génie audacieux, menaçant le monde du sein des plaisirs, et formant d'une troupe de voluptueux et de voleurs un corps redoutable aux armées et à la sagesse de Rome. Qu'un homme de ce caractère aurait porté loin la vertu, s'il eût été tourné au bien; mais des circonstances malheureuses le poussent au crime. Catilina était né avec un amour ardent pour les plaisirs, que la sévérité des lois aigrissait et contraignait; sa dissipation et ses débauches l'engagèrent peu à peu à des projets criminels : ruiné, décrié, traversé, il se trouva dans un état où il lui était moins facile de gouverner la République que de la détruire. Ainsi les hommes sont souvent portés au crime par de fatales rencontres ou par leur situation : ainsi leur vertu dépend de leur fortune. Que manquait-il à César, que d'être né souverain ? Il était bon, magnanime, généreux, hardi, clément; personne n'était plus capable de gouverner le monde et de le rendre heureux : s'il eût eu une fortune égale à son génie, sa vie aurait été sans tache; mais parce qu'il s'était placé lui-même sur le trône par la force, on a cru pouvoir le compter avec justice parmi les tyrans.

Cela fait sentir qu'il y a des vices qui n'excluent pas les grandes qualités, et par conséquent de grandes qualités qui s'éloignent de la vertu. Je reconnais cette vérité avec douleur : il est triste que la bonté n'accompagne pas toujours la force, et que l'amour de la justice ne prévale pas nécessairement dans tous les hommes et dans tout le cours de leur vie, sur tout autre amour; mais non seulement les grands hommes se laissent entraîner au vice, les vertueux mêmes se démentent, et sont inconstants dans le bien. Cependant ce qui est sain est sain, ce qui est fort est fort, etc. les inégalités de la vertu, les faiblesses qui l'accompagnent, les vices qui flétrissent les plus belles vies; ces défauts inséparables de notre nature, mêlée si manifestement de grandeur et de petitesse, n'en détrui-

sent pas les perfections : ceux qui veulent que les hommes
soient tout bons ou tout méchants, absolument grands ou
petits, ne connaissent pas la nature. Tout est mélangé
dans les hommes, tout y est limité ; et le vice même y a
ses bornes.

DU COURAGE

Le vrai courage est une des qualités qui supposent le
plus de grandeur d'âme. J'en remarque beaucoup de
sortes : un courage contre la fortune, qui est philosophie ;
un courage contre les misères, qui est patience ; un courage à la guerre, qui est valeur ; un courage dans les
entreprises, qui est hardiesse ; un courage fier et témé-
raire, qui est audace ; un courage contre l'injustice, qui
est fermeté ; un courage contre le vice, qui est sévérité ; un
courage de réflexion, de tempérament, etc.

Il n'est pas ordinaire qu'un même homme assemble
tant de qualités. Octave dans le plan de sa fortune, élevée
sur des précipices, bravait des périls éminents ; mais la
mort présente à la guerre ébranlait son âme. Un nombre
innombrable de Romains qui n'avaient jamais craint la
mort dans les batailles, manquaient de cet autre courage,
qui soumit la terre à Auguste.

On ne trouve pas seulement plusieurs sortes de courages, mais dans le même courage bien des inégalités.
Brutus, qui eut le hardiesse d'attaquer la fortune de
César, n'eut pas la force de suivre la sienne : il avait
formé le dessein de détruire la tyrannie avec les ressources de son seul courage, et il eut la faiblesse de l'abandonner avec toutes les forces du peuple romain ; faute de
cette égalité de force et de sentiment, qui surmonte les
obstacles et la lenteur des succès.

Je voudrais pouvoir parcourir ainsi en détail toutes les
qualités humaines : un travail si long ne peut maintenant
m'arrêter. Je terminerai cet écrit par de courtes définitions.

Observons néanmoins encore que la petitesse est la
source d'un nombre incroyable de vices ; de l'incons-

tance, de la légèreté, la vanité, l'envie, l'avarice, la bassesse, etc. elle rétrécit notre esprit autant que la grandeur d'âme l'élargit; mais elle est malheureusement inséparable de l'humanité, et il n'y a point d'âme si forte qui en soit tout à fait exempte. Je suis mon dessein.

La probité est un attachement à toutes les vertus civiles.

La droiture est une habitude des sentiers de la vertu.

L'équité peut se définir par l'amour de l'égalité; l'intégrité paraît une équité sans tache, et la justice une équité pratique.

La noblesse est la préférence de l'honneur à l'intérêt; la bassesse, la préférence de l'intérêt à l'honneur.

L'intérêt est la fin de l'amour-propre; la générosité en est le sacrifice.

La méchanceté suppose un goût à faire du mal; la malignité, une méchanceté cachée; la noirceur, une malignité profonde.

L'insensibilité à la vue des misères, peut s'appeler dureté; s'il y entre du plaisir, c'est cruauté. La sincérité me paraît l'expression de la vérité; la franchise, une sincérité sans voiles; la candeur, une sincérité douce; l'ingénuité, une sincérité innocente; l'innocence, une pureté sans tache.

L'imposture est le masque de la vérité; la fausseté, une imposture naturelle; la dissimulation, une imposture réfléchie; la fourberie, une imposture qui veut nuire; la duplicité, une imposture qui a deux faces.

La libéralité est une branche de la générosité; la bonté, un goût à faire du bien et à pardonner le mal; la clémence, une bonté envers nos ennemis.

La simplicité nous présente l'image de la vérité et de la liberté.

L'affectation est le dehors de la contrainte et du mensonge; la fidélité n'est qu'un respect pour nos engagements; l'infidélité une dérogeance; la perfidie, une infidélité couverte et criminelle.

La bonne foi, une fidélité sans défiance et sans artifice.

La force d'esprit est le triomphe de la réflexion; c'est un instinct supérieur aux passions, qui les calme ou qui les possède : on ne peut pas savoir d'un homme qui n'a pas les passions ardentes, s'il a de la force d'esprit; il n'a jamais été dans des épreuves assez difficiles.

La modération est l'état d'une âme qui se possède; elle naît d'une espèce de médiocrité dans les désirs, et de satisfaction dans les pensées, qui dispose aux vertus civiles.

L'immodération au contraire, est une ardeur inaltérable et sans délicatesse, qui mène quelquefois à des grands vices.

La tempérance n'est qu'une modération dans les plaisirs, et l'intempérance, au contraire.

L'humeur est une inégalité qui dispose à l'impatience; la complaisance est une volonté flexible; la douceur, un fond de complaisance et de bonté.

La brutalité, une disposition à la colère et à la grossièreté; l'irrésolution, une timidité à entreprendre; l'incertitude, une irrésolution à croire; la perplexité, une irrésolution inquiète.

La prudence, une prévoyance raisonnable; l'imprudence, tout au contraire.

L'activité naît d'une force inquiète; la paresse, d'une impuissance paisible.

La mollesse est une paresse voluptueuse.

L'austérité est une haine des plaisirs, et la sévérité, des vices.

La solidité, une consistance et une égalité d'esprit; la légèreté, un défaut d'assiette et d'uniformité de passions ou d'idées.

La constance, une fermeté raisonnable dans nos sentiments; l'opiniâtreté, une fermeté déraisonnable; la pudeur, un sentiment de la difformité du vice, et du mépris qui le suit.

La sagesse, la connaissance et l'affection du vrai bien; l'humilité, un sentiment de notre bassesse devant Dieu; la charité, un zèle de religion pour le prochain; la grâce, une impulsion surnaturelle vers le bien.

Du bon et du beau

Le terme de bon emporte quelque degré naturel de perfection; celui de beau, quelque degré d'éclat ou d'agrément. Nous trouvons l'un et l'autre réunis dans la vertu, parce que sa bonté nous plaît et que sa beauté nous sert; mais d'une médecine qui blesse nos sens, et de toute autre chose qui nous est utile, mais désagréable, nous ne disons pas qu'elle est belle, elle n'est que bonne; de même à l'égard des choses qui sont belles sans être utiles.

M. Crousas [13] dit que le beau naît de la variété réductible à l'unité; c'est-à-dire, d'un composé qui ne fait pourtant qu'un seul tout, et qu'on peut saisir d'une vue; c'est là, selon lui, ce qui excite l'idée du beau dans l'esprit.

Fin de la première partie

AVERTISSEMENT

Les pièces qui suivent n'ont pas une liaison nécessaire avec le petit ouvrage que l'on vient de lire. On a cru cependant qu'elles pourraient en suppléer l'imperfection à quelques égards. Elles ont à peu près le même objet : elles éclaircissent quelques-uns des sujets déjà traités ; et enfin elles sont fondées sur les mêmes principes.

FRAGMENTS

I
SUR LE PYRRHONISME

Qui doute a une idée de la certitude, et par conséquent reconnaît quelque marque de vérité. Mais parce que les premiers principes ne peuvent se démontrer, on s'en défie ; on ne fait pas attention que la démonstration n'est qu'un raisonnement fondé sur l'évidence. Or les premiers principes ont l'évidence par eux-mêmes et sans raisonnement ; de sorte qu'ils portent la marque de la certitude la plus invincible. Les pyrrhoniens obstinés affectent de douter que l'évidence soit signe de vérité : mais on leur demande, quel autre signe en désirez-vous donc ? Quel autre croyez-vous qu'on puisse avoir ? Vous en formez-vous quelque idée ?

On leur dit aussi, qui doute pense, et qui pense est ; et tout ce qui est vrai de sa pensée, l'est aussi de la chose qu'elle représente, si cette chose a l'être ou le reçoit jamais. Voilà donc déjà des principes irréfutables : or s'il y a quelque principe de cette nature, rien n'empêche qu'il y en ait plusieurs. Tous ceux qui porteront le même caractère auront infailliblement la même vérité : il n'en serait pas autrement quand notre vie ne serait qu'un songe ; tous les fantômes que notre imagination pourrait nous figurer dans le sommeil, ou n'auraient pas l'être, ou l'auraient tel qu'il nous paraît. S'il existe hors de notre imagination une société d'hommes faibles, telle que nos idées nous la représentent ; tout ce qui est vrai de cette société imaginaire, le sera de la société réelle, et il y aura dans cette société des qualités nuisibles, d'autres estimables ou utiles, etc. Et par conséquent des vices et des vertus. Oui, nous disent les pyrrhoniens, mais peut-être

que cette société n'est pas ; je réponds : Pourquoi ne
serait-elle pas, puisque nous sommes ? Je suppose qu'il y
eut là-dessus quelque incertitude bien fondée, toujours
serions-nous obligés d'agir comme s'il n'y en avait pas.
Que sera-ce si cette incertitude est sensiblement suppo-
sée ? Nous ne nous donnons pas à nous-mêmes nos sensations ; donc il y a quelque chose hors de nous qui nous
les donne : si elles sont fidèles ou trompeuses ; si les
objets qu'elles nous peignent sont des illusions ou des
vérités ; des réalités ou des apparences, je n'entreprendrai
pas de le démontrer. L'esprit de l'homme qui ne connaît
qu'imparfaitement, ne saurait prouver parfaitement, mais
l'imperfection de ses connaissances, n'est pas plus manifeste que leur réalité, et s'il leur manque quelque chose
pour la conviction du côté du raisonnement, l'instinct le
supplée avec usure. Ce que la réflexion trop faible n'ose
décider, le sentiment nous force de le croire. S'il est
quelque pyrrhonien réel et parfait parmi les hommes,
c'est dans l'ordre des intelligences un monstre qu'il faut
plaindre. Le pyrrhonisme parfait est le délire de la raison,
et la production la plus ridicule de l'esprit humain.

II

SUR LA NATURE ET LA COUTUME

Les hommes s'entretiennent volontiers de la force de la
coutume, des effets de la nature ou de l'opinion ; peu en
parlent exactement. Les dispositions fondamentales et
originelles de chaque être forment ce qu'on appelle sa
nature : une longue habitude peut modifier ces dispositions primitives ; et telle est quelquefois sa force, qu'elle
leur en substitue de nouvelles plus constantes, quoique
absolument opposées : de sorte qu'elle agit ensuite
comme cause première, et fait le fondement d'un nouvel
être ; d'où est venue cette conclusion très littérale ; qu'elle
était une seconde nature ; et cette autre pensée plus hardie

de Pascal [14] : que ce que nous prenons pour la Nature,
n'était souvent qu'une première coutume ; deux maximes
très véritables. Toutefois avant qu'il y eut aucune coutume, notre âme existait, et avait ses inclinations qui
fondaient sa nature ; et ceux qui réduisent tout à l'opinion
et à l'habitude, ne comprennent pas ce qu'ils disent : toute
coutume suppose antérieurement une nature, toute erreur
une vérité. Il est vrai qu'il est difficile de distinguer les
principes de cette première nature de ceux de l'éducation :
ces principes sont en si grand nombre et si compliqués,
que l'esprit se perd à les suivre ; et il n'est pas moins
malaisé de démêler ce que l'éducation a épuré ou gâté
dans le naturel. On peut remarquer seulement, que ce qui
nous reste de notre première nature, est plus véhément et
plus fort, que ce qu'on acquiert par étude, par coutume et
par réflexion ; parce que l'effet de l'art est d'affaiblir, lors
même qu'il polit et qu'il corrige : de sorte que nos qualités acquises sont en même temps plus parfaites et plus
défectueuses que nos qualités naturelles ; et cette faiblesse
de l'art ne procède pas seulement de la résistance trop
forte que fait la nature, mais aussi de la propre imperfection de ses principes, ou insuffisants, ou mêlés d'erreur.
Sur quoi cependant je remarque, qu'à l'égard des lettres,
l'art est supérieur au génie de beaucoup d'artistes, qui ne
pouvant atteindre la hauteur des règles, et les mettre
toutes en œuvre, ni rester dans leur caractère qu'ils trouvent trop bas, ni arriver au beau naturel, demeurent dans
un milieu insupportable, qui est l'enflure et l'affectation,
et ne suivent ni l'art ni la nature. La longue habitude leur
rend propre ce caractère forcé ; et à mesure qu'ils s'éloignent davantage de leur naturel, ils croient élever la
nature ; don incomparable, qui n'appartient qu'à ceux que
la nature même inspire avec le plus de force. Mais telle
est l'erreur qui les flatte ; et malheureusement rien n'est
plus ordinaire que de voir les hommes se former par étude
et par coutume, un instinct particulier, et s'éloigner ainsi
autant qu'ils peuvent des lois générales et originelles de
leur être, comme si la nature n'avait pas mis entre eux
assez de différences, sans y en ajouter par l'opinion. De
là vient que leurs jugements se rencontrent si rarement :

les uns disent, cela est dans la nature ou hors de la nature ; et les autres tout au contraire. Il y en a qui rejettent en fait de style, les transitions soudaines des Orientaux [15], et les sublimes hardiesses de Bossuet ; l'enthousiasme même de la poésie ne les émeut pas ; ni sa force et son harmonie, qui charme avec tant de puissance ceux qui ont de l'oreille et du goût. Ils regardent ces dons de la nature, si peu ordinaires, comme des inventions forcées et des jeux d'imagination, tandis que d'autres admirent l'emphase comme le caractère et le modèle d'un beau naturel. Parmi ces variétés inexplicables de la nature ou de l'opinion, je crois que la coutume dominante peut servir de guide à ceux qui se mêlent d'écrire, parce qu'elle vient de la nature dominante des esprits, ou qu'elle la plie à ses règles, et forme le goût et les mœurs ; de sorte qu'il est dangereux de s'en écarter, lors même qu'elle nous paraît manifestement vicieuse. Il n'appartient qu'aux hommes extraordinaires de ramener les autres au vrai, et de les assujettir à leur génie particulier ; mais ceux qui concluraient de là que tout est opinion, et qu'il n'y a ni nature ni coutume plus parfaite l'une que l'autre par son propre fond, seraient les plus inconséquents de tous les hommes.

III

NULLE JOUISSANCE SANS ACTION

Ceux qui considèrent sans beaucoup de réflexion les agitations et les misères de la vie humaine, en accusent notre activité trop empressée, et ne cessent de rappeler les hommes au repos et à jouir d'eux-mêmes. Ils ignorent que la jouissance est le fruit et la récompense du travail ; qu'elle est elle-même une action ; qu'on ne saurait jouir qu'autant que l'on agit, et que notre âme enfin ne se possède véritablement que lorsqu'elle s'exerce tout entière. Ces faux philosophes s'empressent à détourner l'homme de sa fin et à justifier l'oisiveté ; mais la nature vient à notre secours dans ce danger. L'oisiveté nous lasse plus promptement que le travail, et nous rend à l'action détrompés du néant de ses promesses ; c'est ce qui n'est pas échappé aux modérateurs de systèmes, qui se piquent de balancer les opinions des philosophes, et de prendre un juste milieu. Ceux-ci nous permettent d'agir, et sous condition néanmoins de régler notre activité, et de déterminer selon leurs vues la mesure et le choix de nos occupations ; en quoi ils sont peut-être plus inconséquents que les premiers, car ils veulent nous faire trouver notre bonheur dans la sujétion de notre esprit ; effet purement surnaturel et qui n'appartient qu'à la religion, non à la raison. Mais il est des erreurs que la prudence ne veut pas qu'on approfondisse.

IV

DE LA CERTITUDE DES PRINCIPES

Nous nous étonnons de la bizarrerie de certaines modes et de la barbarie des duels ; nous triomphons encore sur le ridicule de quelques coutumes, et nous en faisons voir la force. Nous nous épuisons sur ces choses comme sur des abus uniques, et nous sommes environnés de préjugés sur lesquels nous nous reposons avec une entière assurance. Ceux qui portent plus loin leurs vues remarquent cet aveuglement ; et entrant là-dessus en défiance des plus grands principes, concluent que tout est opinion, mais ils montrent à leur tour par là les limites de leur esprit. L'être et la vérité n'étant de leur aveu qu'une même chose sous deux expressions, il faut tout réduire au néant ou admettre des vérités indépendantes de nos conjectures, et de nos frivoles discours. Or, s'il y a des vérités telles, comme il me paraît hors de doute, il s'ensuit qu'il y a des principes qui ne peuvent être arbitraires : la difficulté, je l'avoue, est à les connaître ; mais pourquoi la même raison, qui nous fait discerner le faux, ne pourrait-elle nous conduire jusqu'au vrai? L'ombre est-elle plus sensible que le corps? L'apparence que la réalité? Que connaissons-nous d'obscur par sa nature, sinon l'erreur? Que connaissons-nous d'évident, sinon la vérité? N'est-ce pas l'évidence de la vérité qui nous fait discerner le faux, comme le jour marque les ombres? Et qu'est-ce en un mot que la connaissance d'une erreur, sinon la découverte d'une vérité. Toute privation suppose nécessairement une réalité; ainsi la certitude est démontrée par le doute, la science par l'ignorance, et la vérité par l'erreur.

V

DÉFAUT DE LA PLUPART DES CHOSES

Le défaut de la plupart des choses dans la poésie, la peinture, l'éloquence, le raisonnement, etc. C'est de n'être pas à leur place. De là le mauvais enthousiasme ou l'emphase dans le discours, les dissonances dans la musique, la confusion dans les tableaux, la fausse politesse dans le monde, ou la froide plaisanterie. Qu'on examine la morale même, la profusion n'est-elle pas aussi le plus souvent une générosité hors de sa place; la vanité, une hauteur hors de sa place; l'avarice, une prévoyance hors de sa place; la témérité, une valeur hors de sa place, etc. La plupart des choses ne sont fortes ou faibles, vicieuses ou vertueuses, dans la nature ou hors de la nature que par cet endroit: on ne laisserait rien à la plupart des hommes, si l'on retranchait de leur vie, tout ce qui n'est pas à sa place, et ce n'est pas en tout défaut de jugement, mais impuissance d'assortir les choses.

VI

DE L'AME

Il sert peu d'avoir de l'esprit lorsque l'on n'a point d'âme. C'est l'âme qui forme l'esprit et qui lui donne l'essor ; c'est elle qui domine dans les sociétés, qui fait les orateurs, les négociateurs, les ministres, les grands hommes, les conquérants. Voyez comme on vit dans le monde ; qui prime chez les jeunes gens, chez les femmes, chez les vieillards, chez les hommes de tous états, dans les cabales et dans les partis ? Qui nous gouverne nous-mêmes, est-ce l'esprit ou le cœur ? Faute de faire cette réflexion, nous nous étonnons de l'élévation de quelques hommes, ou de l'obscurité de quelques autres, et nous attribuons à la fatalité, ce dont nous trouverions plus aisément la cause dans leur caractère ; mais nous ne pensons qu'à l'esprit, et point aux qualités de l'âme. Cependant c'est d'elle avant tout que dépend notre destinée : on nous vante en vain les lumières d'une belle imagination ; je ne puis ni estimer, ni aimer, ni haïr, ni craindre ceux qui n'ont que de l'esprit.

VII

DES ROMANS

Le faux en lui-même nous blesse et n'a pas de quoi nous toucher. Que croyez-vous qu'on cherche si avidement dans les fictions ? L'image d'une vérité vivante et passionnée.

Nous voulons de la vraisemblance dans les fables mêmes, et toute fiction, qui ne peint pas la nature, est insipide.

Il est vrai que l'esprit de la plupart des hommes a si peu d'assiette, qu'il se laisse entraîner aux merveilleux, surpris par l'apparence du grand. Mais le faux que le grand leur cache dans le merveilleux, les dégoûte au moment qu'il se laisse sentir; on ne relit point un roman.

J'excepte les gens d'une imagination frivole et déréglée, qui trouvent dans ces sortes de lectures l'histoire de leurs pensées et de leurs chimères. Ceux-ci, s'ils s'attachent à écrire dans ce genre, travaillent avec une facilité que rien n'égale, car ils portent la matière de l'ouvrage dans leur fond; mais de semblables puérilités n'ont pas leur place dans un esprit sain; il ne peut les écrire, ni les lire.

Lors donc que les premiers s'attachent aux fantômes qu'on leur reproche; c'est parce qu'ils y trouvent une image des illusions de leur esprit, et par conséquent quelque chose qui tient à la vérité à leur égard; et les autres qui les rejettent, c'est parce qu'ils n'y reconnaissent pas le caractère de leurs sentiments; tant il est manifeste de tous les côtés que le faux connu nous dégoûte, et que nous ne cherchons tous ensemble que la vérité et la nature.

VIII

CONTRE LA MÉDIOCRITÉ

Si l'on pouvait dans la médiocrité n'être ni glorieux, ni timide, ni envieux, ni flatteur, ni préoccupé des besoins et des soins de son état. Lorsque le dédain et les manières de tout ce qui nous environne concourent à nous abaisser; si l'on savait alors s'élever, se sentir, résister à la multitude… Mais qui peut soutenir son esprit et son cœur au-dessus de sa condition? Qui peut se sauver des faiblesses que la médiocrité traîne avec soi?

Dans les conditions éminentes, la fortune au moins nous dispense de fléchir devant ses idoles. Elle nous dispense de nous déguiser, de quitter notre caractère, de nous absorber dans les riens : elle nous élève sans peine au-dessus de la vanité et nous met au niveau du grand, et si nous sommes nés avec quelques vertus, les moyens et les occasions de les employer sont en nous.

Enfin, de même qu'on ne peut jouir d'une grande fortune avec une âme basse et un petit génie ; on ne saurait jouir d'un grand génie ni d'une grande âme, dans une fortune médiocre.

IX

SUR LA NOBLESSE

La noblesse est un héritage comme l'or et les diamants. Ceux qui regrettent que la considération des grands emplois et des services passe au sang des hommes illustres, accordent davantage aux hommes riches, puisqu'ils ne contestent pas à leurs neveux la possession de leur fortune bien ou mal acquise. Mais le peuple en juge autrement ; car au lieu que la fortune des gens riches se détruit par les dissipations de leurs enfants ; la considération de la noblesse se conserve après que la mollesse en a souillé la source. Sage institution, qui pendant que le prix de l'intérêt se consume et s'appauvrit, rend la récompense de la vertu éternelle et ineffaçable.

Qu'on ne nous dise donc plus que la mémoire d'un mérite éteint, doit céder à des vertus vivantes. Qui mettra le prix au mérite ? C'est sans doute à cause de cette difficulté que les grands qui ont de la hauteur, ne se fondent que sur leur naissance, quelque opinion qu'ils aient de leur génie ; tout cela est très raisonnable, si l'on excepte de la loi commune de certains talents qui sont trop au-dessus des règles.

X

SUR LA FORTUNE

Ni le bonheur, ni le mérite seul ne font l'élévation des hommes. La fortune suit l'occasion qu'ils ont d'employer leurs talents. Mais il n'y a peut-être point d'exemple d'un homme à qui le mérite n'ait servi pour la fortune ou contre l'adversité ; cependant la chose à laquelle un homme ambitieux pense le moins, c'est à mériter la fortune : un enfant veut être évêque, veut être roi, conquérant, et à peine il connaît l'étendue de ces noms. Voilà la plupart des hommes ; ils accusent continuellement la fortune de caprice, et ils sont si faibles qu'ils lui abandonnent la conduite de leurs prétentions, et qu'ils se reposent sur elle du succès de leur ambition.

XI

CONTRE LA VANITÉ

La chose du monde la plus ridicule et la plus inutile, c'est de vouloir prouver qu'on est aimable, ou que l'on a de l'esprit. Les hommes sont fort pénétrants sur les petites adresses qu'on emploie pour se louer ; et soit qu'on leur demande leur suffrage avec hauteur, soit qu'on tâche de le surprendre, ils se croient ordinairement en droit de refuser ce qu'il semble qu'on ait besoin de tenir d'eux. Heureux ceux qui sont nés modestes, et que la nature a rempli d'une noble et sage confiance : rien ne présente les hommes si petits à l'imagination, rien ne les fait paraître si faibles que la vanité. Il semble qu'elle soit le sceau de la médiocrité ; ce qui n'empêche pas qu'on n'ait vu d'assez grands génies accusés de cette faiblesse. Aussi leur a-t-on disputé le titre de grands hommes, et non sans beaucoup de raison.

XII

NE POINT SORTIR
DE SON CARACTÈRE

Lorsqu'on veut se mettre à la portée des autres hommes, il faut prendre garde d'abord à ne pas sortir de la sienne; car c'est un ridicule insupportable, et qu'ils ne nous pardonnent point; c'est aussi une vanité mal entendue de croire que l'on peut jouer toute sorte de personnages, et d'être toujours travesti. Tout homme qui n'est pas dans son véritable caractère n'est pas dans sa force : il inspire la défiance et blesse par l'affectation de cette supériorité. Si vous le pouvez soyez simple, naturel, modeste, uniforme; ne parlez jamais aux hommes que de choses qui les intéressent, et qu'ils puissent aisément entendre. Ne les primez point avec faste. Ayez de l'indulgence pour tous leurs défauts, de la pénétration pour leurs talents, des égards pour leurs délicatesses et leurs préjugés, etc. Voilà peut-être comme un homme supérieur se monte naturellement et sans effort à la portée de chacun. Ce n'est pas la marque d'une grande habileté d'employer beaucoup de finesse, c'est l'imperfection de la nature qui est l'origine de l'art.

XIII

DU POUVOIR DE L'ACTIVITÉ

Qui considérera d'où sont partis la plupart des ministres, verra ce que peut le génie, l'ambition et l'activité. Il faut laisser parler le monde, et souffrir qu'il donne au hasard l'honneur de toutes les fortunes, pour autoriser sa mollesse. La nature a marqué à tous les hommes dans leur caractère la route naturelle de leur vie, et personne n'est ni tranquille, ni sage, ni bon, ni heureux, qu'autant qu'il connaît son instinct et le suit bien fidèlement. Que ceux qui sont nés pour l'action suivent donc hardiment le leur; l'essentiel est de faire bien; s'il arrive qu'après cela le mérite soit méconnu, et le bonheur seul honoré, il faut pardonner à l'erreur. Les hommes ne sentent les choses qu'au degré de leur esprit, et ne peuvent aller plus loin. Ceux qui sont nés médiocres, n'ont point de mesure pour les qualités supérieures; la réputation leur impose plus que le génie, la gloire plus que la vertu; au moins ont-ils besoin que le nom des choses les avertisse et réveille leur attention.

XIV

SUR LA DISPUTE

Où vous ne voyez pas le fond des choses ne parlez jamais qu'en doutant et en proposant vos idées. C'est le propre d'un raisonneur, de prendre feu sur les affaires politiques ou sur tel autre sujet dont on ne sait pas les principes; c'est son triomphe, parce qu'il n'y peut être confondu.

Il y a des hommes avec qui je voudrais que l'on n'eût jamais de dispute. Cependant tout peut être utile, il ne faut que se posséder.

XV

SUJÉTION
DE L'ESPRIT DE L'HOMME

Quand on est au cours des grandes affaires, rarement tombe-t-on à de certaines petitesses : les grandes occupations élèvent et soutiennent l'âme; ce n'est donc pas merveille qu'on y fasse bien. Au contraire, un particulier qui a l'esprit naturellement grand, se trouve resserré et à l'étroit dans une fortune privée; et comme il n'y est pas à sa place, tout le blesse et lui fait violence. Parce qu'il n'est pas né pour les petites choses, il les traite moins bien qu'un autre, ou elles le fatiguent davantage, et il ne lui est pas possible, dit Montaigne, de ne leur donner que l'attention qu'elles méritent, ou de s'en retirer à sa volonté; s'il fait tant que de s'y livrer, elles l'occupent tout entier, et l'engagent à des petitesses dont il est lui-même surpris [16]. Telle est la faiblesse de l'esprit humain, qui se manifeste encore par mille autres endroits, et qui fait dire à Pascal [17] : *Il ne faut pas le bruit d'un canon pour interrompre les pensées du plus grand homme du monde, il ne faut que le bruit d'une girouette ou d'une poulie. Ne vous étonnez pas,* continue-t-il, *s'il ne raisonne pas bien à présent, une mouche bourdonne à ses oreilles; si vous voulez qu'il trouve la vérité, chassez cet animal qui tient sa raison en échec et trouble cette puissante intelligence qui gouverne les villes et les royaumes.* Rien n'est plus vrai, sans doute, que cette pensée, mais il est vrai aussi, de l'aveu de Pascal, que cette même intelligence qui est si faible, gouverne les villes et les royaumes : aussi le même auteur remarque que plus on approfondit l'homme, plus on y démêle de faiblesse et de grandeur; et c'est lui qui dit encore dans un autre endroit, après Montaigne [18] : *Cette duplicité de l'homme est si visible, qu'il y en a qui ont cru que nous avions deux âmes, un sujet simple paraissant incapable de telles et si soudaines variétés, d'une présomption démesurée à un horrible abattement de cœur.* Rassurons-nous donc sur la foi de ces grands témoignages, et ne nous laissons pas abattre au sentiment de nos faiblesses, jusqu'à perdre le soin irréprochable de la gloire et l'ardeur de la vertu.

XVI

ON NE PEUT ÊTRE DUPE
DE LA VERTU

Que ceux qui sont nés pour l'oisiveté et la mollesse y meurent et s'y ensevelissent, je ne prétends pas les troubler; mais je parle au reste des hommes, et je dis : On ne peut être dupe de la vraie vertu ; ceux qui l'aiment sincèrement y goûtent un secret plaisir et souffrent à s'en détourner : quoi qu'on fasse aussi pour la gloire, jamais ce travail n'est perdu, s'il tend à nous en rendre dignes. C'est une chose étrange que tant d'hommes se défient de la vertu et de la gloire comme d'une route hasardeuse, et qu'ils regardent l'oisiveté comme un parti sûr et solide. Quand même le travail et le mérite pourraient nuire à notre fortune, il y aurait toujours à gagner à les embrasser : que sera-ce s'ils y concourent ? Si tout finissait par la mort, ce serait une extravagance de ne pas donner toute notre application à bien disposer notre vie, puisque nous n'aurions que le présent ; mais nous croyons un avenir, et l'abandonnons au hasard ; cela est bien plus inconcevable. Je laisse tous devoirs à part, la morale et la religion, et je demande : L'ignorance vaut-elle mieux que la science, la paresse que l'activité, l'incapacité que les talents ? Pour peu que l'on ait de raison, on ne met point ces choses en parallèle : quelle honte donc de choisir ce qu'il a de l'extravagance à égaler ? S'il faut des exemples pour nous décider, d'un côté Coligny, Turenne, Bossuet, Richelieu, Fénelon, etc., de l'autre, les gens à la mode, les gens du bel air, ceux qui passent toute leur vie dans la dissipation et les plaisirs. Comparons ces deux genres d'hommes, et voyons ensuite auquel d'eux nous aimerons mieux ressembler.

XVII

SUR LA FAMILIARITÉ

Il n'est point de meilleure école, ni plus nécessaire, que la familiarité. Un homme qui s'est retranché toute sa vie dans un caractère réservé, fait les fautes les plus grossières lorsque les occasions l'obligent d'en sortir, et que les affaires l'engagent : ce n'est que par la familiarité qu'on guérit de la présomption, de la timidité, de la sotte hauteur : ce n'est que dans un commerce libre et ingénu qu'on peut bien connaître les hommes, qu'on se tâte, qu'on se démêle et qu'on se mesure avec eux : là on voit l'humanité nue avec toutes ses faiblesses et toutes ses forces ; là se découvrent les artifices dont on s'enveloppe pour imposer en public ; là paraît la stérilité de notre esprit, la violence et la petitesse de notre amour-propre, l'imposture de nos vertus.

Ceux qui n'ont pas le courage de chercher la vérité dans ces rudes épreuves, sont profondément au-dessous de tout ce qu'il y a de grand ; surtout c'est une chose basse que de craindre la raillerie, qui nous aide à fouler aux pieds notre amour-propre, et qui émousse par l'habitude de souffrir ses honteuses délicatesses.

XVIII

NÉCESSITÉ
DE FAIRE DES FAUTES

Il ne faut pas être timide de peur de faire des fautes ; la plus grande faute de toutes est de se priver de l'expérience. Soyons très persuadés qu'il n'y a que les gens faibles qui aient cette crainte excessive de tomber et de laisser voir leurs défauts; ils évitent les occasions où ils pourraient broncher et être humiliés; ils rasent timidement la terre, n'osent rien donner au hasard, et meurent avec toutes leurs faiblesses qu'ils n'ont pu cacher. Qui voudra se former au grand doit risquer de faire des fautes, et ne pas s'y laisser abattre, ni craindre de se découvrir; ceux qui pénétreront ses faibles tâcheront de s'en prévaloir; mais ils le pourront rarement. Le cardinal de Retz disait à ses principaux domestiques : vous êtes deux ou trois à qui je n'ai pu me dérober, mais j'ai si bien établi ma réputation, et par vous-mêmes, qu'il vous serait impossible de me nuire, quand vous le voudriez. Il ne mentait pas : son historien [19] rapporte qu'il s'était battu avec un de ses écuyers, qui l'avait accablé de coups, sans qu'une aventure si humiliante pour un homme de ce caractère et de ce rang ait pu lui abattre le cœur, ou faire aucun tort à sa gloire : mais cela n'est pas surprenant; combien d'hommes déshonorés soutiennent par leur seule audace la conviction publique de leur infamie, et font face à toute la terre ? Si l'effronterie peut autant, que ne fera pas la constance ? Le courage surmonte tout.

XIX

SUR LA LIBÉRALITÉ

Un homme très jeune peut se reprocher comme une vanité onéreuse et inutile, la secrète complaisance qu'il y a à donner. J'ai eu cette crainte moi-même avant de connaître le monde : quand j'ai vu l'étroite indigence où vivent la plupart des hommes et l'énorme pouvoir de l'intérêt sur tous les cœurs, j'ai changé d'avis et j'ai dit : voulez-vous que tout ce qui vous environne vous montre un visage content, vos enfants, vos domestiques, votre femme, vos amis et vos ennemis, soyez libéral; voulez-vous conserver impunément beaucoup de vices, avez-vous besoin qu'on vous pardonne des mœurs singulières ou des ridicules; voulez-vous rendre vos plaisirs faciles, et faire que les hommes vous abandonnent leur conscience, leur honneur, leurs préjugés, ceux mêmes dont ils font le plus de bruit; tout cela dépendra de vous; quelque affaire que vous ayez, et quels que puissent être les hommes avec qui vous voulez traiter, vous ne trouverez rien de difficile si vous savez donner à propos. L'économe qui a des vues courtes n'est pas seulement en garde contre ceux qui peuvent le tromper, il appréhende aussi de n'être dupe de lui-même; s'il achète quelque plaisir qu'il lui eût été impossible de se procurer autrement, il s'en accuse aussitôt comme d'une faiblesse: lorsqu'il voit un homme qui se plaît à faire louer sa générosité et à surpayer les services, il le plaint de cette illusion; croyez-vous de bonne foi, lui dit-il, qu'on vous en ait plus d'obligation? Un misérable se présente à lui, qu'il pourrait soulager et combler de joie à peu de frais; il en a d'abord compassion, et puis il se reprend et pense: c'est un homme que je ne verrai plus; un autre malheureux s'offre encore à lui, et il fait le même raisonnement: ainsi toute sa vie se passe sans qu'il trouve l'occasion d'obliger personne, de se faire aimer, d'acquérir une considération utile et légitime; il est défiant et inquiet, sévère à soi-même et aux siens, père et maître dur et fâcheux; les détails frivoles de son domestique le travaillent comme les affaires les plus importantes, parce qu'il les traite avec la même exactitude: il ne pense pas que ses soins puissent être mieux employés, incapable de concevoir le prix du temps, la réalité du mérite, et l'utilité des plaisirs.

Il faut avouer ce qui est vrai: il est difficile, surtout aux ambitieux, de conduire une fortune médiocre avec sagesse, et de satisfaire en même temps des inclinations libérales, des besoins présents, etc. mais ceux qui ont l'esprit véritablement élevé se déterminent selon l'occurrence, par des sentiments où la prudence ordinaire ne saurait atteindre; je vais m'expliquer: un homme né vain et paresseux, qui vit sans dessein et sans principes, cède indifféremment à toutes ses fantaisies, achète un cheval trois cents pistoles, qu'il laisse pour cinquante quelques mois après; donne dix louis d'or à un joueur de gobelets [20] qui lui a montré quelques tours, et se fait appeler en justice par un domestique qu'il a renvoyé injustement, et auquel il refuse de payer des avances faites à son service, etc.

Quiconque a naturellement beaucoup de fantaisies, a peu de jugement et l'âme probablement faible. Je méprise autant que personne des hommes de ce caractère ; mais je dis hardiment aux autres : apprenons à surbordonner les petits intérêts aux grands, même éloignés, et faisons généreusement et sans compter tout le bien qui tente nos cœurs : on ne peut être dupe d'aucune vertu.

XX

MAXIME DE PASCAL,
EXPLIQUÉE

Le peuple et les habiles composent pour l'ordinaire le train du monde : les autres le méprisent et en sont méprisés [21]. Maxime admirable de Pascal, mais qu'il faut bien entendre. Qui croirait que Pascal a voulu dire, que les habiles doivent vivre dans l'inapplication et la mollesse, dans les goûts dépravés du monde, etc. condamnerait toute la vie de Pascal par sa propre maxime, car personne n'a moins vécu comme le peuple, que Pascal à ces égards : donc le vrai sens de Pascal, c'est que tout homme qui cherche à se distinguer par des apparences singulières, qui ne rejette pas les maximes vulgaires parce qu'elles sont mauvaises, mais parce qu'elles sont vulgaires ; qui s'attache à des sciences stériles, purement curieuses et de nul usage dans le monde ; qui est pourtant gonflé de cette fausse science, et ne peut arriver à la véritable ; un tel homme, comme il dit plus haut, trouble le monde et juge plus mal que les autres. En deux mots voici sa pensée, expliquée d'une autre manière. Ceux qui n'ont qu'un esprit médiocre ne pénètrent pas jusqu'au bien, ou jusqu'à la nécessité qui autorise certains usages et s'éri-

gent mal à propos en réformateurs de leur siècle : les
habiles mettent à profit la coutume bonne ou mauvaise,
abandonnent leur extérieur aux légèretés de la mode, et
savent se proportionner au besoin de tous les esprits.

XXI

L'ESPRIT NATUREL
ET LE SIMPLE

L'esprit naturel et le simple peuvent en mille manières
se confondre, et ne sont pas néanmoins toujours semblables. On appelle esprit naturel, un instinct qui prévient la
réflexion et se caractérise par la promptitude et par la
vérité du sentiment. Cette aimable disposition prouve
moins ordinairement une grande sagacité qu'une âme
naturellement vive et sincère, qui ne peut retenir ni farder
sa pensée, et la produit toujours avec la grâce d'un secret
échappé à sa franchise. La simplicité est aussi un don de
l'âme, qu'on reçoit immédiatement de la nature et qui en
porte le caractère : elle ne suppose pas nécessairement
l'esprit supérieur, mais il est ordinaire qu'elle l'accompagne ; elle exclut toute sorte de vanités et d'affectations,
témoigne un esprit juste, un cœur noble, un sens droit, un
naturel riche et modeste, qui peut tout puiser dans son
fond et ne veut se parer de rien. Ces deux caractères
comparés ensemble, je crois sentir que la simplicité est la
perfection de l'esprit naturel ; et je ne suis plus étonné de
la rencontrer si souvent dans les grands hommes : les
autres ont trop peu de fond et trop de vanité pour s'arrêter
dans leur propre sphère, qu'ils sentent si petite et si
bornée.

XXII

DU BONHEUR

Quand on pense que le bonheur dépend beaucoup du caractère, on a raison; si on ajoute que la fortune y est indifférente, c'est aller trop loin : il est faux encore que la raison n'y puisse rien, ou qu'elle y puisse tout.

On sait que le bonheur dépend aussi des rapports de notre condition avec nos passions : on n'est pas nécessairement heureux par l'accord de ces deux parties; mais on est toujours malheureux par leur opposition et par leur contraste. De même la prospérité ne nous satisfait pas infailliblement; mais l'adversité nous apporte un mécontentement inévitable.

Parce que notre condition naturelle est misérable, il ne s'ensuit pas qu'elle le soit également pour tous; qu'il n'y ait pas dans la même vie des temps plus ou moins agréables, des degrés de bonheur et d'affliction : donc les circonstances différentes décident beaucoup; et on a tort de condamner les malheureux comme incapables par leur caractère de bonheur.

CONSEILS
A UN JEUNE HOMME

Que je serai fâché, mon cher ami, si vous adoptez des maximes qui puissent vous nuire. Je vois avec regret que vous abandonnez par complaisance tout ce que la nature a mis en vous. Vous avez honte de votre raison qui devrait faire honte à ceux qui en manquent. Vous vous défiez de la force et de la hauteur de votre âme : et vous ne vous défiez pas des mauvais exemples. Vous êtes-vous donc persuadé qu'avec un esprit très ardent et un caractère élevé, vous puissiez vivre honteusement dans la mollesse comme un homme fou et frivole ? Et qui vous assure que vous ne serez pas même méprisé dans cette carrière, né pour une autre ? Vous vous inquiétez trop des injustices que l'on peut vous faire, et de ce qu'on pense de vous. Qui aurait cultivé la vertu, qui aurait tenté ou sa réputation, ou sa fortune, par des voies hardies, s'il avait attendu que les louanges l'y encourageassent ? Les hommes ne se rendent d'ordinaire sur le mérite d'autrui qu'à la dernière extrémité. Ceux que nous croyons nos amis, sont assez souvent les derniers à nous accorder leur aveu. On a toujours dit que personne n'a créance parmi les siens ; pourquoi ? Parce que les plus grands hommes ont eu leurs progrès comme nous ; ceux qui les ont connus dans les imperfections de leurs commencements se les représentent toujours dans cette première faiblesse, et ne peuvent souffrir qu'ils sortent de l'égalité imaginaire où ils se croyaient avec eux : mais les étrangers sont plus justes, et enfin le mérite et le courage triomphent de tout.

AU MÊME

Êtes-vous bien aise de savoir, mon cher ami, ce que bien des femmes appellent quelquefois un homme aimable ? C'est un homme que personne n'aime, qui lui-même n'aime que soi et son plaisir, et en fait profession avec impudence ; un homme par conséquent inutile aux autres hommes, qui pèse à la petite société qu'il tyrannise ; qui est vain, avantageux, méchant même par principes ; un esprit léger et frivole, qui n'a point de goût décidé, qui n'estime les choses et ne les recherche jamais pour elles-mêmes, mais uniquement selon la considération qu'il y croit attachée, et fait tout par ostentation ; un homme souverainement confiant et dédaigneux, qui méprise les affaires et ceux qui les traitent, le gouvernement et les ministres, les ouvrages et les auteurs ; qui se persuade que toutes ces choses ne méritent pas qu'il s'y applique, et n'estime rien de solide que d'avoir de bonnes fortunes ou le don de dire des riens ; qui prétend néanmoins à tout, et parle de tout sans pudeur ; en un mot, un fat sans vertus, sans talents, sans goût de la gloire ; qui ne prend jamais dans les choses que ce qu'elles ont de plaisant, et met son principal mérite à tourner continuellement en ridicule tout ce qu'il connaît sur la terre de sérieux et de respectable.

Gardez-vous donc bien de prendre pour le monde ce petit cercle de gens insolents, qui ne comptent eux-mêmes pour rien le reste des hommes, et n'en sont pas moins méprisés ; des hommes si présomptueux passeront aussi vite que leurs modes, et n'ont pas d'ordinaire plus de part au gouvernement du monde que les comédiens et les danseurs de corde : si le hasard leur donne sur quelque théâtre du crédit, c'est la honte de cette nation et la marque de la décadence des esprits. Il faut renoncer à la faveur lorsqu'elle sera leur partage ; vous y perdrez moins qu'on ne pense ; ils auront les emplois, vous aurez les talents ; ils auront les honneurs, vous la vertu : voudriez-vous obtenir leurs places au prix de leurs dérèglements et par leurs frivoles intrigues ; vous le tenteriez vainement : il est aussi difficile de contrefaire la fatuité que la véritable vertu.

AU MÊME

Que le sentiment de vos faiblesses, mon aimable ami, ne vous tienne pas abattu. Lisez ce qui nous reste des plus grands hommes ; les erreurs de leur premier âge effacées par la gloire de leur nom, n'ont pas toujours été jusqu'à leurs historiens, mais eux-mêmes les ont avouées en quelque sorte. Ce sont eux qui nous ont appris que tout est vanité sous le soleil ; ils avaient donc éprouvé, comme les autres, de s'enorgueillir, de s'abattre, de se préoccuper de petites choses. Ils s'étaient trompés mille fois dans leurs raisonnements et dans leurs conjectures ; ils avaient eu la profonde humiliation d'avoir tort avec leurs inférieurs. Les défauts qu'ils cachaient avec le plus de soin leur étaient souvent échappés ; ainsi ils avaient été accablés en même temps par leur conscience et par la conviction publique : en un mot, c'étaient de grands hommes, mais c'étaient des hommes, et ils supportaient leurs défauts : on peut se consoler d'éprouver leurs faiblesses, lorsque l'on se sent le courage de cultiver leurs vertus.

AU MÊME

Aimez la familiarité, mon cher ami, elle rend l'esprit souple, délié, modeste, maniable, déconcerte la vanité, et donne sous un air de liberté et de franchise une prudence qui n'est pas fondée sur les illusions de l'esprit, mais sur les principes indubitables de l'expérience. Ceux qui ne sortent pas d'eux-mêmes sont tout d'une pièce ; ils craignent les hommes qu'ils ne connaissent pas, ils les évitent, ils se cachent au monde et à eux-mêmes, et leur cœur est toujours serré. Donnez plus d'essor à votre âme, et n'appréhendez rien des suites ; les hommes sont faits de manière qu'ils n'aperçoivent pas une partie des choses qu'on leur découvre, et qu'ils oublient aisément l'autre. Vous verrez d'ailleurs que le cercle où l'on a passé sa jeunesse se dissipe insensiblement ; ceux qui le composaient s'éloignent et la société se renouvelle ; ainsi l'on entre dans un autre cercle tout instruit : alors si la fortune vous met dans des places où il soit dangereux de vous communiquer, vous aurez assez d'expérience pour agir par vous-même et vous passer d'appui. Vous saurez vous servir des hommes et vous en défendre, vous les connaîtrez ; enfin vous aurez la sagesse dont les gens timides ont voulu se revêtir avant le temps et qui est avortée dans leur sein.

AU MÊME

Voulez-vous avoir la paix avec les hommes, ne leur contestez pas les qualités dont ils se piquent, ce sont celles qu'ils mettent ordinairement à plus haut prix ; c'est un point capital pour eux. Souffrez donc qu'ils se fassent un mérite d'être plus délicats que vous, de se connaître en bonne chère, d'avoir des insomnies ou des vapeurs : laissez-leur croire aussi qu'ils sont aimables, amusants, plaisants, singuliers ; et s'ils avaient des prétentions plus hautes, passez-leur encore. La plus grande de toutes les imprudences, est de se piquer de quelque chose : le malheur de la plupart des hommes ne vient que de là ; je veux dire, de s'être engagés publiquement à soutenir un certain caractère, ou à faire fortune, ou à paraître riche, ou à faire métier d'esprit. Voyez ceux qui se piquent d'être riches, le dérangement de leurs affaires les fait croire souvent plus pauvres qu'ils ne sont ; et enfin ils le deviennent effectivement, et passent leur vie dans une tension d'esprit continuelle, qui découvre la médiocrité de leur fortune et l'excès de leur vanité. Cet exemple se peut appliquer à tous ceux qui ont des prétentions. S'ils dérogent, s'ils se démentent, le monde jouit avec ironie de leur chagrin, et confondus dans les choses auxquelles ils se sont attachés, ils demeurent sans ressource en proie à la raillerie la plus amère. Qu'un autre homme échoue dans les mêmes choses, on peut croire que c'est par paresse, ou pour les avoir négligées. Enfin on n'a pas son aveu sur le mérite des avantages qui lui manquent ; mais s'il réussit, quels éloges. Comme il n'a pas mis ce succès au prix de celui qui s'en pique, on croit lui accorder moins et l'obliger cependant davantage ; car ne paraissant pas prétendre à la gloire qui vient à lui, on espère qu'il la recevra en pur don, et l'autre nous la demandait comme une dette.

AU MÊME

C'est une maxime du cardinal de Retz, qu'il faut tâcher de former ses projets, de façon que leur irréussite même soit suivie de quelque avantage. Et cette maxime est très bonne.

Dans les situations désespérées on peut prendre des partis violents; mais il faut qu'elles soient désespérées: les grands hommes s'y abandonnent quelquefois par une secrète confiance des ressources qu'ils ont pour subsister dans les extrémités, ou pour en sortir à leur gloire. Ces exemples sont sans conséquence pour les autres hommes.

C'est une faute commune lorsqu'on fait un plan de songer aux choses sans songer à soi. On prévoit les difficultés attachées aux affaires, celles qui naîtront de notre fond, rarement.

Si pourtant on est obligé à prendre des résolutions extrêmes, il faut les embrasser avec courage et sans prendre conseil des gens médiocres; car ceux-ci ne comprennent pas qu'on puisse assez souffrir dans la médiocrité qui est leur état naturel, pour vouloir en sortir par de si grands hasards, ni qu'on puisse durer dans ces extrémités, qui sont hors de la sphère de leurs sentiments. Cachez-vous des esprits timides. Quand vous leur auriez arraché leur approbation par surprise, ou par la force de vos raisons, rendus à eux-mêmes, leur tempérament les ramènerait bientôt à leurs principes, et vous les rendrait plus contraires.

Croyez qu'il y a toujours dans le cours de la vie beaucoup de choses qu'il faut hasarder, et beaucoup d'autres qu'il faut mépriser: et consultez en cela votre raison et vos forces.

Ne comptez sur aucun ami dans le malheur. Mettez toute votre confiance dans votre courage et dans les ressources de votre esprit. Faites-vous, s'il se peut, une destinée qui ne dépende pas de la bonté trop inconstante et trop peu commune des hommes. Si vous méritez des honneurs, si vous forcez le monde à vous estimer, si la gloire suit votre vie, vous ne manquerez ni d'amis fidèles, ni de protecteurs, ni d'admirateurs.

Soyez donc d'abord par vous-même, si vous voulez vous acquérir les étrangers. Ce n'est point à une âme courageuse à attendre son sort de la seule faveur et du seul caprice d'autrui. C'est à son travail à lui faire une destinée digne d'elle.

AU MÊME

Il faut que je vous avertisse d'une chose, mon très cher ami; les hommes se recherchent quelquefois avec empressement, mais ils se dégoûtent aisément les uns des autres; cependant la paresse les retient longtemps ensemble après que leur goût est usé. Le plaisir, l'amitié, l'estime (liens fragiles) ne les attachent plus, l'habitude les asservit: fuyez ces commerces stériles, d'où l'instruction et la confiance sont bannies. Le cœur s'y dessèche et s'y gâte; l'imagination y périt, etc. Conservez toujours néanmoins avec tout le monde la douceur de vos sentiments. Faites-vous une étude de la patience, et sachez céder par raison, comme on cède aux enfants, qui n'en sont pas capables et ne peuvent vous offenser; abandonnez surtout aux hommes vains, cet empire extérieur et ridicule qu'ils affectent: il n'y a de supériorité réelle, que celle de la vertu et du génie.

Voyez des mêmes yeux, s'il est possible, l'injustice de vos amis; soit qu'ils se familiarisent par une longue habitude avec vos avantages; soit que par une secrète jalousie, ils cessent de les reconnaître, ils ne peuvent vous les faire perdre. Soyez donc froid là-dessus; un favori admis à la familiarité de son maître, un domestique aime mieux dans la suite se faire chasser que de vivre dans la modestie de leur condition. C'est ainsi que sont fait les hommes; vos amis croiront s'être acquis par la connaissance de vos défauts une sorte de supériorité sur vous : les hommes se croient supérieurs aux défauts qu'ils peuvent sentir ; c'est ce qui fait qu'on juge dans le monde si sévèrement des actions, des discours et des écrits d'autrui. Mais pardonnez-leur jusqu'à cette connaissance de vos défauts, et aux avantages frivoles qu'ils essaieront d'en tirer : ne leur demandez pas la même perfection qu'ils semblent exiger de vous. Il y a des hommes qui ont de l'esprit et un bon cœur, mais rempli de délicatesses fatigantes ; ils sont pointilleux, difficiles, attentifs, défiants, jaloux, ils se fâchent de peu de chose, et auraient honte de revenir les premiers : tout ce qu'ils mettent dans la société, ils craignent qu'on ne pense qu'ils le doivent. N'ayez pas la faiblesse de renoncer à leur amitié par vanité ou par impatience, lorsqu'elle peut encore vous être utile ou agréable ; et enfin quand vous voudrez rompre, faites qu'ils croient eux-mêmes vous avoir quitté.

Au reste, s'ils sont dans le secret de vos affaires ou de vos faiblesses, n'en ayez jamais de regret. Ce que l'on ne confie que par vanité et sans dessein, donne un cruel repentir ; mais lorsqu'on ne s'est mis entre les mains de son ami que pour s'enhardir dans ses idées, pour les corriger, pour tirer du fond de son cœur la vérité, et pour épuiser par la confiance les ressources de son esprit, alors on est payé d'avance de tout ce qu'on peut en souffrir.

AU MÊME

Que je vous estime, mon très cher ami, de mépriser les petites finesses dont on s'aide pour imposer. Laissez-les constamment à ceux qui craignent d'être approfondis, et cherchent à se maintenir par des amitiés ménagées, ou par des froideurs concertées, et attendent toujours qu'on les prévienne. Il est bon de vous faire une nécessité de plaire par un vrai mérite, au hasard même de déplaire à bien des hommes ; ce n'est pas un grand mal de ne pas réussir avec toute sorte de gens, ou de les perdre après les avoir attachés. Il faut supporter, mon ami, que l'on se dégoûte de vous comme on se dégoûte des autres biens. Les hommes ne sont pas touchés longtemps des mêmes choses ; mais les choses dont ils se lassent, n'en sont pas de leur aveu pires. Que cela vous empêche seulement de vous reposer sur vous-même ; on ne peut conserver aucun avantage que par les efforts qui l'acquièrent.

AU MÊME

Si vous avez quelque passion qui élève vos sentiments, qui vous rende plus généreux, plus compatissant, plus humain, qu'elle vous soit chère.

En toute occasion quand vous vous sentirez porté vers quelque bien, lorsque votre beau naturel vous sollicitera pour les misérables, hâtez-vous de vous satisfaire. Craignez que le temps, le conseil n'emportent ces bons sentiments, et n'exposez pas votre cœur à perdre un si cher avantage. Mon aimable ami, il ne tient pas à vous de devenir riche, d'obtenir des emplois ou des honneurs. Mais rien ne vous peut empêcher, d'être bon, généreux et sage. Préférez la vertu à tout. Vous n'y aurez jamais de regret. Il peut arriver que les hommes qui sont envieux et légers vous fassent éprouver un jour leur injustice. Des gens méprisables usurpent la réputation due au mérite, et jouissent insolemment de son partage : c'est un mal, mais il n'est pas tel que le monde se le figure, la vertu vaut mieux que la gloire.

AU MÊME

Mon très cher ami, sentez-vous votre esprit pressé et à l'étroit dans votre état ? C'est une preuve que vous êtes né pour une meilleure fortune ; il faut donc sortir de vos voies et marcher dans un champ moins limité.

Ne vous amusez pas à vous plaindre, rien n'est si

inutile; mais fixez d'abord vos regards autour de vous : on a quelquefois dans sa main des ressources que l'on ignore. Si vous n'en découvrez aucune, au lieu de vous morfondre tristement dans cette vue, osez prendre un plus grand essor : un tour d'imagination un peu hardi nous ouvre souvent des chemins pleins de lumières. Quiconque connaît la portée de l'esprit humain tente quelquefois des moyens qui paraissent impraticables aux autres hommes. C'est avoir l'esprit chimérique de négliger les facilités ordinaires, pour suivre des hasards et des apparences; mais lorsqu'on sait bien allier les grands et les petits moyens, et les employer de concert, je crois qu'on aurait tort de craindre, non seulement l'opinion du monde, qui rejette toute sorte de hardiesse dans les malheureux, mais même les contradictions de la fortune.

Laissez croire à ceux qui le veulent, qu'on est misérable dans les embarras des grands desseins. C'est dans l'oiseveté et la petitesse que la vertu souffre, lorsqu'une prudence timide l'empêche de prendre l'essor et la fait ramper dans ses liens : mais le malheur même a ses charmes dans les grandes extrémités; car cette opposition de la fortune élève un esprit courageux, et lui fait ramasser toutes ses forces, qu'il n'employait pas.

AU MÊME

Nous jugeons rarement des choses, mon aimable ami, par ce qu'elles sont en elles-mêmes; nous ne rougissons pas du vice, mais du déshonneur. Tel ne ferait pas scrupule d'être fourbe, qui est honteux de passer pour tel, même injustement.

Nous demeurons flétris et avilis à nos propres yeux, tant que nous croyons l'être à ceux du monde; nous ne mesurons pas nos fautes par la vérité, mais par l'opinion. Qu'un homme séduise une femme sans l'aimer, et l'abandonne après l'avoir séduite, peut-être qu'il en fera gloire; mais si cette femme le trompe lui-même, qu'il n'en soit pas aimé, quoique amoureux, et que cependant il croie l'être; s'il découvre la vérité, et que cette femme infidèle se donnait par goût à un autre, lorsqu'elle se faisait payer à lui de ses rigueurs, sa défaite et sa confusion ne se pourront pas exprimer; et on le verra pâlir à table sans cause apparente, dès qu'un mot jeté au hasard lui rapprochera cette idée.

Un autre rougit d'aimer son esclave qui a des vertus; et se donne publiquement pour le possesseur d'une femme sans mérite, que même il n'a pas. Ainsi on affiche des vices effectifs, et si de certaines faiblesses pardonnables venaient à paraître, on s'en trouverait accablé.

Je ne fais pas ces réflexions pour encourager les gens bas, car ils n'ont que trop d'impudence. Je parle pour ces âmes fières et délicates, qui s'exagèrent leurs propres faiblesses, et ne peuvent souffrir la conviction publique de leurs fautes.

Alexandre ne voulait plus vivre après avoir tué Clitus; sa grande âme était consternée d'un emportement si funeste. Je le loue d'être devenu par là plus tempérant; mais s'il eût perdu le courage d'achever ses vastes desseins, et qu'il n'eût pu sortir de cet horrible abattement, où d'abord il était plongé, le ressentiment de sa faute l'eût poussé trop loin.

Mon ami, n'oubliez jamais que rien ne nous peut garantir de commettre beaucoup de fautes. Sachez que le même génie qui fait la vertu produit quelquefois de grands vices. La valeur et la présomption, la justice et la dureté, la sagesse et la volupté, se sont mille fois confondues, succédées, ou alliées. Les extrémités se rencontrent et se réunissent en nous. Ne nous laissons donc pas abattre. Consolons-nous de nos défauts, puisqu'ils nous laissent toutes nos vertus; et que le sentiment de nos faiblesses ne nous fasse pas perdre celui de nos forces. Il est de l'essence de l'esprit de se tromper; le cœur a aussi ses erreurs. Avant de rougir d'être faibles, mon très cher ami, nous serions moins déraisonnables de rougir d'être hommes.

RÉFLEXIONS CRITIQUES
SUR QUELQUES POÈTES

Avec des corrections et des augmentations considérables.

SECONDE ÉDITION

LA FONTAINE

Lorsqu'on a entendu parler de La Fontaine, et qu'on vient à lire ses ouvrages, on est étonné d'y trouver, je ne dis pas plus de génie, mais plus même de ce qu'on appelle de l'esprit, qu'on n'en trouve dans le monde le plus cultivé. On remarque avec la même surprise la profonde intelligence qu'il fait paraître de son art; et on admire qu'un esprit si fin ait été en même temps si naturel.

Il serait superflu de s'arrêter à louer l'harmonie variée et légère de ses vers; la grâce, le tour, l'élégance, les charmes naïfs de son style et de son badinage. Je remarquerai seulement que le bon sens et la simplicité sont les caractères dominants de ses écrits. Il est bon d'opposer un tel exemple à ceux qui cherchent la grâce et le brillant hors de la raison et de la nature. La simplicité de La Fontaine donne de la grâce à son bon sens, et son bon sens rend sa simplicité piquante : de sorte que le brillant de ses ouvrages naît peut-être essentiellement de ces deux sources réunies. Rien n'empêche au moins de le croire; car pourquoi le bon sens, qui est un don de la Nature, n'en aurait-il pas l'agrément? La raison ne déplaît dans la plupart des hommes que parce qu'elle y est étrangère. Un bon sens naturel est presque inséparable d'une grande simplicité; et une simplicité éclairée est un charme que rien n'égale.

Je ne donne pas ces louanges aux grâces d'un homme si sage pour dissimuler ses défauts. Je crois qu'on peut trouver dans ses écrits plus de style que d'invention, et plus de négligence que d'exactitude. Le nœud et le fond de ses contes ont peu d'intérêt, et les sujets en sont bas. On y remarque quelquefois bien des longueurs, et un air de crapule qui ne saurait plaire. Ni cet auteur n'est parfait dans ce genre, ni ce genre n'est assez noble.

BOILEAU

Boileau prouve autant par son exemple que par ses préceptes, que toutes les beautés des bons ouvrages naissent de la vive expression et de la peinture du vrai : mais cette expression si touchante appartient moins à la réflexion, sujette à l'erreur, qu'à un sentiment très intime et très fidèle de la nature. La raison n'était pas distincte dans Boileau du sentiment : c'était son instinct. Aussi a-t-elle animé ses écrits de cet intérêt qu'il est si rare de rencontrer dans les ouvrages didactiques.

Cela met, je crois, dans son jour, ce que je viens de toucher en parlant de La Fontaine. S'il n'est pas ordinaire de trouver de l'agrément parmi ceux qui se piquent d'être raisonnables, c'est peut-être parce que la raison est entrée dans leur esprit, ou elle n'a qu'une vie artificielle et empruntée. C'est parce qu'on honore trop souvent du nom de raison, une certaine médiocrité de sentiments et de génie, qui assujettit les hommes aux lois de l'usage, et les détourne des grandes hardiesses, sources ordinaires des grandes fautes.

Boileau ne s'est pas contenté de mettre de la vérité et de la poésie dans ses ouvrages ; il a enseigné son art aux autres. Il a éclairé tout son siècle ; il en a banni le faux goût autant qu'il est permis de le bannir de chez les hommes. Il fallait qu'il fût né avec un génie bien singulier pour échapper, comme il a fait, aux mauvais exemples de ses contemporains, et pour leur imposer ses propres lois. Ceux qui bornent le mérite de sa poésie à l'art et à l'exactitude de sa versification, ne font pas peut-être attention que ses vers sont pleins de pensées, de vivacité, de saillies, et même d'invention de style. Admirable dans

la justesse, dans la solidité et la netteté de ses idées, il a
su conserver ces caractères dans ses expressions, sans
perdre de son feu et de sa force ; ce qui témoigne incontestablement un grand talent.

Je sais bien que quelques personnes, dont l'autorité est
respectable [22], ne nomment génie dans les poètes que
l'invention dans le dessein de leurs ouvrages. Ce n'est,
disent-ils, ni l'harmonie, ni l'élégance des vers, ni l'imagination dans l'expression, ni même l'expression du sentiment, qui caractérisent le poète. Ce sont, à leur avis, les
pensées mâles et hardies, jointes à l'esprit créateur. Par là
on prouverait que Bossuet et Newton ont été les plus
grands poètes de la terre ; car certainement l'invention, la
hardiesse et les pensées mâles, ne leur manquaient pas.
J'ose leur répondre que c'est confondre les limites des
arts que d'en parler de la sorte. J'ajoute que les plus
grands poètes de l'antiquité, tels qu'Homère, Sophocle,
Virgile, se trouveraient confondus avec une foule d'écrivains médiocres, si on ne jugeait d'eux que par le plan de
leurs poèmes et par l'invention du dessein ; et non par
l'invention du style, par leur harmonie, par la chaleur de
leur versification, et enfin par la vérité de leurs images.

Si l'on est donc fondé à reprocher quelque défaut à
Boileau, ce n'est pas, à ce qu'il me semble, le défaut de
génie. C'est au contraire d'avoir eu plus de génie que
d'étendue ou de profondeur d'esprit, plus de feu et de
vérité que d'élévation et de délicatesse, plus de solidité et
de sel dans la critique que de finesse ou de gaieté, et plus
d'agrément que de grâce : on l'attaque encore sur quelques-uns de ses jugements qui semblent injustes. Et je ne
prétends pas qu'il fût infaillible.

CHAULIEU

Chaulieu a su mêler avec une simplicité noble et touchante, l'esprit et le sentiment. Ses vers négligés, mais
faciles, et remplis d'imagination, de vivacité et de grâce,

m'ont toujours paru supérieurs à sa prose, qui n'est le plus souvent qu'ingénieuse. On ne peut s'empêcher de regretter qu'un auteur si aimable n'ait pas plus écrit, et n'ait pas travaillé avec le même soin tous ses ouvrages.

MOLIÈRE

Molière me paraît un peu répréhensible d'avoir pris des sujets trop bas. La Bruyère, animé à peu près du même génie, a peint avec la même vérité et la même véhémence que Molière, les travers des hommes; mais je crois que l'on peut trouver plus d'éloquence et plus d'élévation dans ses images.

On peut mettre encore ce poète en parallèle avec Racine. L'un et l'autre ont parfaitement connu le cœur de l'homme. L'un et l'autre se sont attachés à peindre la nature. Racine la saisit dans les passions des grandes âmes : Molière dans l'humeur et les bizarreries des gens du commun. L'un a joué avec un agrément inexplicable les petits sujets, l'autre a traité les grands avec une sagesse et une majesté touchantes. Molière a ce bel avantage, que ses dialogues jamais ne languissent. Une forte et continuelle imitation des mœurs passionne ses moindres discours. Cependant à considérer simplement ces deux auteurs comme poètes, je crois qu'il ne serait pas juste d'en faire comparaison. Sans parler de la supériorité du genre sublime donné à Racine, on trouve dans Molière tant de négligences et d'expressions bizarres et impropres, qu'il y a peu de poètes, si j'ose le dire, moins corrects et moins purs que lui.

En pensant bien, il parle souvent mal, dit l'illustre archevêque de Cambrai, Lettre sur l'éloquence, p. 362. *Il se sert des phrases les plus forcées et les moins naturelles. Térence dit en quatre mots avec la plus élégante simplicité, ce que celui-ci ne dit qu'avec une multitude de métaphores qui approchent du galimatias. J'aime bien mieux sa prose que ses vers, etc.*

Cependant l'opinion commune est qu'aucun des auteurs de notre théâtre n'a porté aussi loin son genre, que Molière a poussé le sien : et la raison en est, je crois, qu'il est plus naturel que tous les autres. C'est une leçon importante pour tous ceux qui veulent écrire.

CORNEILLE
ET
RACINE

Je dois à la lecture des ouvrages de M. de Voltaire le peu de connaissance que je puis avoir de la poésie. Je lui proposai mes idées, lorsque j'eus envie de parler de Corneille et de Racine : et il eut la bonté de me marquer les endroits de Corneille qui méritent le plus d'admiration, pour répondre à une critique que j'en avais faite. Engagé par là à relire ses meilleures tragédies, j'y trouvai sans peine les rares beautés que m'avait indiquées M. de Voltaire. Je ne m'y étais pas arrêté en lisant autrefois Corneille, refroidi ou prévenu par ses défauts, et né, selon toute apparence, moins sensible au caractère de ses perfections. Cette nouvelle lumière me fit craindre de m'être trompé encore sur Racine, et sur les défauts mêmes de Corneille : mais ayant relu l'un et l'autre avec quelque attention, je n'ai pas changé de pensée à cet égard ; et voici ce qu'il me semble de ces hommes illustres.

Les héros de Corneille disent souvent de grandes choses sans les inspirer : ceux de Racine les inspirent sans les dire. Les uns parlent, et toujours trop, afin de se faire connaître : les autres se font connaître, parce qu'ils parlent. Surtout Corneille paraît ignorer que les grands hommes se caractérisent souvent davantage par les choses qu'ils ne disent pas, que par celles qu'ils disent.

Lorsque Racine veut peindre Acomat, Osmin l'assure de l'amour des janissaires ; ce vizir répond :

Quoi, tu crois, cher Osmin, que ma gloire passée
Flatte encor leur valeur et vit dans leur pensée !
Crois-tu qu'ils me suivraient encore avec plaisir,
Et qu'ils reconnaîtraient la voix de leur vizir ?

On voit dans les deux premiers vers un général disgracié, que le souvenir de sa gloire et l'attachement des soldats attendrissent sensiblement : dans les deux derniers, un rebelle qui médite quelque dessein. Voilà comme il échappe aux hommes de se caractériser sans en avoir l'intention. On peut voir dans la même tragédie que lorsque Roxane blessée des froideurs de Bajazet, en marque son étonnement à Atalide, et que celle-ci lui proteste que ce prince l'aime, Roxane répond brièvement :

> Il y va de sa vie au moins que je le croie.

Ainsi cette sultane ne s'amuse point à dire : je suis d'un caractère fier et violent. J'aime avec jalousie et avec fureur. Je ferai mourir Bajazet s'il me trahit. Le poète tait ces détails qu'on pénètre assez d'un coup d'œil, et Roxane se trouve caractérisée avec plus de force. Voilà la manière de peindre de Racine ; il est rare qu'il s'en écarte. Et j'en rapporterais de grands exemples, si ses ouvrages étaient moins connus.

Écoutons maintenant Corneille, et voyons de quelle manière il caractérise ses personnages : c'est le comte qui parle dans *Le Cid* :

> Les exemples vivants sont d'un autre pouvoir.
> Un prince dans un livre apprend mal son devoir.
> Et qu'a fait après tout ce grand nombre d'années
> Que ne puisse égaler une de mes journées ?
> Si vous fûtes vaillant, je le suis aujourd'hui ;
> Et ce bras du Royaume est le plus ferme appui.
> Grenade et l'Aragon tremblent quand ce fer brille.
> Mon nom sert de rempart à toute la Castille.
> Sans moi vous passeriez bientôt sous d'autres lois,
> Et vous auriez bientôt vos ennemis pour rois.
> Chaque jour, chaque instant pour rehausser ma gloire,
> Met lauriers sur lauriers, victoire sur victoire.
> Le prince à mes côtés ferait dans les combats,
> L'effet de son courage à l'ombre de mon bras.
> Il apprendrait à vaincre en me regardant faire, etc.

Il n'y a peut-être personne aujourd'hui qui ne sente la ridicule ostentation de ces paroles. Il faut les pardonner au temps où Corneille a écrit, et aux mauvais exemples

qui l'environnaient. Mais voici d'autres vers qu'on loue
encore, et qui n'étant pas aussi affectés, sont plus propres
par cet endroit même à faire illusion. C'est Cornélie,
veuve de Pompée, qui parle à César :

> César ; car le destin que dans tes fers je brave,
> M'a fait ta prisonnière et non pas ton esclave ;
> Et tu ne prétends pas qu'il m'abatte le cœur,
> Jusqu'à te rendre hommage et te nommer seigneur.
> De quelque rude trait qu'il m'ose avoir frappée,
> Veuve du jeune Crasse et veuve de Pompée,
> Fille de Scipion, et pour te dire plus,
> Romaine, mon courage est encore au-dessus, etc.
> . . . .
> Je te l'ai déjà dit, César, je suis Romaine.
> Et quoique ta captive, un cœur comme le mien,
> De peur de s'oublier, ne te demande rien.
> Ordonne, et sans vouloir qu'il tremble ou s'humilie
> Souviens-toi seulement que je suis Cornélie.

Et dans un autre endroit où la même Cornélie parle de
César, qui punit les meurtriers du grand Pompée :

> Tant d'intérêts sont joints à ceux de mon époux,
> Que je ne devrais rien à ce qu'il fait pour nous,
> Si comme par soi-même un grand cœur juge un autre,
> Je n'aimais mieux juger sa vertu par la nôtre,
> Et croire que nous seuls armons ce combattant,
> Parce qu'au point qu'il est j'en voudrais faire autant.

Il me paraît, dit encore M. de Fénelon, dans sa Lettre
sur l'éloquence, page 353, *qu'on a donné souvent aux
Romains un discours trop fastueux... Je ne trouve point
de proportion entre l'emphase avec laquelle Auguste
parle dans la tragédie de Cinna, et la modeste simplicité
avec laquelle Suétone le dépeint dans tout le détail de ses
mœurs... Tout ce que nous voyons dans Tite-Live, dans
Plutarque, dans Cicéron, nous représente les Romains
comme des hommes hautains dans leurs sentiments, mais
simples, naturels et modestes dans leurs paroles, etc.*

Cette affectation de grandeur que nous leur prêtons,
m'a toujours paru le principal défaut de notre théâtre, et
l'écueil ordinaire des poètes. Je n'ignore pas que la hauteur est en possession d'imposer à l'esprit humain : mais

rien ne décèle si parfaitement aux esprits fins une hauteur
fausse et contrefaite, qu'un discours fastueux et emphatique. Il est aisé d'ailleurs aux moindres poètes de mettre
dans la bouche de leurs personnages des paroles fières.
Ce qui est difficile, c'est de leur faire tenir ce langage
hautain avec vérité et à propos. C'était le talent admirable
de Racine, et celui qu'on a le moins daigné remarquer
dans ce grand homme. Il y a toujours si peu d'affectation
dans ses discours, qu'on ne s'aperçoit pas de la hauteur
qui s'y rencontre. Ainsi lorsque Agrippine arrêtée par
l'ordre de Néron, et obligée de se justifier, commence par
ces mots si simples :

> Approchez-vous, Néron, et prenez votre place ;
> On veut sur vos soupçons que je vous satisfasse, etc.

Je ne crois pas que beaucoup de personnes fassent
attention qu'elle commande en quelque manière à l'em-
pereur de s'approcher et de s'asseoir, elle qui était réduite
à rendre compte de sa vie, non à son fils, mais à son
maître. Si elle eût dit comme Cornélie :

> Néron ; car le destin que dans tes fers je brave,
> M'a fait ta prisonnière, et non pas ton esclave,
> Et tu ne prétends pas qu'il m'abatte le cœur,
> Jusqu'à te rendre hommage et te nommer seigneur.

Alors je ne doute pas que bien des gens n'eussent
applaudi à ces paroles, et ne les eussent trouvées fort
élevées.

Corneille est tombé trop souvent dans ce défaut de
prendre l'ostentation pour la hauteur, et la déclamation
pour l'éloquence. Et ceux qui se sont aperçus qu'il était
peu naturel à beaucoup d'égards, ont dit pour le justifier,
qu'il s'était attaché à peindre les hommes tels qu'ils
devraient être. Il est donc vrai du moins qu'il ne les a pas
peints tels qu'ils étaient. C'est un grand aveu que cela.
Corneille a cru donner sans doute à ses héros un caractère
supérieur à celui de la nature. Les peintres n'ont pas eu la
même présomption. Lorsqu'ils ont voulu peindre les an-
ges, ils ont pris les traits de l'enfance : ils ont rendu cet

hommage à la nature, leur riche modèle. C'était néanmoins un beau champ pour leur imagination ; mais c'est qu'ils étaient persuadés que l'imagination des hommes, d'ailleurs si féconde en chimères, ne pouvait donner de la vie à ses propres intentions. Si Corneille eût fait attention que tous les panygériques étaient froids, il en aurait trouvé la cause, en ce que les orateurs voulaient accommoder les hommes à leurs idées, au lieu de former leurs idées sur les hommes.

Mais l'erreur de Corneille ne me surprend point : le bon goût n'est qu'un sentiment fin et fidèle de la belle nature, et n'appartient qu'à ceux qui ont l'esprit naturel. Corneille né dans un siècle plein d'affectation, ne pouvait avoir le goût juste. Aussi l'a-t-il fait paraître, non seulement dans ses ouvrages, mais encore dans le choix de ses modèles, qu'il a pris chez les Espagnols et les Latins, auteurs pleins d'enflure, dont il a préféré la force gigantesque à la simplicité plus noble et plus touchante des poètes grecs.

De là ses antithèses affectées, ses négligences basses, ses licences continuelles, son obscurité, son emphase, et enfin ces phrases synonymes, où la même pensée est plus remaniée que la division d'un sermon.

De là encore ces disputes opiniâtres, qui refroidissent quelquefois les plus fortes scènes, et où l'on croit assister à une thèse publique de philosophie, qui noue les choses pour les dénouer. Les premiers personnages de ses tragédies argumentent alors avec la tournure et les subtilités de l'école, et s'amusent à faire des jeux frivoles de raisonnement et de mots, comme des écoliers ou des légistes.

Cependant, je suis moins choqué de ces subtilités, que des grossièretés de quelques scènes. Par exemple, lorsque Horace quitte Curiace, c'est-à-dire, dans un dialogue d'ailleurs admirable. Curiace parle ainsi d'abord :

Je vous connais encore, et c'est ce qui me tue ;
Mais cette âpre vertu ne m'était point connue,
Comme notre malheur, elle est au plus haut point ;
Souffrez que je l'admire et ne l'imite point.

Horace, le héros de cette tragédie, lui répond :

Non, non, n'embrassez pas de vertu par contrainte,
Et puisque vous trouvez plus de charme à la plainte,
En toute liberté goûtez un bien si doux,
Voici venir ma sœur, je la laisse avec vous.

Ici Corneille veut peindre apparemment une valeur féroce. Mais la férocité s'exprime-t-elle ainsi contre un ami et un rival modeste ? La fierté est une passion fort théâtrale ; mais elle dégénère en vanité et en petitesse, sitôt qu'elle se montre sans qu'on la provoque. Me permettra-t-on de le dire ? Il me semble que l'idée des caractères de Corneille est presque toujours assez grande ; mais l'exécution en est quelquefois bien faible, et le coloris faux ou peu agréable. Quelques-uns des caractères de Racine peuvent bien manquer de grandeur dans le dessein, mais les expressions sont toujours de main de maître, et puisées dans la vérité et la nature. J'ai cru remarquer encore qu'on ne trouvait guère dans les personnages de Corneille de ces traits simples qui annoncent d'abord une grande étendue d'esprit. Ces traits se rencontrent en foule dans Roxane, dans Agrippine, Joad, Acomat, Athalie. Je ne puis cacher ma pensée : il était donné à Corneille de peindre des vertus austères, dures et inflexibles. Mais il appartient à Racine de caractériser les esprits supérieurs, et de les caractériser sans raisonnements et sans maximes, par la seule nécessité où naissent les grands hommes d'imprimer leur caractère dans leurs expressions. Joad ne se montre jamais avec plus d'avantage que lorsqu'il parle avec une simplicité majestueuse et tendre au petit Joas, et qu'il semble cacher tout son esprit pour se proportionner à cet enfant. De même Athalie. Corneille au contraire se guinde souvent pour élever ses personnages, et on est étonné que le même pinceau ait caractérisé quelquefois l'héroïsme avec des traits si naturels et si énergiques.

Cependant lorsqu'on fait le parallèle de ces deux poètes, il semble qu'on ne convienne de l'art de Racine, que pour donner à Corneille l'avantage du génie. Qu'on emploie cette distinction pour marquer le caractère d'un

faiseur de phrases, je la trouverai raisonnable ; mais lorsqu'on parle de l'art de Racine, l'art qui met toutes les
choses à leur place ; qui caractérise les hommes, leurs
passions, leurs mœurs, leur génie ; qui chasse les obscurités, les superfluités, les faux brillants ; qui peint la
nature avec feu, avec sublimité et avec grâce ; que
peut-on penser d'un tel art, si ce n'est qu'il est le génie
des hommes extraordinaires, et l'original même de ces
règles que les écrivains sans génie embrassent avec tant
de zèle et avec si peu de succès ? Qu'est-ce dans la mort
de César [23] que l'art des harangues d'Antoine, si ce n'est
le génie d'un esprit supérieur, et celui de la vraie éloquence ?

C'est le défaut trop fréquent de cet art qui gâte les plus
beaux ouvrages de Corneille. Je ne dis pas que la plupart
de ses tragédies ne soient très bien imaginées et très bien
conduites. Je crois même qu'il a connu mieux que personne l'art des situations et des contrastes. Mais l'art des
expressions et l'art des vers, qu'il a si souvent négligés ou
pris à faux, déparent ses autres beautés. Il paraît avoir
ignoré que pour être lu avec plaisir, ou même pour faire
illusion à tout le monde dans la représentation d'un
poème dramatique, il fallait par une éloquence continue
soutenir l'attention des spectateurs, qui se relâche et se
rebute nécessairement, quand les détails sont négligés. Il
y a longtemps qu'on a dit que l'expression était la principale partie de tout ouvrage écrit en vers. C'est le sentiment des grands maîtres, qu'il n'est pas besoin de justifier. Chacun sait ce qu'on souffre, je ne dis pas à lire de
mauvais vers ; mais même à entendre mal réciter un bon
poème. Si l'emphase d'un comédien détruit le charme
naturel de la poésie, comment l'emphase même du poète,
ou l'impropriété de ses expressions, ne dégoûteraient-
elles pas les esprits justes de sa fiction et de ses idées ?

Racine n'est pas sans défauts. Il a mis quelquefois dans
ses ouvrages un amour faible qui fait languir son action.
Il n'a pas conçu assez fortement la tragédie. Il n'a point
assez fait agir ses personnages. On ne remarque pas dans
ses écrits autant d'énergie que d'élévation, ni autant de
hardiesse que d'égalité. Plus savant encore à faire naître

la pitié que la terreur, et l'admiration que l'étonnement, il n'a pu atteindre au tragique de quelques poètes. Nul homme n'a eu en partage tous les dons. Si d'ailleurs on veut être juste, on avouera que personne ne donna jamais au théâtre plus de pompe, n'éleva plus haut la parole et n'y versa plus de douceur. Qu'on examine ses ouvrages sans prévention. Quelle facilité! Quelle abondance! Quelle poésie! Quelle imagination dans l'expression! Qui créa jamais une langue, ou plus magnifique, ou plus simple, ou plus variée, ou plus noble, ou plus harmonieuse et plus touchante? Qui mit jamais autant de vérité dans ses dialogues, dans ses images, dans ses caractères, dans l'expression des passions? Serait-il trop hardi de dire que c'est le plus beau génie que la France ait eu, et le plus éloquent de ses poètes?

Corneille a trouvé le théâtre vide, et a eu l'avantage de former le goût de son siècle sur son caractère. Racine a paru après lui, et a partagé les esprits. S'il eût été possible de changer cet ordre, peut-être qu'on aurait jugé de l'un et de l'autre fort différemment.

Oui, dit-on, mais Corneille est venu le premier, et il a créé le théâtre. Je ne puis souscrire à cela. Corneille avait de grands modèles parmi les anciens. Racine ne l'a point suivi. Personne n'a pris une route, je ne dis pas plus différente, mais plus opposée : personne n'est plus original à meilleur titre. Si Corneille a droit de prétendre à la gloire des inventeurs, on ne peut l'ôter à Racine. Mais si l'un et l'autre ont eu des maîtres, lequel a choisi les meilleurs, et les a le mieux imités?

On reproche à Racine de n'avoir pas donné à ses héros le caractère de leur siècle et de leur nation : mais les grands hommes sont de tous les âges et de tous les pays. On rendrait le vicomte de Turenne et le cardinal de Richelieu méconnaissables en leur donnant le caractère de leur siècle. Les âmes véritablement grandes ne sont telles que parce qu'elles se trouvent en quelque manière supérieures à l'éducation et aux coutumes. Je sais qu'elles retiennent toujours quelque chose de l'un et de l'autre. Mais le poète peut négliger ces bagatelles, qui ne touchent pas plus au fond du caractère, que la coiffure ou l'habit du comédien, pour ne s'attacher qu'à peindre vivement les traits d'une nature forte et éclairée, et ce génie élevé, qui appartient également à tous les peuples. Je ne vois point d'ailleurs que Racine ait manqué à ces prétendues bienséances du théâtre. Ne parlons pas des tragédies faibles de ce grand poète : *Alexandre, La Thébaïde, Bérénice, Esther,* dans lesquelles on pourrait citer encore de grandes beautés. Ce n'est point par les essais d'un auteur, et par le plus petit nombre de ses ouvrages qu'on en doit juger, mais par le plus grand nombre de ses ouvrages et par ses chefs-d'œuvre. Qu'on observe cette règle avec Racine, et qu'on examine ensuite ses écrits. Dira-t-on qu'Acomat, Roxane, Joad, Athalie, Mithridate, Néron, Agrippine, Burrhus, Narcisse, Clitemnestre, Agamemnon, etc. n'aient pas le caractère de leur siècle, et celui que les historiens leur ont donné ? Parce que Bajazet et Xipharès ressemblent à Britannicus ; parce qu'ils ont un caractère faible pour le théâtre, quoique naturel, sera-t-on fondé à prétendre que Racine n'ait pas su caractériser les hommes, lui dont le talent éminent était de les peindre avec vérité et avec noblesse ?

Je reviens encore à Corneille afin de finir ce discours. Je crois qu'il a connu mieux que Racine le pouvoir des situations et des contrastes. Ses meilleures tragédies, toujours fort au-dessous par l'expression de celles de son rival, sont moins agréables à lire, mais plus intéressantes quelquefois dans la représentation, soit par le choc des caractères, soit par l'art des situations, soit par la grandeur des intérêts. Moins intelligent que Racine, il concevait peut-être moins profondément, mais plus fortement ses sujets. Il n'était si grand poète, ni si éloquent ; mais il s'exprimait quelquefois avec une grande énergie. Personne n'a des traits plus élevés et plus hardis ; personne n'a laissé l'idée d'un dialogue si serré et si véhément ; personne n'a peint avec le même bonheur l'inflexibilité et la force d'esprit qui naissent de la vertu. De ces disputes mêmes que je lui reproche, sortent quelquefois des éclairs qui laissent l'esprit étonné, et des combats qui véritablement élèvent l'âme. Et enfin quoiqu'il lui arrive continuellement de s'écarter de la nature, on est obligé

d'avouer qu'il l'a peinte bien naïvement et bien fortement
en quelques endroits : et c'est uniquement dans ces morceaux naturels qu'il est admirable. Voilà ce qu'il me
semble qu'on peut dire sans partialité de ses talents. Mais
lorsqu'on a rendu justice à son génie, qui a surmonté si
souvent le goût barbare de son siècle, on ne peut s'empêcher de rejeter dans ses ouvrages, ce qu'ils retiennent de
ce mauvais goût, et ce qui servirait à le perpétuer dans les
admirateurs trop passionnés de ce grand maître.

Les gens du métier sont plus indulgents que les autres à
ces défauts, parce qu'ils ne regardent qu'aux traits originaux de leurs modèles, et qu'ils connaissent mieux le prix
de l'invention et du génie. Mais le reste des hommes juge
des ouvrages, tels qu'ils sont, sans égard pour le temps et
pour les auteurs. Et je crois qu'il serait à désirer que les
gens de lettres voulussent bien séparer les défauts des
plus grands hommes de leurs perfections. Car si l'on
confond leurs beautés avec leurs fautes par une admiration superstitieuse, il pourra bien arriver que les jeunes
gens imiteront les défauts de leurs maîtres, qui sont aisés
à imiter, et n'atteindront jamais à leur génie.

ROUSSEAU

On ne peut disputer à Rousseau d'avoir connu parfaitement la mécanique des vers. Égal peut-être à Despreaux
par cet endroit, on pourrait le mettre à côté de ce grand
homme, si celui-ci né à l'aurore du bon goût, n'avait été
le maître de Rousseau et de tous les poètes de son siècle.

Ces deux excellents écrivains se sont distingués l'un et
l'autre par l'art difficile de faire régner dans les vers une
extrême simplicité, par le talent d'y conserver le tour et le
génie de notre langue, et enfin par cette harmonie continue, sans laquelle il n'y a point de véritable poésie.

On leur a reproché à la vérité, d'avoir manqué de
délicatesse et d'expression pour le sentiment. Ce dernier
défaut me paraît peu considérable dans Despreaux ; parce

que s'étant attaché uniquement à peindre la raison, il lui
suffisait de la peindre avec vivacité et avec feu, comme il
a fait; mais l'expression des passions ne lui était pas
nécessaire. Son art poétique, et quelques autres de ses
ouvrages approchent de la perfection qui leur est propre;
et on n'y regrette point la langue du sentiment, quoiqu'elle puisse entrer peut-être dans tous les genres, et les
embellir de ses charmes.

Il n'est pas tout à fait aussi facile de justifier Rousseau
à cet égard. L'ode étant, comme il dit lui-même, *le
véritable champ du pathétique et du sublime,* on voudrait
toujours trouver dans les siennes ce haut caractère. Mais
quoiqu'elles soient dessinées avec une grande noblesse,
je ne sais si elles sont toutes assez passionnées. J'excepte
quelques-unes des odes sacrées, dont le fond appartient à
de plus grands maîtres. Quant à celles qu'il a tirées de son
propre fond, il me semble qu'en général, les fortes images qui les embellissent ne produisent pas de grands
mouvements, et n'excitent ni la pitié, ni l'étonnement, ni
la crainte, ni ce sombre saisissement que le vrai sublime
fait naître.

La marche impétueuse de l'ode n'est pas celle d'un
esprit tranquille; il faut donc qu'elle soit justifiée par un
enthousiasme véritable. Lorsqu'un auteur se jette de
sang-froid dans ces mouvements et ces écarts, qui n'appartiennent qu'aux grandes passions, il court risque de
marcher seul; car le lecteur se lasse de ces transitions
forcées, et de ces fréquentes hardiesses, que l'art s'efforce d'imiter du sentiment, et qu'il imite toujours sans
succès. Les endroits où le poète paraît s'égarer, devraient
être, à ce qu'il me semble, les plus passionnés de son
ouvrage. Il est même d'autant plus nécessaire de mettre
du sentiment dans nos odes, que ces petits poèmes sont
ordinairement vides de pensées, et qu'un ouvrage vide de
pensées sera toujours faible, s'il n'est rempli de passion.
Or je ne crois pas qu'on puisse dire que les odes de
Rousseau soient fort passionnées. Il est tombé quelquefois dans le défaut de ces poètes, qui semblent s'être proposé dans leurs écrits, non d'exprimer plus fortement par
des images des passions violentes, mais seulement d'as-

sembler des images magnifiques, plus occupées de chercher de grandes figures, que de faire naître dans leur âme
de grandes pensées. Les défenseurs de Rousseau répondent qu'il a surpassé Horace et Pindare, auteurs illustres
dans le même genre, et de plus rendus respectables par
l'estime dont ils sont en possession depuis tant de siècles.
Si cela est ainsi, je ne m'étonne point que Rousseau ait
emporté tous les suffrages. On ne juge que par comparaison de toutes choses ; et ceux qui sont mieux que les
autres dans leur genre, passent toujours pour excellents,
personne n'osant leur contester d'être dans le bon chemin. Il m'appartient moins qu'à tout autre de dire que
Rousseau n'a pu atteindre le but de son art : mais je crains
bien que si on n'aspire pas à faire de l'ode une imitation
plus fidèle de la nature, ce genre ne demeure enseveli
dans une espèce de médiocrité.

S'il m'est permis d'être sincère jusqu'à la fin,
j'avouerai que je trouve encore des pensées bien fausses
dans les meilleures odes de Rousseau. Cette fameuse ode
à la fortune, qu'on regarde comme le triomphe de la
raison, présente, me semble, peu de réflexions, qui ne
soient plus éblouissantes que solides. Écoutons ce poète
philosophe :

> Quoi ! Rome et l'Italie en cendre
> Me feront honorer Silla,

Non vraiment, l'Italie en cendre ne peut faire honorer
Silla : mais ce qui doit, je crois, le faire respecter avec
justice, c'est ce génie supérieur et puissant, qui vainquit
le génie de Rome, qui lui fit défier dans sa vieillesse les
ressentiments de ce même peuple qu'il avait soumis, et
qui fut toujours subjugué par les bienfaits ou par la force,
le courage ailleurs indomptable, de ses ennemis.

Voyons ce qui suit :

> J'admirerai dans Alexandre
> Ce que j'abhorre en Attila ?

Je ne sais quel était le caractère d'Attila. Mais je suis
forcé d'admirer les rares talents d'Alexandre et cette

hauteur de génie, qui, soit dans le gouvernement, soit dans la guerre, soit dans les sciences, soit même dans sa vie privée, l'a toujours fait paraître comme un homme extraordinaire, et qu'un instinct grand et sublime dispensait des moindres vertus. Je veux révérer un héros, qui, parvenu au faîte des grandeurs humaines, ne dédaignait pas l'amitié; qui dans cette haute fortune respectait encore le mérite; qui aima mieux s'exposer à mourir, que de soupçonner son médecin de quelque crime, et d'affliger par une défiance, qu'on n'eût pas blâmée, la fidélité d'un sujet qu'il estimait: le maître le plus libéral qu'il y eut jamais, jusqu'à ne réserver pour lui que *l'espérance*. Plus prompt à réparer ses injustices qu'à les commettre, et plus pénétré de ses fautes que de ses triomphes: né pour conquérir l'Univers, parce qu'il était digne de lui commander; et en quelque sorte excusable de s'être fait rendre des honneurs divins, dans un temps où toute la terre adorait des dieux moins aimables. Rousseau paraît donc trop injuste, lorsqu'il ose ajouter d'un si grand homme:

> Mais à la place de Socrate
> Le fameux vainqueur de l'Euphrate
> Sera le dernier des mortels.

Apparemment que Rousseau ne voulait épargner aucun conquérant. Et voici comme il parle encore:

> L'inexpérience indocile
> Du compagnon de Paul Emile
> Fit tout le succès d'Annibal.

Combien toutes ces réflexions ne sont-elles pas superficielles? Qui ne sait que la science de la guerre consiste à profiter des fautes de son ennemi? Qui ne sait qu'Annibal s'est montré aussi grand dans ses défaites que dans ses victoires?

S'il était reçu de tous les poètes, comme il l'est du reste des hommes, qu'il n'y a rien de beau dans aucun genre que le vrai, et que les fictions mêmes de la poésie n'ont été inventées que pour peindre plus vivement la vérité, que pourrait-on penser des invectives que je viens de rapporter? Serait-on trop sévère de juger que l'ode à la fortune n'est qu'une pompeuse déclamation, et un tissu de lieux communs, énergiquement exprimés?

Je ne dirai rien des allégories et de quelques autres ouvrages de Rousseau. Je n'oserais surtout juger d'aucun ouvrage allégorique, parce que c'est un genre que je n'aime pas: mais je louerai volontiers ses épigrammes, où l'on trouve toute la naïveté de Marot avec une énergie que Marot n'avait pas. Je louerai des morceaux admirables de ses épîtres, où le génie de ses épigrammes se fait singulièrement apercevoir. Mais en admirant ces morceaux, si dignes de l'être, je ne puis m'empêcher d'être choqué de la grossièreté insupportable qu'on remarque en d'autres endroits. Rousseau voulant dépeindre dans l'épître aux muses je ne sais quel mauvais poète, il le compare à un oison que la flatterie enhardit à préférer sa voix au chant du cygne. Un autre oison lui fait un long discours pour l'obliger à chanter. Et Rousseau continue ainsi:

> A ce discours notre oiseau tout gaillard
> Perce le ciel de son cri nasillard.
> Et tout d'abord oubliant leur mangeaille,
> Vous eussiez vu canards, dindons, poulaille,
> De toutes parts accourir, l'entourer,
> Battre de l'aile, applaudir, admirer,
> Vanter la voix dont nature le doue,
> Et faire nargue au cygne de Mantoue.
> Le chant fini, le pindarique oison,
> Se rengorgeant rentre dans la maison,
> Tout orgueilleux d'avoir par son ramage
> Du poulailler mérité le suffrage.

On ne nie pas qu'il n'y ait quelque force dans cette peinture: mais combien en sont basses les images? La même épître est remplie de choses qui ne sont ni plus agréables, ni plus délicates. C'est un dialogue avec les muses, qui est plein de longueurs, dont les transitions sont forcées et trop ressemblantes; où l'on trouve à la vérité, de grandes beautés de détail, mais qui en rachètent à peine les défauts. J'ai choisi cette épître exprès ainsi que l'ode à la fortune, afin qu'on ne m'accusât pas de rapporter les ouvrages les plus faibles de Rousseau, pour diminuer l'estime que l'on doit aux autres. Puis-je me flatter en cela d'avoir contenté la délicatesse de tant de gens de goût et de génie, qui respectent tous les écrits de ce poète? Quelque crainte que je doive avoir de me tromper, en m'écartant de leur sentiment et de celui du public, je hasarderai encore ici une réflexion. C'est que le vieux langage employé par Rousseau dans ses meilleures épîtres, ne me paraît ni nécessaire pour écrire naïvement, ni assez noble pour la poésie. C'est à ceux qui font profession eux-mêmes de cet art, à prononcer là-dessus. Je leur soumets sans répugnance toutes les remarques que j'ai osé faire sur les plus illustres écrivains de notre langue. Personne n'est plus passionné que je le suis, pour les véritables beautés de leurs ouvrages. Je ne connais peut-être pas tout le mérite de Rousseau; mais je ne serai pas fâché qu'on me détrompe des défauts que j'ai cru pouvoir lui reprocher. On ne saurait trop honorer les grands talents d'un auteur, dont la célébrité a fait les disgrâces, comme c'est la coutume chez les hommes, et qui n'a pu jouir dans sa patrie de la réputation qu'il méritait, que lorsque accablé sous le poids de l'humiliation et de l'exil, la longueur de son infortune a désarmé la haine de ses ennemis, et fléchi l'injustice de l'envie.

QUINAULT

On ne peut trop aimer la douceur, la mollesse, la facilité et l'harmonie tendre et touchante de la poésie de Quinault. On peut même estimer beaucoup l'art de quelques-uns de ses opéras, intéressants par le spectacle dont ils sont remplis, par l'invention ou la disposition des faits qui les composent, par le merveilleux qui y règne, et enfin par le pathétique des situations, qui donne lieu à celui de la musique, et qui l'augmente nécessairement. Ni la grâce, ni la noblesse, ni le naturel, n'ont manqué à l'auteur de ces poèmes singuliers. Il y a presque toujours de la naïveté dans son dialogue, et quelquefois du senti-

ment. Ses vers sont semés d'images charmantes et de
pensées ingénieuses. On admirerait trop les fleurs dont il
se pare, s'il eut évité les défauts qui font languir quelquefois ses beaux ouvrages. Je n'aime pas les familiarités
qu'il a introduites dans ses tragédies : je suis fâché qu'on
trouve dans beaucoup de scènes, qui sont faites pour
inspirer la terreur et la pitié, des personnages qui, par le
contraste de leurs discours avec les intérêts des malheureux, rendent ces mêmes scènes ridicules, et en détruisent
tout le pathétique. Je ne puis m'empêcher encore de
trouver ses meilleurs opéras trop vides de choses, trop
négligés dans les détails, trop fades même dans bien des
endroits. Enfin je pense qu'on a dit de lui avec vérité,
qu'il n'avait fait qu'effleurer d'ordinaire les passions. Il
me paraît que Lulli a donné à sa musique un caractère
supérieur à la poésie de Quinault. Lulli s'est élevé souvent jusqu'au sublime par la grandeur et par le pathétique
de ses expressions. Et Quinault n'a d'autre mérite à cet
égard que celui d'avoir fourni les situations et les canevas
auxquels le musicien a fait recevoir la profonde empreinte
de son génie. Ce sont, sans doute, les défauts de ce poète,
et la faiblesse de ses premiers ouvrages, qui ont fermé les
yeux de Despreaux sur son mérite : mais Despreaux peut
être excusable de n'avoir pas cru que l'opéra, théâtre
plein d'irrégularités et de licences, eût atteint en naissant
sa perfection. Ne penserions-nous pas encore, qu'il manque quelque chose à ce spectacle, si les efforts inutiles de
tant d'auteurs renommés ne nous avaient fait supposer
que le défaut de ces poèmes était peut-être un vice irréparable ? Cependant je conçois sans peine qu'on ait fait à
Despreaux un grand reproche de sa sévérité trop opiniâtre. Avec des talents si aimables que ceux de Quinault, et
la gloire qu'il a d'être l'inventeur de son genre, on ne
saurait être surpris qu'il ait des partisans très passionnés,
qui pensent qu'on doit respecter ses défauts mêmes. Mais
cette excessive indulgence de ses admirateurs me fait
comprendre encore l'extrême rigueur de ses critiques. Je
vois qu'il n'est point dans le caractère des hommes de
juger du mérite d'un autre homme par l'ensemble de ses
qualités ; on envisage sous divers aspects le génie d'un

auteur illustre; et on le méprise, ou l'admire avec une
égale apparence de raison, selon les choses que l'on
considère en ses ouvrages. Les beautés que Quinault a
imaginées, demandent grâce pour ses défauts; mais
j'avoue que je voudrais bien qu'on se dispensât de copier
jusqu'à ses fautes. Je suis fâché qu'on désespère de mettre plus de passion, plus de conduite, plus de raison et
plus de force dans nos opéras, que leur inventeur n'y en a
mis. J'aimerais qu'on en retranchât le nombre excessif de
refrains qui s'y rencontrent, qu'on ne refroidît pas les
tragédies par des puérilités, et qu'on ne fît pas de paroles
pour le musicien, entièrement vides de sens. Les divers
morceaux qu'on admire dans Quinault prouvent qu'il y a
peu de beautés incompatibles avec la musique, et que
c'est la faiblesse des poètes, non celle du genre, qui fait
languir tant d'opéras faits à la hâte, et aussi mal écrits
qu'ils sont frivoles.

LES ORATEURS

FRAGMENT

Qui n'admire la majesté, la pompe, la magnificence,
l'enthousiasme de Bossuet, et la vaste étendue de ce
génie impétueux, fécond, sublime? Qui conçoit sans
étonnement la profondeur incroyable de Pascal, son raisonnement invincible, sa mémoire surnaturelle, sa
connaissance universelle et prématurée? Le premier élève
l'esprit; l'autre le confond et le trouble. L'un éclate
comme un tonnerre dans un tourbillon orageux, et par ses
soudaines hardiesses échappe aux génies trop timides:
l'autre presse, étonne, illumine, fait sentir despotiquement l'ascendant de la vérité; et comme si c'était être
d'une autre nature que nous, sa vive intelligence explique
toutes les conditions, toutes les affections, et toutes les
pensées des hommes, et paraît toujours supérieure à leurs
conceptions incertaines. Génie simple et puissant, il as-

semble des choses qu'on croyait être incompatibles, la véhémence, l'enthousiasme, la naïveté, avec les profondeurs les plus cachées de l'art; mais d'un art qui bien loin de gêner la nature, n'est lui-même qu'une nature plus parfaite, et l'original des préceptes. Que dirai-je encore? Bossuet fait voir plus de fécondité, et Pascal a plus d'invention: Bossuet est plus impétueux, et Pascal est plus transcendant. L'un excite l'admiration par de plus fréquentes saillies; l'autre toujours plein et solide, l'épuise par un caractère plus concis et plus soutenu. Mais toi, qui les a surpassés en aménités et en grâces, ombre illustre, aimable génie; toi, qui fis régner la vertu par l'onction et par la douceur, pourrais-je oublier la noblesse et le charme de ta parole, lorsqu'il est question d'éloquence? Né pour cultiver la sagesse et l'humanité dans les rois, ta voix ingénue fit retentir au pied du trône les calamités du genre humain foulé par les tyrans, et défendit contre les artifices de la flatterie la cause abandonnée des peuples. Quelle bonté de cœur, quelle sincérité se remarquent dans tes écrits! Quel éclat de paroles et d'images! Qui sema jamais tant de fleurs dans un style si naturel, si mélodieux et si tendre? Qui orna jamais la raison d'une si touchante parure? Ah! que de trésors, d'abondance, dans ta riche simplicité.

O noms consacrés par l'amour et par les respects de tous ceux qui chérissent l'honneur des Lettres! Restaurateurs des arts, pères de l'éloquence, lumières de l'esprit humain, que n'ai-je un rayon du génie qui échauffa vos profonds discours pour vous expliquer dignement et marquer tous les traits qui vous ont été propres!

Si l'on pouvait mêler des talents si divers, peut-être qu'on voudrait penser comme Pascal, écrire comme Bossuet, parler comme Fénelon. Mais parce que la différence de leur style venait de la différence de leurs pensées et de leur manière de sentir les choses, ils perdraient beaucoup tous les trois, si l'on voulait rendre les pensées de l'un par les expressions de l'autre. On ne souhaite point cela en les lisant; car chacun d'eux s'exprime dans les termes les plus assortis au caractère de ses sentiments et de ses idées; ce qui est la véritable marque du génie. Ceux qui

n'ont que de l'esprit empruntent successivement toute
sorte de tours et d'expressions : ils n'ont pas un caractère
distinctif, etc.

SUR LA BRUYÈRE

Il n'y a presque point de tour dans l'éloquence qu'on
ne trouve dans La Bruyère ; et si on y désire quelque
chose, ce ne sont pas certainement les expressions, qui
sont d'une force infinie, et toujours les plus propres et les
plus précises qu'on puisse employer. Peu de gens l'ont
compté parmi les orateurs, parce qu'il n'y a pas une suite
sensible dans ses caractères. Nous faisons trop peu d'attention à la perfection de ses fragments, qui contiennent
souvent plus de matière que de longs discours, plus de
proportion et plus d'art.

On remarque dans tout son ouvrage un esprit juste,
élevé, nerveux, pathétique, également capable de réflexion et de sentiment, et doué avec avantage de cette
invention, qui discerne la main des maîtres, et qui caractérise le génie.

Personne n'a peint les détails avec plus de feu, plus de
force, plus d'imagination dans l'expression, qu'on en
voit dans ses caractères. Il est vrai qu'on n'y trouve pas
aussi souvent que dans les écrits de Bossuet et de Pascal
de ces traits qui caractérisent non une passion, ou les
vices d'un particulier, mais le genre humain. Ses portraits
les plus élevés ne sont jamais aussi grands que ceux de
Fénelon et de Bossuet ; ce qui vient en grande partie de la
différence des genres qu'ils ont traités. La Bruyère a cru,
ce me semble, qu'on ne pouvait peindre les hommes
assez petits ; et il s'est bien plus attaché à relever leurs
ridicules que leur force. Je crois qu'il est permis de
présumer qu'il n'avait ni l'élévation, ni la sagacité, ni la
profondeur de quelques esprits du premier ordre. Mais on
ne lui peut disputer sans injustice une forte imagination,
un caractère véritablement original, et un génie créateur.

RÉFLEXIONS ET MAXIMES

AVERTISSEMENT

Comme il y a des gens qui ne lisent que pour trouver des erreurs dans un écrivain, j'avertis ceux qui liront ces réflexions que s'il y en a quelqu'une qui présente un sens peu favorable à la piété, l'auteur désavoue ce mauvais sens, et souscrit le premier à la critique qu'on en pourra faire. Il espère cependant que les personnes désintéressées n'auront aucune peine à bien interpréter ses sentiments. Ainsi lorsqu'il dit : La pensée de la mort nous trompe, parce qu'elle nous fait oublier de vivre, *il se flatte qu'on verra bien que c'est de la pensée de la mort sans la vue de la religion qu'il veut parler. Et encore ailleurs, lorsqu'il dit :* La conscience des mourants calomnie leur vie… *il est fort éloigné de prétendre qu'elle ne les accuse pas souvent avec justice. Mais il n'y a personne qui ne sache que toutes les propositions générales ont leurs exceptions. Si on n'a pas pris soin ici de les marquer, c'est parce que le genre d'écrire que l'on a choisi, ne le permet pas. Il suffira de confronter l'auteur avec lui-même pour juger de la pureté de ses principes.*

J'avertis encore les lecteurs que toutes ces pensées ne se suivent pas, mais qu'il y en a plusieurs qui se suivent, et qui pourraient paraître obscures, ou hors d'œuvre, si on les séparait. On n'a point conservé dans cette édition l'ordre qu'on leur avait donné dans la première. On en a retranché plus de deux cents maximes. On en a éclairci ou étendu quelques-unes, et on en a ajouté un petit nombre.

RÉFLEXIONS ET MAXIMES
Avec des additions, des éclaircissements, et des retranchements considérables

SECONDE EDITION

I

Il est plus aisé de dire des choses nouvelles que de concilier celles qui ont été dites.

II

L'esprit de l'homme est plus pénétrant que conséquent, et embrasse plus qu'il ne peut lier.

III

Lorsqu'une pensée est trop faible pour porter [24] une expression simple, c'est la marque pour la rejeter.

IV

La clarté orne les pensées profondes.

V

L'obscurité est le royaume de l'erreur.

VI

Il n'y aurait point d'erreurs qui ne périssent d'elles-mêmes, rendues clairement.

VII

Ce qui fait souvent le mécompte [25] d'un écrivain est qu'il croit rendre les choses telles qu'il les aperçoit ou qu'il les sent.

VIII

On proscrirait moins de pensées d'un ouvrage, si on les concevait comme l'auteur.

IX

Lorsqu'une pensée s'offre à nous comme une profonde découverte, et que nous prenons la peine de la développer, nous trouvons souvent que c'est une vérité *qui court les rues*.

X

Il est rare qu'on approfondisse la pensée d'un autre; de sorte que s'il arrive dans la suite qu'on fasse la même réflexion, on se persuade aisément qu'elle est nouvelle, tant elle offre de circonstances et de dépendances qu'on avait laissé échapper.

XI

Si une pensée ou un ouvrage n'intéressent que peu de personnes, peu en parleront.

XII

C'est un grand signe de médiocrité de louer toujours modérément.

XIII

Les fortunes promptes en tout genre sont les moins solides, parce qu'il est rare qu'elles soient l'ouvrage du mérite. Les fruits mûrs mais laborieux de la prudence sont toujours tardifs.

XIV

L'espérance anime le sage, et leurre le présomptueux et l'indolent, qui se reposent inconsidérément sur ses promesses.

XV

Beaucoup de défiances et d'espérances raisonnables sont trompées.

XVI

L'ambition ardente exile les plaisirs dès la jeunesse, pour gouverner seule.

XVII

La prospérité fait peu d'amis.

XVIII

Les longues prospérités s'écoulent quelquefois en un moment comme les chaleurs de l'été sont emportées par un jour d'orage.

XIX

Le courage a plus de ressources contre les disgrâces que la raison.

XX

La raison et la liberté sont incompatibles avec la faiblesse.

XXI

La guerre n'est pas si onéreuse que la servitude.

XXII

La servitude abaisse les hommes jusqu'à s'en faire aimer.

XXIII

Les prospérités des mauvais rois sont fatales aux peuples.

XXIV

Il n'est pas donné à la raison de réparer tous les vices de la nature.

XXV

Avant d'attaquer un abus, il faut voir si on peut ruiner ses fondements.

XXVI

Les abus inévitables sont des lois de la nature.

XXVII

Nous n'avons pas droit de rendre misérables ceux que nous ne pouvons rendre bons.

XXVIII

On ne peut être juste si on n'est humain.

XXIX

Quelques auteurs traitent la morale comme on traite la nouvelle architecture, où l'on cherche avant toutes choses la commodité.

XXX

Il est fort différent de rendre la vertu facile pour l'établir, ou de lui égaler le vice pour la détruire.

XXXI

Nos erreurs et nos divisions dans la morale viennent quelquefois de ce que nous considérons les hommes comme s'ils pouvaient être tout à fait vicieux ou tout à fait bons.

XXXII

Il n'y a peut-être point de vérité qui ne soit à quelque esprit faux matière d'erreur.

XXXIII

Les générations des opinions sont conformes à celles des hommes, bonnes et vicieuses tour à tour.

XXXIV

Nous ne connaissons pas l'attrait des violentes agitations. Ceux que nous plaignions de leurs embarras, méprisent notre repos.

XXXV

Personne ne veut être plaint de ses erreurs.

XXXVI

Les orages de la jeunesse sont environnés de jours brillants.

XXXVII

Les jeunes gens connaissent plutôt l'amour que la beauté.

XXXVIII

Les femmes et les jeunes gens ne séparent point leur estime de leurs goûts.

XXXIX

La coutume fait tout jusqu'en amour.

XL

Il y a peu de passions constantes, il y en a beaucoup de sincères : cela a toujours été ainsi. Mais les hommes se piquent d'être constants, ou indifférents, selon la mode, qui excède toujours la nature.

XLI

La raison rougit des penchants dont elle ne peut rendre compte.

XLII

Le secret des moindres plaisirs de la nature passe [26] la raison.

XLIII

C'est une preuve de petitesse d'esprit lorsqu'on distingue toujours ce qui est estimable de ce qui est aimable. Les grandes âmes aiment naturellement tout ce qui est digne de leur estime.

XLIV

L'estime s'use comme l'amour.

XLV

Quand on sent qu'on n'a pas de quoi se faire estimer de quelqu'un, on est bien près de le haïr.

XLVI

Ceux qui manquent de probité dans les plaisirs, n'en ont qu'une feinte dans les affaires. C'est la marque d'un naturel féroce, lorsque le plaisir ne rend point humain.

XLVII

Les plaisirs enseignent aux princes à se familiariser avec les hommes.

XLVIII

Le trafic de l'honneur n'enrichit pas.

XLIX

Ceux qui nous font acheter leur probité ne nous vendent ordinairement que leur honneur.

L

La conscience, l'honneur, la chasteté, l'amour et l'estime des hommes sont à prix d'argent. La libéralité multiplie les avantages des richesses.

LI

Celui qui fait rendre ses profusions utiles a une grande et noble économie.

LII

Les sots ne comprennent pas les gens d'esprit.

LIII

Personne ne se croit propre comme un sot à duper un homme d'esprit.

LIV

Nous négligeons souvent les hommes sur qui la nature nous donne ascendant, qui sont ceux qu'il faut attacher et comme incorporer à nous, les autres ne tenant à nos amorces que par l'intérêt, l'objet du monde le plus changeant.

LV

Il n'y a guère de gens plus aigris que ceux qui sont doux par intérêt.

LVI

L'intérêt fait peu de fortunes.

LVII

Il est faux qu'on ait fait fortune lorsqu'on ne sait pas en jouir.

LVIII

L'amour de la gloire fait les grandes fortunes entre les peuples.

LIX

Nous avons si peu de vertu, que nous nous trouvons ridicules d'aimer la gloire.

LX

La fortune exige des soins. Il faut être souple, amusant, cabaler, n'offenser personne, plaire aux femmes et aux hommes en place, se mêler des plaisirs et des affaires, cacher son secret, et savoir s'ennuyer la nuit à table, et jouer trois quadrilles [27] sans quitter sa chaise : même après tout cela on n'est sûr de rien. Combien de dégoûts et d'ennuis ne pourrait-on s'épargner, si on osait aller à la gloire par le seul mérite.

LXI

Quelques fous se sont dit à table : il n'y a que nous qui soyons bonne compagnie ; et on les croit.

LXII

Les joueurs ont le pas sur les gens d'esprit comme ayant l'honneur de représenter les hommes riches.

LXIII

Les gens d'esprit seraient presque seuls sans les sots qui s'en piquent.

LXIV

Celui qui s'habille le matin avant huit heures pour entendre plaider à l'audience, ou pour voir des tableaux étalés au Louvre, ou pour se trouver aux répétitions d'une pièce prête à paraître, et qui se pique de juger en tout genre du travail d'autrui, est un homme auquel il ne manque quelquefois que de l'esprit et du goût.

LXV

Nous sommes moins offensés du mépris des sots que d'être médiocrement estimés des gens d'esprit.

LXVI

C'est offenser les hommes que de leur donner des louanges, qui marquent les bornes de leur mérite. Peu de gens sont assez modestes pour souffrir sans peine qu'on les apprécie.

LXVII

Il est difficile d'estimer quelqu'un comme il veut l'être.

LXVIII

On doit se consoler de n'avoir pas les grands talents, comme on se console de n'avoir pas les grandes places. On peut être au-dessus de l'un et de l'autre par le cœur.

LXIX

La raison et l'extravagance, la vertu et le vice ont leurs heureux. Le contentement [28] n'est pas la marque du mérite.

LXX

La tranquillité d'esprit passerait-elle pour une meilleure preuve de la vertu ? La santé la donne.

LXXI

Si la gloire et si le mérite ne rendent pas les hommes heureux, ce que l'on appelle bonheur mérite-t-il leurs regrets? Une âme, un peu courageuse, daignerait-elle accepter ou la fortune, ou le repos d'esprit, ou la modération, s'il fallait leur sacrifier la vigueur de ses sentiments et abaisser l'effort de son génie?

LXXII

La modération des grands hommes ne borne que leurs vices.

LXXIII

La modération des faibles est médiocrité.

LXXIV

Ce qui est arrogance dans les faibles est élévation dans les forts, comme la force des malades est frénésie, et celle des sains est vigueur.

LXXV

Le sentiment de nos forces les augmente.

LXXVI

On ne juge pas si diversement des autres que de soi-même.

LXXVII

Il n'est pas vrai que les hommes soient meilleurs dans la pauvreté que dans les richesses.

LXXVIII

Pauvres et riches, nul n'est vertueux ni heureux, si la fortune ne l'a mis à sa place.

LXXIX

Il faut entretenir la vigueur du corps pour conserver celle de l'esprit.

LXXX

On tire peu de services des vieillards.

LXXXI

Les hommes ont la volonté de rendre service jusqu'à ce qu'ils en aient le pouvoir.

LXXXII

L'avare prononce en secret : Suis-je chargé de la fortune des misérables ? Et il repousse la pitié qui l'importune.

LXXXIII

Ceux qui croient n'avoir plus besoin d'autrui, deviennent intraitables.

LXXXIV

Il est rare d'obtenir beaucoup des hommes dont on a besoin.

LXXXV

On gagne peu de choses par habileté [29].

LXXXVI

Nos plus sûrs protecteurs sont nos talents.

LXXXVII

Tous les hommes se jugent dignes des plus grandes places; mais la nature qui ne les en a pas rendus capables, fait aussi qu'ils se tiennent très contents dans les dernières.

LXXXVIII

On méprise les grands desseins lorsqu'on ne se sent pas capable des grands succès.

LXXXIX

Les hommes ont de grandes prétentions et de petits projets.

XC

Les grands hommes entreprennent les grandes choses, parce qu'elles sont grandes; et les fous, parce qu'ils les croient faciles.

XCI

Il est quelquefois plus facile de former un parti, que de venir par degrés à la tête d'un parti déjà formé.

XCII

Il n'y a point de parti si aisé à détruire que celui que la prudence seule a formé. Les caprices de la nature ne sont pas si frêles que les chefs-d'œuvre de l'art.

XCIII

On peut dominer par la force, mais jamais par la seule adresse.

XCIV

Ceux qui n'ont que de l'habileté ne tiennent en aucun lieu le premier rang.

XCV

La force peut tout entreprendre contre les habiles.

XCVI

Le terme de l'habileté est de gouverner sans la force.

XCVII

C'est être médiocrement habile que de faire des dupes.

XCVIII

La probité qui empêche les esprits médiocres de parvenir à leurs fins est un moyen de plus de réussir pour les habiles.

XCIX

Ceux qui ne savent pas tirer parti des autres hommes sont ordinairement peu accessibles.

C

Les habiles ne rebutent personne.

CI

L'extrême défiance n'est pas moins nuisible que son contraire. La plupart des hommes deviennent inutiles à celui qui ne veut pas risquer d'être trompé.

CII

Il faut tout attendre et tout craindre du temps et des hommes.

CIII

Les méchants sont toujours surpris de trouver de l'habileté dans les bons.

CIV

Trop et trop peu de secret sur nos affaires témoigne également une âme faible.

CV

La familiarité est l'apprentissage des esprits.

CVI

Nous découvrons en nous-mêmes ce que les autres nous cachent, et nous reconnaissons dans les autres ce que nous nous cachons nous-mêmes.

CVII

Les maximes des hommes décèlent leur cœur.

CVIII

Les esprits faux changent souvent de maximes.

CIX

Les esprits légers sont disposés à la complaisance.

CX

Les menteurs sont bas et glorieux.

CXI

Peu de maximes sont vraies à tous égards.

CXII

On dit peu de choses solides lorsqu'on cherche à en dire d'extraordinaires.

CXIII

Nous nous flattons sottement de persuader aux autres ce que nous ne pensons pas nous-mêmes.

CXIV

On ne s'amuse pas longtemps de l'esprit d'autrui.

CXV

Les meilleurs auteurs parlent trop.

CXVI

La ressource de ceux qui n'imaginent pas est de conter.

CXVII

La stérilité de sentiment nourrit la paresse.

CXVIII

Un homme qui ne dîne ni ne soupe chez soi, se croit occupé. Et celui qui passe la matinée à se laver la bouche et à donner audience à son brodeur se moque de l'oisiveté d'un nouvelliste [30] qui se promène tous les jours avant dîner.

CXIX

Il n'y aurait pas beaucoup d'heureux s'il appartenait à autrui de décider de nos occupations et de nos plaisirs.

CXX

Lorsqu'une chose ne peut nous nuire, il faut se moquer de ceux qui nous en détournent.

CXXI

Il y a plus de mauvais conseils que de caprices.

CXXII

Il ne faut pas croire aisément que ce que la nature a fait aimable soit vicieux. Il n'y a point de siècle et de peuples qui n'aient établi des vertus et des vices imaginaires.

CXXIII

La raison nous trompe plus souvent que la nature.

CXXIV

La raison ne connaît pas les intérêts du cœur.

CXXV

Si la passion conseille quelquefois plus hardiment que la réflexion, c'est qu'elle donne plus de force pour exécuter.

CXXVI

Si les passions font plus de fautes que le jugement, c'est par la même raison que ceux qui gouvernent font plus de fautes que les hommes privés.

CXXVII

Les grandes pensées viennent du cœur.

CXXVIII

Le bon instinct n'a pas besoin de la raison, mais il la donne.

CXXIX

On paie chèrement les moindres biens, lorsqu'on ne les tient que de la raison.

CXXX

La magnanimité ne doit pas compte à la prudence de ses motifs.

CXXXI

Personne n'est sujet à plus de fautes que ceux qui n'agissent que par réflexion.

CXXXII

On ne fait pas beaucoup de grandes choses par conseil.

CXXXIII

La conscience est la plus changeante des règles.

CXXXIV

La fausse conscience ne se connaît pas.

CXXXV

La conscience est présomptueuse dans les saints, timide dans les faibles et les malheureux, inquiète dans les indécis, etc. Organe obéissant du sentiment qui nous domine et des opinions qui nous gouvernent.

CXXXVI

La conscience des mourants calomnie leur vie.

CXXXVII

La fermeté ou la faiblesse de la mort dépend de la dernière maladie.

CXXXVIII

La nature épuisée par la douleur assoupit quelquefois le sentiment dans les malades, et arrête la volubilité de leur esprit. Et ceux qui redoutaient la mort sans péril, la souffrent sans crainte.

CXXXIX

La maladie éteint dans quelques hommes le courage, et dans quelques autres la peur, et jusqu'à l'amour de la vie.

CXL

On ne peut juger de la vie par une plus fausse règle que la mort.

CXLI

Il est injuste d'exiger d'une âme atterrée et vaincue par les secousses d'un mal redoutable, qu'elle conserve la même vigueur qu'elle a fait paraître en d'autres temps. Est-on surpris qu'un malade ne puisse plus ni marcher, ni veiller, ni se soutenir ? Ne serait-il pas plus étrange s'il était encore le même homme qu'en pleine santé ? Si nous avons eu la migraine et que nous ayons mal dormi, on nous excuse d'être incapables ce jour-là d'application, et personne ne nous soupçonne d'avoir toujours été inappliqués. Refuserons-nous à un homme qui se meurt, le privilège que nous accordons à celui qui a mal à la tête, et oserons-nous assurer qu'il n'a jamais eu de courage pendant sa santé, parce qu'il en aura manqué à l'agonie ?

CXLII

Pour exécuter de grandes choses, il faut vivre comme si on ne devait jamais mourir.

CXLIII

La pensée de la mort nous trompe ; car elle nous fait oublier de vivre.

CXLIV

Je dis quelquefois en moi-même : la vie est trop courte pour mériter que je m'en inquiète. Mais si quelque importun me rend visite, et qu'il m'empêche de sortir ou de m'habiller, je perds patience, et ne puis supporter de m'ennuyer une demi-heure.

CXLV

La plus fausse de toutes les philosophies est celle qui sous prétexte d'affranchir les hommes des embarras des passions, leur conseille l'oisiveté, l'abandon et l'oubli d'eux-mêmes.

CXLVI

Si toute notre prévoyance ne peut rendre notre vie heureuse, combien moins notre nonchalance ?

CXLVII

Personne ne dit le matin : Un jour est bientôt passé, attendons la nuit. Au contraire on rêve la veille à ce que l'on fera le lendemain. On serait bien marri de passer un seul jour à la merci du temps et des fâcheux. On n'oserait laisser au hasard la disposition de quelques heures, et on a raison. Car qui peut se promettre de passer une heure sans ennui, s'il ne prend soin de remplir à son gré ce court espace ? Mais ce qu'on n'oserait se promettre pour une heure, on se le promet quelquefois pour toute la vie. Et on dit : Nous sommes bien fous de nous tant inquiéter de l'avenir ; c'est-à-dire, nous sommes bien fous de ne pas commettre au hasard nos destinées, et de pourvoir à l'intervalle qui est entre nous et la mort.

CXLVIII

Ni le dégoût n'est une marque de santé, ni l'appétit n'est une maladie : mais tout au contraire. Ainsi pense-t-on sur le corps. Mais on juge de l'âme sur d'autres principes. On suppose qu'une âme forte est celle qui est exempte de passions. Et comme la jeunesse est plus ardente et plus active que le dernier âge, on la regarde comme un temps de fièvre : et on place la force de l'homme dans sa décadence.

CXLIX

L'esprit est l'œil de l'âme, non sa force. Sa force est dans le cœur, c'est-à-dire dans les passions. La raison la plus éclairée ne donne pas d'agir et de vouloir. Suffit-il d'avoir la vue bonne pour marcher ? Ne faut-il pas encore avoir des pieds, et la volonté avec la puissance de les remuer ?

CL

La raison et le sentiment se conseillent et se suppléent tour à tour. Quiconque ne consulte qu'un des deux, et renonce à l'autre, se prive inconsidérément soi-même d'une partie des secours qui nous ont été accordés pour nous conduire.

CLI

Nous devons peut-être aux passions les plus grands avantages de l'esprit.

CLII

Si les hommes n'avaient pas aimé la gloire, ils n'avaient ni assez d'esprit ni assez de vertu pour la mériter.

CLIII

Aurions-nous cultivé les arts sans les passions ; et la réflexion toute seule nous aurait-elle fait connaître nos ressources, nos besoins et notre industrie ?

CLIV

Les passions ont appris aux hommes la raison.

CLV

Dans l'enfance de tous les peuples comme dans celle des particuliers, le sentiment a toujours précédé la réflexion, et en a été le premier maître.

CLVI

Qui considérera la vie d'un seul homme y trouvera toute l'histoire du genre humain, que la science et l'expérience n'ont pu rendre bon.

CLVII

S'il est vrai qu'on ne peut anéantir le vice, la science de ceux qui gouvernent est de le faire concourir au bien public.

CLVIII

Les jeunes gens souffrent moins de leurs fautes que de la prudence des vieillards.

CLIX

Les conseils de la vieillesse éclairent sans échauffer comme le soleil de l'hiver.

CLX

Le prétexte ordinaire de ceux qui font le malheur des autres est qu'ils veulent leur bien.

CLXI

Il est injuste d'exiger des hommes qu'ils fassent par déférence pour nos conseils, ce qu'ils ne veulent pas faire pour eux-mêmes.

CLXII

Il faut permettre aux hommes de faire de grandes fautes contre eux-mêmes, pour éviter un plus grand mal : la servitude.

CLXIII

Quiconque est plus sévère que les lois, est un tyran.

CLXIV

Ce qui n'offense pas la société n'est pas du ressort de sa justice.

CLXV

C'est entreprendre sur la clémence de Dieu de punir sans nécessité.

CLXVI

La morale austère anéantit la vigueur de l'esprit, comme les enfants d'Esculape détruisent le corps, pour détruire un vice du sang, souvent imaginaire.

CLXVII

La clémence vaut mieux que la justice.

CLXVIII

Nous blâmons beaucoup les malheureux des moindres fautes, et les plaignons peu des plus grands malheurs.

CLXIX

Nous réservons notre indulgence pour les parfaits.

CLXX

On ne plaint pas un homme d'être un sot; et peut-être qu'on a raison. Mais il est fort plaisant d'imaginer que c'est sa faute.

CLXXI

Nul homme n'est faible par choix.

CLXXII

Nous querellons les malheureux pour nous dispenser de les plaindre.

CLXXIII

La générosité souffre des maux d'autrui comme si elle en était responsable.

CLXXIV

L'ingratitude la plus odieuse, mais la plus commune et la plus ancienne, est celle des enfants envers leurs pères.

CLXXV

Nous ne savons pas beaucoup de gré à nos amis d'estimer nos bonnes qualités, s'ils osent seulement s'apercevoir de nos défauts.

CLXXVI

On peut aimer de tout son cœur ceux en qui on reconnaît de grands défauts. Il y aurait de l'impertinence à croire que la perfection a seule le droit de nous plaire. Nos faiblesses nous attachent quelquefois les uns aux autres autant que pourrait faire la vertu.

CLXXVII

Les princes font beaucoup d'ingrats parce qu'ils ne donnent pas tout ce qu'ils peuvent.

CLXXVIII

La haine est plus vive que l'amitié, moins que l'amour.

CLXXIX

Si nos amis nous rendent des services, nous pensons qu'à titre d'amis ils nous les doivent; et nous ne pensons point du tout qu'ils ne nous doivent pas leur amitié.

CLXXX

On n'est pas né pour la gloire lorsqu'on ne connaît pas le prix du temps.

CLXXXI

L'activité fait plus de fortunes que la prudence.

CLXXXII

Celui qui serait né pour obéir, obéirait jusque sur le trône.

CLXXXIII

Il ne paraît pas que la nature ait fait les hommes pour l'indépendance.

CLXXXIV

Pour se soustraire à la force, on a été obligé de se soumettre à la justice. La justice, ou la force, il a fallu opter entre ces deux maîtres ; tant nous étions peu faits pour être libres.

CLXXXV

La dépendance est née de la société.

CLXXXVI

Faut-il s'étonner que les hommes aient cru que les animaux étaient faits pour eux, s'ils pensent même ainsi de leurs semblables et que la fortune accoutume les puissants à ne compter qu'eux sur la terre ?

CLXXXVII

Entre rois, entre peuples, entre particuliers, le plus fort se donne des droits sur le plus faible, et la même règle est suivie par les animaux et les êtres inanimés ; de sorte que tout s'exécute dans l'univers par la violence. Et cet ordre que nous blâmons avec quelque apparence de justice, est la loi la plus générale, la plus immuable et la plus ancienne de la nature.

CLXXXVIII

Les faibles veulent dépendre, afin d'être protégés. Ceux qui craignent les hommes, aiment les lois.

CLXXXIX

Qui sait tout souffrir, peut tout oser.

CXC

Il y a des injures qu'il faut dissimuler pour ne pas compromettre son honneur.

CXCI

Il est bon d'être ferme par tempérament, et flexible par réflexion.

CXCII

Les faibles veulent quelquefois qu'on les croie méchants : mais les méchants veulent passer pour bons.

CXCIII

Si l'ordre domine dans le genre humain, c'est une preuve que la raison et la vertu y sont les plus fortes.

CXCIV

La loi des esprits n'est pas différente de celles des corps, qui ne peuvent se maintenir que par une continuelle nourriture.

CXCV

Lorsque les plaisirs nous ont épuisés, nous croyons avoir épuisé les plaisirs; et nous disons que rien ne peut remplir le cœur de l'homme.

CXCVI

Nous méprisons beaucoup de choses pour ne pas nous mépriser nous-mêmes.

CXCVII

Notre dégoût n'est point un défaut et une insuffisance des objets extérieurs, comme nous aimons à le croire, mais un épuisement de nos propres organes et un témoignage de notre faiblesse.

CXCVIII

Le feu, l'air, l'esprit, la lumière, tout vit par l'action. De là la communication et l'alliance de tous les êtres. De là l'unité et l'harmonie dans l'univers. Cependant cette loi de la nature si féconde, nous trouvons que c'est un vice dans l'homme. Et parce qu'il est obligé d'y obéir, ne pouvant subsister dans le repos, nous concluons qu'il est hors de sa place.

CXCIX

L'homme ne se propose le repos que pour s'affranchir de la sujétion et du travail. Mais il ne peut jouir que par l'action, et n'aime qu'elle.

CC

Le fruit du travail est le plus doux des plaisirs.

CCI

Où tout est dépendant, il y a un maître. L'air appartient à l'homme, et l'homme à l'air; et rien n'est à soi ni à part.

CCII

O soleil! O cieux! Qu'êtes-vous? Nous avons surpris le secret et l'ordre de vos mouvements. Dans la main de l'Être des êtres instruments aveugles et ressorts peut-être insensibles, le monde sur qui vous régnez mériterait-il nos hommages? Les révolutions[31] des empires, la diverse face des temps, les nations qui ont dominé, et les hommes qui ont fait la destinée de ces nations mêmes, les principales opinions et les coutumes, qui ont partagé la créance des peuples dans la religion, les arts, la morale et les sciences, tout cela que peut-il paraître? Un atome presque invisible, qu'on appelle l'homme, qui rampe sur la face de la terre, et qui ne dure qu'un jour, embrasse en quelque sorte d'un coup d'œil le spectacle de l'univers dans tous les âges.

CCIII

Quand on a beaucoup de lumières, on admire peu. Lorsque l'on en manque, de même. L'admiration marque le degré de nos connaissances, et prouve moins souvent la perfection des choses que l'imperfection de notre esprit.

CCIV

Ce n'est pas un grand avantage d'avoir l'esprit vif, si on ne l'a juste. La perfection d'une pendule n'est pas d'aller vite, mais d'être réglée.

CCV

Parler imprudemment et parler hardiment est presque toujours la même chose : mais on peut parler sans prudence, et parler juste. Et il ne faut pas croire qu'un homme a l'esprit faux, parce que la hardiesse de son caractère, ou la vivacité de ses passions, lui auront arraché malgré lui-même quelque vérité périlleuse.

CCVI

Il y a plus de sérieux que de folie dans l'esprit des hommes. Peu sont nés plaisants. La plupart le deviennent par imitation, froids copistes de la vivacité et de la gaieté.

CCVII

Ceux qui se moquent des penchants sérieux, aiment sérieusement les bagatelles.

CCVIII

Différent génie, différent goût. Ce n'est pas toujours par jalousie que réciproquement on se rabaisse.

CCIX

On juge des productions de l'esprit comme des ouvrages mécaniques. Lorsque l'on achète une bague, on dit : celle-là est trop grande ; l'autre est trop petite, jusqu'à ce qu'on en rencontre une pour son doigt. Mais il n'en reste pas chez le joaillier : car celle qui m'est trop petite, va bien à un autre.

CCX

Lorsque deux auteurs ont également excellé en divers genres, on n'a pas ordinairement assez d'égard à la subordination de leurs talents : et Despreaux va de pair avec Racine. Cela est injuste.

CCXI

J'aime un écrivain qui embrasse tous les temps et tous les pays, et rapporte beaucoup d'effets à peu de causes, qui compare les préjugés et les mœurs de différents siècles, qui par des exemples tirés de la peinture ou de la musique, me fait connaître les beautés de l'éloquence et l'étroite liaison des arts. Je dis d'un homme qui rapproche ainsi les choses humaines, qu'il a un grand génie, si ses conséquences sont justes. Mais s'il conclut mal, je présume qu'il distingue mal les objets, ou qu'il n'aperçoit pas d'un seul coup d'œil tout leur ensemble, et qu'enfin quelque chose manque à l'étendue ou à la profondeur de son esprit.

CCXII

On discerne aisément la vraie de la fausse étendue d'esprit, car l'une agrandit ses sujets ; et l'autre par l'abus des épisodes et par le faste de l'érudition les anéantit.

CCXIII

Quelques exemples rapportés en peu de mots, et à leur place, donnent plus d'éclat, plus de poids, et plus d'autorité aux réflexions : mais trop d'exemples et trop de détails énervent toujours un discours. Les digressions, trop longues ou trop fréquentes, rompent l'unité du sujet, et lassent les lecteurs sensés, qui ne veulent pas qu'on les détourne de l'objet principal, et qui d'ailleurs ne peuvent suivre, sans beaucoup de peine, une trop longue chaîne de faits et de preuves. On ne saurait trop rapprocher les choses, ni trop tôt conclure. Il faut saisir d'un coup d'œil la véritable preuve de son discours, et courir à la conclusion. Un esprit perçant fuit les épisodes, et laisse aux écrivains médiocres le soin de s'arrêter à cueillir toutes les fleurs qui se trouvent sur leur chemin. C'est à eux d'amuser le peuple, qui lit sans objet, sans pénétration et sans goût.

CCXIV

Le sot qui a beaucoup de mémoire, est plein de pensées et de faits ; mais il ne sait pas en conclure : tout tient à cela.

CCXV

Savoir bien rapprocher les choses, voilà l'esprit juste. Le don de rapprocher beaucoup de choses, et de grandes choses, fait les esprits vastes. Ainsi la justesse paraît être le premier degré, et une condition très nécessaire de la vraie étendue d'esprit.

CCXVI

Un homme qui digère mal et qui est vorace, est peut-être une image assez fidèle du caractère d'esprit de la plupart des savants.

CCXVII

Je n'approuve point la maxime qui veut *qu'un honnête homme sache un peu de tout*. C'est savoir presque toujours inutilement, et quelquefois pernicieusement, que de savoir superficiellement et sans principes. Il est vrai que la plupart des hommes ne sont guère capables de connaître profondément : mais il est vrai aussi que cette science superficielle qu'ils recherchent, ne sert qu'à contenter leur vanité. Elle nuit à ceux qui possèdent un vrai génie ; car elle les détourne nécessairement de leur objet principal, consume leur application dans les détails, et sur des objets étrangers à leurs besoins, et à leurs talents naturels. Et enfin elle ne sert point, comme ils s'en flattent, à prouver l'étendue de leur esprit. De tout temps on a vu des hommes qui savaient beaucoup avec un esprit très médiocre ; et au contraire des esprits très vastes qui savaient fort peu. Ni l'ignorance n'est défaut d'esprit, ni le savoir n'est preuve de génie.

CCXVIII

La vérité échappe au jugement, comme les faits échappent à la mémoire. Les diverses faces des choses s'emparent tour à tour d'un esprit vif, et lui font quitter et reprendre successivement les mêmes opinions. Le goût n'est pas moins inconstant. Il s'use sur les choses les plus agréables, et varie comme notre humeur.

CCXIX

Il y a peut-être autant de vérités parmi les hommes que d'erreurs, autant de bonnes qualités que de mauvaises, autant de plaisirs que de peines : mais nous aimons à contrôler la nature humaine, pour essayer de nous élever au-dessus de notre espèce, et pour nous enrichir de la considération dont nous tâchons de la dépouiller. Nous sommes si présomptueux que nous croyons pouvoir séparer notre intérêt personnel de celui de l'humanité, et médire du genre humain sans nous commettre. Cette vanité ridicule a rempli les livres des philosophes d'invectives contre la nature. L'homme est maintenant en disgrâce chez tous ceux qui pensent, et c'est à qui le chargera de plus de vices. Mais peut-être est-il sur le point de se relever et de se faire restituer toutes ses vertus ; car la philosophie a ses modes comme les habits, la musique et l'architecture, etc.

CCXX

Sitôt qu'une opinion devient commune, il ne faut point d'autre raison pour obliger les hommes à l'abandonner et à embrasser son contraire ; jusqu'à ce que celle-ci vieillisse à son tour, et qu'ils aient besoin de se distinguer par d'autres choses. Ainsi s'ils atteignent le but dans quelque art ou dans quelque science, on doit s'attendre qu'ils le passeront pour acquérir une nouvelle gloire. Et c'est ce qui fait en partie que les plus beaux siècles dégénèrent si promptement, et qu'à peine sortis de la barbarie, ils s'y replongent.

CCXXI

Les grands hommes en apprenant aux faibles à réfléchir, les ont mis sur la route de l'erreur.

CCXXII

Où il y a de la grandeur, nous la sentons malgré nous. La gloire des conquérants a toujours été combattue ; les peuples en ont toujours souffert : et ils l'ont toujours respectée.

CCXXIII

Le contemplateur mollement couché et dans une chambre tapissée, invective contre le soldat, qui passe les nuits de l'hiver au bord d'un fleuve, et veille en silence sous les armes pour la sûreté de la patrie.

CCXXIV

Ce n'est pas à porter la faim et la misère chez les étrangers qu'un héros attache la gloire, mais à les souffrir pour l'État : ce n'est pas à donner la mort, mais à la braver.

CCXXV

Le vice fomente la guerre : la vertu combat. S'il n'y avait aucune vertu, nous aurions pour toujours la paix.

CCXXVI

La vigueur d'esprit ou l'adresse ont fait les premières fortunes. L'inégalité des conditions est née de celle des génies et des courages.

CCXXVII

Il est faux que l'égalité soit une loi de la nature. La nature n'a rien fait d'égal. Sa loi souveraine est la subordination et la dépendance.

CCXXVIII

Qu'on tempère, comme on voudra, la souveraineté dans un État, nulle loi n'est capable d'empêcher un tyran d'abuser de l'autorité de son emploi.

CCXXIX

On est forcé de respecter les dons de la nature, que l'étude, ni la fortune ne peuvent donner.

CCXXX

La plupart des hommes sont si resserrés dans la sphère de leur condition, qu'ils n'ont pas même le courage d'en sortir par leurs idées. Et si on en voit quelques-uns que la spéculation des grandes choses rend en quelque sorte incapables des petites, on en trouve encore davantage à qui la pratique des petites a ôté jusqu'au sentiment des grandes.

CCXXXI

Les espérances les plus ridicules et les plus hardies ont été quelquefois la cause des succès extraordinaires [32].

CCXXXII

Les sujets font leur cour avec bien plus de goût que les princes ne la reçoivent. Il est toujours plus sensible d'acquérir que de jouir.

CCXXXIII

Nous croyons négliger la gloire par pure paresse, tandis que nous prenons des peines infinies pour les plus petits intérêts.

CCXXXIV

Nous aimons quelquefois jusqu'aux louanges, que nous ne croyons pas sincères.

CCXXXV

Il faut de grandes ressources dans l'esprit et dans le cœur, pour goûter la sincérité lorsqu'elle blesse, ou pour la pratiquer sans qu'elle offense. Peu de gens ont assez de fond pour souffrir la vérité et pour la dire.

CCXXXVI

Il y a des hommes qui, sans y penser, se forment une idée de leur figure, qu'ils empruntent du sentiment qui les domine. Et c'est peut-être par cette raison qu'un fat se croit toujours beau [33].

CCXXXVII

Ceux qui n'ont que de l'esprit ont du goût pour les grandes choses, et de la passion pour les petites.

CCXXXVIII

La plupart des hommes vieillissent dans un petit cercle d'idées, qu'ils n'ont pas tirées de leur fond. Il y a peut-être moins d'esprits faux que de stériles.

CCXXXIX

Tout ce qui distingue les hommes paraît peu de chose. Qu'est-ce qui fait la beauté ou la laideur, la santé ou l'infirmité, l'esprit ou la stupidité ? Une légère différence

des organes, un peu plus ou un peu moins de bile, etc.
Cependant ce plus ou ce moins, est d'une importance
infinie pour les hommes. Et lorsqu'ils en jugent autrement, ils sont dans l'erreur.

CCXL

Deux choses peuvent à peine remplacer dans la vieillesse les talents et les agréments; la réputation, ou les
richesses.

CCXLI

Nous n'aimons pas les *zélés* qui font profession de
mépriser tout ce dont nous nous piquons, pendant qu'ils
se piquent eux-mêmes des choses encore plus méprisables.

CCXLII

Quelque vanité qu'on nous reproche, nous avons besoin quelquefois qu'on nous assure de notre mérite.

CCXLIII

Nous nous consolons rarement des grandes humilia-
tions. Nous les oublions.

CCXLIV

Moins on est puissant dans le monde, plus on peut
commettre de fautes impunément, ou avoir inutilement
un vrai mérite.

CCXLV

Lorsque la fortune veut humilier les sages, elle les surprend dans ces petites occasions, où l'on est ordinairement sans précaution et sans défense. Le plus habile homme du monde ne peut empêcher que de légères fautes n'entraînent quelquefois d'horribles malheurs. Et il perd sa réputation ou sa fortune par une petite imprudence, comme un autre se casse la jambe en se promenant dans sa chambre.

CCXLVI

Il n'y a point d'homme qui ne porte dans son caractère une occasion continuelle de faire des fautes. Et si elles sont sans conséquence, c'est à la fortune qu'il le doit.

CCXLVII

Nous sommes consternés de nos rechutes, et de voir que nos malheurs mêmes n'ont pu nous corriger de nos défauts.

CCXLVIII

La nécessité modère plus de peines que la raison.

CCXLIX

La nécessité empoisonne les maux qu'elle ne peut guérir.

CCL

Les favoris de la fortune ou de la gloire, malheureux à nos yeux, ne nous détournent point de l'ambition.

CCLI

La patience est l'art d'espérer.

CCLII

Le désespoir comble [34] non seulement notre misère, mais notre faiblesse.

CCLIII

Ni les dons, ni les coups de la fortune n'égalent ceux de la nature, qui la passe en rigueur comme en bonté.

CCLIV

Les biens et les maux extrêmes ne se font pas sentir aux âmes médiocres.

CCLV

Il y a peut-être plus d'esprits légers dans ce qu'on appelle le monde que dans les conditions moins fortunées.

CCLVI

Les gens du monde ne s'entretiennent pas de si petites choses que le peuple. Mais le peuple ne s'occupe pas de choses si frivoles que les gens du monde.

CCLVII

On trouve dans l'histoire de grands personnages que la volupté ou l'amour ont gouvernés. Elle n'en rappelle pas à ma mémoire qui aient été galants. Ce qui fait le mérite essentiel de quelques hommes ne peut même subsister dans quelques autres comme un faible.

CCLVIII

Nous courons quelquefois les hommes qui nous ont imposé par leurs dehors, comme de jeunes gens qui suivent amoureusement un masque, le prenant pour la plus belle femme du monde, et qui le harcellent, jusqu'à ce qu'ils l'obligent à se découvrir, et de leur faire voir qu'il est un petit homme avec de la barbe et un visage noir.

CCLIX

Le sot s'assoupit et fait diète en bonne compagnie, comme un homme que la curiosité a tiré de son élément, et qui ne peut ni respirer ni vivre dans un air subtil.

CCLX

Le sot est comme le peuple, qui se croit riche de peu.

CCLXI

Lorsqu'on ne veut rien perdre ni cacher de son esprit, on en diminue d'ordinaire la réputation.

CCLXII

Des auteurs sublimes n'ont pas négligé de primer encore par les agréments, flattés de remplir l'intervalle de ces deux extrêmes, et d'embrasser toute la sphère de l'esprit humain. Le public, au lieu d'applaudir à l'univer-

qui a représenté les passions avec des traits de feu et de lumière, et enrichi le théâtre de nouvelles grâces : savant à imiter le caractère et à saisir l'esprit des bons ouvrages de chaque nation par l'extrême étendue de son génie, mais n'imitant rien d'ordinaire qu'il ne l'embellisse : éclatant jusque dans les fautes qu'on a cru remarquer dans ses écrits, et tel que malgré leurs défauts, et malgré les efforts de la critique, il a occupé sans relâche de ses veilles ses amis et ses ennemis, et porté chez les étrangers dès sa jeunesse la réputation de nos Lettres, dont il a reculé toutes les bornes [35].

CCLXVI

Si on ne regarde que certains ouvrages des meilleurs auteurs, on sera tenté de les mépriser. Pour les apprécier avec justice, il faut tout lire.

CCLXVII

Il ne faut point juger des hommes par ce qu'ils ignorent, mais par ce qu'ils savent, et par la manière dont ils le savent.

CCLXVIII

On ne doit pas non plus demander aux auteurs une perfection qu'ils ne puissent atteindre. C'est faire trop d'honneur à l'esprit humain de croire que des ouvrages irréguliers n'aient jamais le droit de lui plaire, surtout si ces ouvrages peignent les passions. Il n'est pas besoin d'un grand art pour faire sortir les meilleurs esprits de leur assiette, et pour leur cacher les défauts d'un tableau hardi et touchant. Cette parfaite régularité qui manque aux auteurs, ne se trouve point dans nos propres conceptions. Le caractère naturel de l'homme ne comporte pas tant de règle. Nous ne devons pas supposer dans le

salité de leurs talents, a cru qu'ils étaient incapables de se soutenir dans l'héroïque. Et on n'ose les égaler à ces grands hommes qui, s'étant renfermés soigneusement dans un seul et beau caractère, paraissent avoir dédaigné de dire tout ce qu'ils ont tu, et abandonné aux génies subalternes les talents médiocres.

CCLXIII

Ce qui paraît aux uns étendue d'esprit, n'est aux yeux des autres que mémoire et légèreté.

CCLXIV

Il est aisé de critiquer un auteur; mais il est difficile de l'apprécier.

CCLXV

Je n'ôte rien à l'illustre Racine, le plus sage et le plus éloquent des poètes, pour n'avoir pas traité beaucoup de choses qu'il eût embellies, content d'avoir montré dans un seul genre la richesse et la sublimité de son esprit. Mais je me sens forcé de respecter un génie hardi et fécond, élevé, pénétrant, facile, infatigable; aussi ingénieux et aussi aimable dans les ouvrages de pur agrément que vrai et pathétique dans les autres : d'une vaste imagination, qui a embrassé et pénétré rapidement toute l'économie des choses humaines; à qui ni les sciences abstraites, ni les arts, ni la politique, ni les mœurs des peuples, ni leurs opinions, ni leurs histoires, ni leurs langues mêmes n'ont pu échapper : illustre, en sortant de l'enfance, par la grandeur et par la force de sa poésie, féconde en pensées; et bientôt après par les charmes et par le caractère original et plein de raison de sa prose : philosophe et peintre sublime, qui a semé avec éclat dans ses écrits tout ce qu'il y a de grand dans l'esprit des hommes,

sentiment une délicatesse que nous n'avons que par réflexion. Il s'en faut de beaucoup que notre goût soit
toujours aussi difficile à contenter que notre esprit.

CCLXIX

Il nous est plus facile de nous teindre d'une infinité de
connaissances, que d'en bien posséder un petit nombre.

CCLXX

Jusqu'à ce qu'on rencontre le secret de rendre les
esprits plus justes, tous les pas que l'on pourra faire dans
la vérité, n'empêcheront pas les hommes de raisonner
faux : et plus on voudra les pousser au-delà des notions
communes, plus on les mettra en péril de se tromper.

CCLXXI

Il n'arrive jamais que la littérature et l'esprit de raisonnement deviennent le partage de toute une nation, qu'on
ne voie aussitôt dans la philosophie et dans les beaux arts,
ce qu'on remarque dans les gouvernements populaires,
où il n'y a point de puérilités et de fantaisies qui ne se
produisent, et ne trouvent des partisans.

CCLXXII

L'erreur ajoutée à la vérité ne l'augmente point. Ce
n'est pas étendre la carrière des arts que d'admettre de
mauvais genres ; c'est gâter le goût. C'est corrompre le
jugement des hommes qui se laisse aisément séduire par
les nouveautés, et qui mêlant ensuite le vrai et le faux, se
détourne bientôt dans ses productions de l'imitation de la
nature, et s'appauvrit ainsi en peu de temps par la vaine
ambition d'imaginer et de s'écarter des anciens modèles.

CCLXXIII

Ce que nous appelons une pensée brillante, n'est ordinairement qu'une expression captieuse, qui à l'aide d'un peu de vérité, nous impose une erreur qui nous étonne.

CCLXXIV

Qui a le plus, a, dit-on, le moins. Cela est faux. Le roi d'Espagne tout-puissant qu'il est, ne peut rien à Lucques [36]. Les bornes des talents sont encore plus inébranlables que celles des empires. Et on usurperait plutôt toute la terre que la moindre vertu.

CCLXXV

La plupart des grands personnages ont été les hommes de leur siècle les plus éloquents. Les auteurs des plus beaux systèmes, les chefs de parti et de sectes, ceux qui ont eu dans tous les temps le plus d'empire sur l'esprit des peuples, n'ont dû la meilleure partie de leur succès qu'à l'éloquence vive et naturelle de leur âme. Il ne paraît pas qu'ils aient cultivé la poésie avec le même bonheur. C'est que la poésie ne permet guère que l'on se partage, et qu'un art si sublime et si pénible se peut rarement allier avec l'embarras des affaires et les occupations tumultuaires de la vie : au lieu que l'éloquence se mêle partout, et qu'elle doit la plus grande partie de ses séductions à l'esprit de médiation et de manège, qui forme les hommes d'État et les politiques, etc.

CCLXXVI

C'est une erreur dans les Grands de croire qu'ils peuvent prodiguer sans conséquence leurs paroles et leurs promesses. Les hommes souffrent avec peine qu'on leur ôte ce qu'ils se sont en quelque sorte appropriés par l'espérance. On ne les trompe pas longtemps sur leurs intérêts, et ils ne haïssent rien tant que d'être dupes. C'est par cette raison qu'il est si rare que la fourberie réussisse. Il faut de la sincérité et de la droiture, même pour séduire. Ceux qui ont abusé les peuples sur quelque intérêt général, étaient fidèles aux particuliers. Leur habileté consistait à captiver les esprits par des avantages réels. Quand on connaît bien les hommes, et qu'on veut les faire servir à ses desseins, on ne compte point sur un appât aussi frivole que celui des discours et des promesses. Ainsi les grands orateurs, s'il m'est permis de joindre ces deux choses, ne s'efforcent pas d'imposer par un tissu de flatteries et d'impostures, par une dissimulation continuelle et par un langage purement ingénieux. S'ils cherchent à faire illusion sur quelque point principal, ce n'est qu'à force de sincérités et de vérités de détail; car le mensonge est faible par lui-même : il faut qu'il se cache avec soin. Et s'il arrive qu'on persuade quelque chose par des discours spécieux, ce n'est pas sans beaucoup de peine. On aurait grand tort d'en conclure que ce soit en cela que consiste l'éloquence. Jugeons au contraire par ce pouvoir des simples apparences de la vérité, combien la vérité elle-même est éloquente et supérieure à notre art.

CCLXXVII

Un menteur est un homme qui ne sait pas tromper. Un flatteur, celui que ne trompe ordinairement que les sots. Celui qui sait se servir avec adresse de la vérité et qui en connaît l'éloquence, peut seul se piquer d'être habile.

CCLXXVIII

Est-il vrai que les qualités dominantes excluent les autres ? Qui a plus d'imagination que Bossuet, Montaigne, Descartes, Pascal, tous grands philosophes ? Qui a plus de jugement et de sagesse que Racine, Boileau, La Fontaine, Molière, tous poètes pleins de génie?

CCLXXIX

Descartes a pu se tromper dans quelques-uns de ses principes, et ne se point tromper dans ses conséquences, sinon rarement. On aurait donc tort, ce me semble, de conclure de ses erreurs que l'imagination et l'invention ne s'accordent point avec la justesse. La grande vanité de ceux qui n'imaginent pas, est de se croire seuls judicieux. Ils ne font pas attention que les erreurs de Descartes, génie créateur, ont été celles de trois ou quatre mille philosophes, tous gens sans imagination. Les esprits subalternes n'ont point d'erreur en leur privé nom, parce qu'ils sont incapables d'inventer, même en se trompant : mais ils sont toujours entraînés, sans le savoir, par l'erreur d'autrui. Et lorsqu'ils se trompent d'eux-mêmes, ce qui peut arriver souvent, c'est dans des détails et des conséquences. Mais leurs erreurs ne sont ni assez vraisemblables pour être contagieuses, ni assez importantes pour faire du bruit.

CCLXXX

Ceux qui sont nés éloquents parlent quelquefois avec tant de clarté et de brièveté des grandes choses, que la plupart des hommes n'imaginent point qu'ils en parlent avec profondeur. Les esprits pesants, les sophistes ne reconnaissent pas la philosophie, lorsque l'éloquence la rend populaire, et qu'elle ose peindre le vrai avec des traits fiers et hardis. Ils traitent de superficielle et de frivole cette splendeur d'expression qui emporte avec elle la preuve des grandes pensées. Ils veulent des définitions, des discussions, des détails et des arguments. Si Locke eût rendu vivement en peu de pages les sages vérités de ses écrits, ils n'auraient osé le compter parmi les philosophes de son siècle.

CCLXXXI

C'est un malheur que les hommes ne puissent d'ordinaire posséder aucun talent, sans avoir quelque envie d'abaisser les autres. S'ils ont de la finesse, ils décrient la force ; s'ils sont géomètres ou physiciens, ils écrivent contre la poésie et l'éloquence. Et les gens du monde qui ne pensent pas que ceux qui ont excellé dans quelque genre, jugent mal d'un autre talent, se laissent prévenir par leurs décisions. Ainsi quand la métaphysique ou l'algèbre sont à la mode, ce sont des métaphysiciens et des algébristes, qui font la réputation des poètes et des musiciens. Ou tout au contraire. L'esprit dominant assujettit les autres à son tribunal, et la plupart du temps à ses erreurs.

CCLXXXII

Qui peut se vanter de juger, ou d'inventer, ou d'entendre, à toutes les heures du jour ? Les hommes n'ont qu'une petite portion d'esprit, de goût, de talent, de vertu, de gaieté, de santé, de force, etc. Et ce peu qu'ils ont en partage, ils ne le possèdent point à leur volonté, ni dans le besoin, ni dans tous les âges.

CCLXXXIII

C'est une maxime inventée par l'envie, et trop légèrement adoptée par les philosophes : *Qu'il ne faut point louer les hommes avant leur mort*. Je dis au contraire que c'est pendant leur vie qu'il faut les louer, lorsqu'ils ont mérité de l'être. C'est pendant que la jalousie et la calomnie, animées contre leur vertu ou leurs talents, s'efforcent de les dégrader, qu'il faut oser leur rendre témoignage. Ce sont les critiques injustes qu'il faut craindre de hasarder, et non les louanges sincères.

CCLXXXIV

L'envie ne saurait se cacher. Elle accuse et juge sans preuves. Elle grossit les défauts, elle a des qualifications énormes pour les moindres fautes. Son langage est rempli de fiel, d'exagération et d'injure. Elle s'acharne avec opiniâtreté et avec fureur contre le mérite éclatant. Elle est aveugle, emportée, insensée, brutale.

CCLXXXV

Il faut exciter dans les hommes le sentiment de leur prudence et de leur force, si on veut élever leur génie. Ceux qui par leurs discours ou leurs écrits ne s'attachent qu'à relever les ridicules et les faiblesses de l'humanité, sans distinction ni égards, éclairent bien moins la raison et les jugements du public, qu'ils ne dépravent ses inclinations.

CCLXXXVI

Je n'admire point un sophiste qui réclame contre la gloire et contre l'esprit des grands hommes. En ouvrant mes yeux sur le faible des plus beaux génies, il m'apprend à l'apprécier lui-même ce qu'il peut valoir. Il est le premier que je raie du tableau des hommes illustres.

CCLXXXVII

Nous avons grand tort de penser que quelque défaut que ce soit, puisse exclure toute vertu, ou de regarder l'alliance du bien et du mal comme un monstre et comme une énigme. C'est faute de pénétration que nous concilions si peu de choses.

CCLXXXVIII

Les faux philosophes s'efforcent d'attirer l'attention des hommes, en faisant remarquer dans notre esprit des contrariétés et des difficultés qu'ils forment eux-mêmes; comme d'autres amusent les enfants par des tours de cartes, qui confondent leur jugement, quoique naturels et sans magie. Ceux qui nouent ainsi les choses, pour avoir le mérite de les dénouer, sont les charlatans de la morale.

CCLXXXIX

Il n'y a point de contradictions dans la nature.

CCXC

Est-il contre la raison ou la justice de s'aimer soi-même? Et pourquoi voulons-nous que l'amour-propre soit toujours un vice?

CCXCI

S'il y a un amour de nous-mêmes naturellement officieux et compatissant, et un autre amour-propre sans humanité, sans équité, sans bornes, sans raison, faut-il les confondre?

CCXCII

Quand il serait vrai que les hommes ne seraient vertueux que par raison, que s'ensuivrait-il? Pourquoi si on nous loue avec justice de nos sentiments, ne nous louerait-on pas encore de notre raison? Est-elle moins nôtre que la volonté?

CCXCIII

On suppose que ceux qui servent la vertu par réflexion, la trahiraient pour le vice utile. Oui, si le vice pouvait être tel aux yeux d'un esprit raisonnable.

CCXCIV

Il y a des semences de bonté et de justice dans le cœur de l'homme. Si l'intérêt propre y domine, j'ose dire que cela est non seulement selon la nature, mais aussi selon la justice, pourvu que personne ne souffre de cet amour-propre, ou que la société y perde moins qu'elle n'y gagne.

CCXCV

Celui qui recherche la gloire par la vertu ne demande que ce qu'il mérite.

CCXCVI

J'ai toujours trouvé ridicule que les philosophes aient fait une vertu incompatible avec la nature de l'homme, et qu'après l'avoir ainsi feinte, ils aient prononcé froidement, qu'il n'y avait aucune vertu. Qu'ils parlent du fantôme de leur invention; ils peuvent à leur gré l'abandonner ou le détruire, puisqu'ils l'ont créé. Mais la véritable vertu, celle qu'ils ne veulent pas nommer de ce nom parce qu'elle n'est pas conforme à leurs définitions, celle qui est l'ouvrage de la nature, non le leur, et qui consiste principalement dans la bonté et la vigueur de l'âme, celle-ci n'est point dépendante de leur fantaisie, et sub-sistera à jamais avec des caractères ineffaçables.

CCXCVII

Le corps a ses grâces, l'esprit ses talents. Le cœur n'aurait-il que des vices? Et l'homme capable de raison, serait-il incapable de vertu?

CCXCVIII

Nous sommes susceptibles d'amitié, de justice, d'humanité, de compassion et de raison. O mes amis! Qu'est-ce donc que la vertu?

CCXCIX

Si l'illustre auteur des Maximes eût été tel qu'il a tâché de peindre tous les hommes, mériterait-il nos hommages, et le culte idolâtre de ses prosélytes.

CCC

Ce qui fait que la plupart des livres de morale sont si insipides, est que leurs auteurs ne sont pas sincères. C'est que faibles échos les uns des autres, ils n'oseraient produire[37] leurs propres maximes et leurs secrets sentiments. Ainsi non seulement dans la morale, mais en quelque sujet que ce puisse être, presque tous les hommes passent leur vie à dire et à écrire ce qu'ils ne pensent point. Et ceux qui conservent encore quelque amour de la vérité, excitent contre eux la colère et les préventions du public.

CCCI

Il n'y a guère d'esprits qui soient capables d'embrasser à la fois toutes les faces de chaque sujet. Et c'est là, à ce qu'il me semble, la source la plus ordinaire des erreurs des hommes. Pendant que la plus grande partie d'une nation languit dans la pauvreté, l'opprobre et le travail, l'autre qui abonde en honneurs, en commodités, en plaisirs, ne se lasse pas d'admirer le pouvoir de la politique, qui fait fleurir les arts et le commerce, et rend les États redoutables.

CCCII

Les plus grands ouvrages de l'esprit humain sont très assurément les moins parfaits. Les lois qui sont la plus belle invention de la raison, n'ont pu assurer le repos des peuples sans diminuer leur liberté.

CCCIII

Quelle est quelquefois la faiblesse et l'inconséquence des hommes ! Nous nous étonnons de la grossièreté de nos pères, qui règne cependant encore dans le peuple, la plus nombreuse partie de la nation : et nous méprisons en même temps les belles lettres et la culture de l'esprit, le seul avantage qui nous distingue du peuple et de nos ancêtres.

CCCIV

Le plaisir et l'ostentation l'emportent dans le cœur des grands sur l'intérêt. Nos passions se règlent ordinairement sur nos besoins.

CCCV

Le peuple et les grands n'ont ni les mêmes vertus ni les mêmes vices.

CCCVI

C'est à notre cœur à régler le rang de nos intérêts, et à notre raison de les conduire.

CCCVII

La médiocrité d'esprit et la paresse font plus de philosophes que la réflexion.

CCCVIII

Nul n'est ambitieux par raison, ni vicieux par défaut d'esprit.

CCCIX

Tous les hommes sont clairvoyants sur leurs intérêts ; et il n'arrive guère qu'on les en détache par la ruse. On a admiré dans les négociations la supériorité de la maison d'Autriche, mais pendant l'énorme puissance de cette famille, non après. Les traités les mieux ménagés ne sont que la loi du plus fort.

CCCX

Le commerce est l'école de la tromperie.

CCCXI

A voir comme en usent les hommes, on serait porté quelquefois à penser que la vie humaine et les affaires du monde sont un jeu sérieux, où toutes les finesses sont permises pour usurper le bien d'autrui à nos périls et fortunes; et où l'heureux dépouille en tout honneur le plus malheureux ou le moins habile.

CCCXII

C'est un grand spectacle de considérer les hommes, méditants en secret de s'entre-nuire, et forcés néanmoins de s'entraider contre leur inclination et leur dessein.

CCCXIII

Nous n'avons ni la force ni les occasions d'exécuter tout le bien et tout le mal que nous projetons.

CCCXIV

Nos actions ne sont ni si bonnes, ni si vicieuses, que nos volontés.

CCCXV

Dès que l'on peut faire du bien, on est à même de faire des dupes. Un seul homme en amuse alors une infinité d'autres, tous uniquement occupés de le tromper. Ainsi il en coûte peu aux gens en place pour surprendre leurs inférieurs. Mais il est mal aisé à des misérables, d'imposer à qui que ce soit. Celui qui a besoin des autres, les avertit de se défier de lui. Un homme inutile a bien de la peine à leurrer personne.

CCCXVI

L'indifférence où nous sommes pour la vérité dans la morale, vient de ce que nous sommes décidés à suivre nos passions, quoiqu'il en puisse être. Et c'est ce qui fait que nous n'hésitons pas lorsqu'il faut agir, malgré l'incertitude de nos opinions. Peu m'importe, disent les hommes, de savoir où est la vérité, sachant où est le plaisir.

CCCXVII

Les hommes se défient moins de la coutume et de la tradition de leurs ancêtres, que de leur raison.

CCCXVIII

La force ou la faiblesse de notre créance dépend plus de notre courage que de nos lumières. Tous ceux qui se moquent des augures, n'ont pas toujours plus d'esprit que ceux qui y croient.

CCCXIX

Il est aisé de tromper les plus habiles, en leur proposant des choses qui passent leur esprit et qui intéressent leur cœur.

CCCXX

Il n'y a rien que la crainte et l'espérance ne persuadent aux hommes.

CCCXXI

Qui s'étonnera des erreurs de l'Antiquité, s'il considère qu'encore aujourd'hui, dans le plus philosophe de tous les siècles, bien des gens de beaucoup d'esprit n'oseraient se trouver à une table de treize couverts.

CCCXXII

L'intrépidité d'un homme incrédule, mais mourant, ne peut le garantir de quelque trouble, s'il raisonne ainsi : Je me suis trompé mille fois sur mes plus palpables intérêts, et ai pu me tromper encore sur la religion. Or je n'ai plus le temps ni la force de l'approfondir, et je meurs...

CCCXXIII

La foi est la consolation des misérables, et la terreur des heureux.

CCCXXIV

La courte durée ne peut nous dissuader de ses plaisirs, ni nous consoler de ses peines.

CCCXXV

Ceux qui combattent les préjugés du peuple, croient n'être pas peuple. Un homme qui avait fait à Rome un argument contre les poulets sacrés, se regardait peut-être comme un philosophe.

CCCXXVI

Lorsqu'on rapporte sans partialité les raisons des sectes opposées, et qu'on ne s'attache à aucune, il semble qu'on s'élève en quelque sorte au-dessus de tous les partis. Demandez cependant à ces philosophes neutres, qu'ils choisissent une opinion, ou qu'ils établissent d'eux-mêmes quelque chose, vous verrez qu'ils n'y sont pas moins embarrassés que tous les autres. Le monde est peuplé d'esprits froids, qui n'étant pas capables par eux-mêmes d'inventer, s'en consolent en rejetant toutes les inventions d'autrui, et qui méprisant au-dehors beaucoup de choses, croient se faire plus estimer.

CCCXXVII

Qui sont ceux qui prétendent que le monde est devenu vicieux ? Je les crois sans peine. L'ambition, la gloire, l'amour, en un mot toutes les passions des premiers âges, ne font plus les mêmes désordres et le même bruit. Ce n'est pas peut-être que ces passions soient aujourd'hui moins vives qu'autrefois ; c'est parce qu'on les désavoue et qu'on les combat. Je dis donc que le monde est comme un vieillard, qui conserve tous les désirs de la jeunesse ; mais qui en est honteux et s'en cache, soit parce qu'il est détrompé du mérite de beaucoup de choses, soit parce qu'il veut le paraître.

CCCXXVIII

Les hommes dissimulent par faiblesse et par la crainte d'être méprisés leurs plus chères, leurs plus constantes, et quelquefois leurs plus vertueuses inclinations.

CCCXXIX

L'art de plaire est l'art de tromper.

CCCXXX

Nous sommes trop inattentifs ou trop occupés de nous-mêmes pour nous approfondir les uns les autres. Quiconque a vu des masques dans un bal, danser amicalement ensemble, et se tenir par la main sans se connaître pour se quitter le moment d'après, et ne plus se voir ni se regretter, peut se faire une idée du monde.

MÉDITATION SUR LA FOI

AVIS DU LIBRAIRE

L'auteur avait résolu de ne point remettre dans cette nouvelle édition, les deux pièces suivantes, les regardant comme peu assortissantes aux matières sur lesquelles il avait écrit. Son dessein était de les rétablir dans un autre ouvrage, où leur genre n'aurait point été déplacé. Mais la mort qui vient de l'enlever, m'ôtant l'espérance de rien avoir d'un homme si recommandable par la beauté de son génie, par la noblesse de ses pensées, et dont l'unique objet était de faire aimer la vertu, j'ai cru que le public me saurait gré de ne pas le priver de deux écrits, aussi admirables pour le fond, que pour la dignité et l'élégance avec lesquelles ils sont traités.

MÉDITATION SUR LA FOI

Heureux sont ceux qui ont une foi sensible et dont l'esprit se repose dans les promesses de la religion! Les gens du monde sont désespérés si les choses ne réussissent pas selon leurs désirs. Si leur vanité est confondue, s'ils font des fautes, ils se laissent abattre à la douleur : le repos, qui est la fin naturelle des peines, fomente leurs inquiétudes ; l'abondance, qui devait satisfaire leurs besoins, les multiplie ; la raison, qui leur est donnée pour calmer leurs passions, les sert ; une fatalité marquée tourne contre eux-mêmes tous leurs avantages. La force de leur caractère, qui leur servirait à porter les misères de leur fortune s'ils savaient borner leurs désirs, les pousse à des extrémités qui passent toutes leurs ressources, et les fait errer hors d'eux-mêmes loin des bornes de la raison. Ils se perdent dans leurs chimères ; et pendant qu'ils y sont plongés, et pour ainsi dire abîmés, la vieillesse, comme un sommeil dont on ne peut pas se défendre vers la fin d'un jour laborieux, les accable et les précipite dans la longue nuit du tombeau.

Formez donc vos projets, hommes ambitieux, lorsque vous le pouvez encore ; hâtez-vous, achevez vos songes ; poussez vos superbes chimères au période des choses humaines. Élevés par cette illusion au dernier degré de la gloire, vous vous convaincrez par vous-mêmes de la vanité des fortunes : à peine vous aurez atteint sur les ailes de la pensée le faîte de l'élévation, vous vous sentirez abattus, votre joie mourra, la tristesse corrompra vos magnificences, et jusque dans cette possession imaginaire des faveurs du monde vous en connaîtrez l'imposture. O

mortels ! l'espérance enivre ; mais la possession sans espérance, même chimérique, traîne le dégoût après elle ;
au comble des grandeurs du monde, c'est là qu'on en sent
le néant.

Seigneur, ceux qui espèrent en vous s'élèvent sans
peine au-dessus de ces réflexions accablantes. Lorsque
leur cœur pressé sous le poids des affaires commence à
sentir la tristesse, ils se réfugient dans vos bras, et là
oubliant leurs douleurs, ils puisent le courage et la paix à
leur source. Vous les échauffez sous vos ailes et dans
votre sein paternel ; vous faites briller à leurs yeux le
flambeau sacré de la foi ; l'envie n'entre pas dans leur
cœur ; l'ambition ne le trouble point ; l'injustice et la
calomnie ne peuvent pas même l'aigrir. Les approba-
tions, les caresses, les secours impuissants des hommes,
leurs refus, leurs dédains, leurs infidélités ne les touchent
que faiblement ; ils n'en exigent rien, ils n'en attendent
rien ; ils n'ont pas mis en eux leur dernière ressource : la
foi seule est leur saint asile, leur inébranlable soutien.
Elle les console de la maladie qui accable les plus fortes
âmes, de l'obscurité qui confond l'orgueil des esprits
ambitieux, de la vieillesse qui renverse sans ressource les
projets et les vœux outrés, de la perte du temps qu'on
croit irréparable, des erreurs de l'esprit qui l'humilient
sans fin, des difformités corporelles qu'on ne peut cacher
ni guérir, enfin des faiblesses de l'âme, qui sont de tous
les maux le plus insupportable et le plus irrémédiable.
Hélas ! que vous êtes heureuses âmes simples, âmes dociles ; vous marchez dans des sentiers sûrs. Auguste religion ! douce et noble créance, comment peut-on vivre
sans vous ? Et n'est-il pas bien manifeste qu'il manque
quelque chose aux hommes, lorsque leur orgueil vous
rejette ? Les astres, la terre, les cieux suivent dans un
ordre immuable l'éternelle loi de leur Être : toute la nature
est conduite par une sagesse éclatante ; l'homme seul
flotte au gré de ses incertitudes et de ses passions tyranni-
ques, plus troublé qu'éclairé de sa faible raison ; miséra-
blement délaissé, conçoit-on qu'un être si noble soit le
seul privé de la règle qui règne dans tout l'univers ? Ou
plutôt n'est-il pas sensible que n'en trouvant point de

solide hors de la religion chrétienne, c'est celle qui lui fut tracée devant la naissance des cieux ? Qu'oppose l'impie à la foi d'une autorité si sacrée ? Pense-t-il qu'élevé par-dessus tous les êtres son génie est indépendant ? Et qui nourrirait dans ton cœur un si ridicule mensonge ! Être infirme, tant de degrés de puissance et d'intelligence que tu sens au-delà de toi ne te font-ils pas soupçonner une souveraine raison ? Tu vis, faible avorton de l'être, tu vis et tu t'oses assurer que l'Être parfait ne soit pas. Misérable ! lève les yeux, regarde ces globes de feu qu'une force inconnue condense. Écoute, tout nous porte à croire que des êtres si merveilleux n'ont pas le secret de leur cours ; ils ne sentent pas leur grandeur, ni leur éternelle beauté ; ils sont comme s'ils n'étaient pas. Parle donc, qui jouit de ces êtres aveugles qui ne peuvent jouir d'eux-mêmes ? Qui met un accord si parfait entre tant de corps si divers, si puissants, si impétueux ? D'où naît leur concert éternel ? D'un mouvement simple, incréé. Je t'entends ; mais ce mouvement qui opère ces grandes merveilles, les sait-il, ne les sait-il pas ? Tu sais que tu vis ; nul insecte n'ignore sa propre existence ; et le seul principe de l'être, l'âme de l'univers... ô prodige ! ô blasphème ! l'âme de l'univers... O puissance invisible, pouvez-vous souffrir cet outrage ! vous parlez, les astres s'ébranlent, l'être sort du néant, les tombeaux sont féconds, et l'impie vous défie avec impunité ; il vous brave, il vous nie. O parole exécrable ! il vous brave, il respire encore et il croit triompher de vous. O Dieu ! détournez loin de moi les effets de votre vengeance. O Christ ! prenez-moi sous votre aile. Esprit-Saint soutenez ma foi jusques à mon dernier soupir.

PRIÈRE

O Dieu ! qu'ai-je fait ? Quelle offense arme votre bras contre moi ? Quelle malheureuse faiblesse m'attire votre indignation ? Vous versez dans mon cœur malade le fiel et l'ennui qui le rongent ; vous séchez l'espérance au fond de ma pensée; vous noyez ma vie d'amertume; les plaisirs, la santé, la jeunesse m'échappent; la gloire, qui flatte de loin les songes d'une âme ambitieuse; vous me ravissez tout...

Être juste, je vous cherchai sitôt que je pus vous connaître; je vous consacrai mes hommages et mes vœux innocents dès ma plus tendre enfance, et j'aimai vos saintes rigueurs. Pourquoi m'avez-vous délaissé? Pourquoi lorsque l'orgueil, l'ambition, les plaisirs m'ont tendu leurs pièges infidèles... c'était sous leurs traits que mon cœur ne pouvait se passer d'appui.

J'ai laissé tomber un regard sur les dons enchanteurs du monde, et soudain vous m'avez quitté, et l'ennui, les soucis, les remords, les douleurs ont en foule inondé ma vie.

O mon âme! montre-toi forte dans ces rigoureuses épreuves; sois patiente; espère à ton Dieu, tes maux finiront, rien n'est stable; la terre elle-même et les cieux s'évanouiront comme un songe. Tu vois ces nations et ces trônes, qui tiennent la terre asservie: tout cela périra. Écoute, le jour du Seigneur n'est pas loin: il viendra; l'univers surpris sentira les ressorts de son être épuisés, et ses fondements ébranlés: l'aurore de l'éternité luira dans le fond des tombeaux et la mort n'aura plus d'asiles.

O révolution effroyable! l'homicide et l'incestueux jouissaient en paix de leurs crimes et dormaient sur des lits de fleurs; cette voix a frappé les airs; le soleil a fait sa carrière, la face des cieux a changé. A ces mots les mers, les montagnes, les forêts, les tombeaux frémissent, la nuit parle, les vents s'appellent.

Dieu vivant! ainsi vos vengeances se déclarent et s'accomplissent: ainsi vous sortez du silence et des ombres qui vous couvraient. O Christ! votre règne est venu. Père, Fils, Esprit éternel, l'univers aveuglé ne pouvait vous comprendre. L'univers n'est plus, mais vous êtes. Vous êtes; vous jugez les peuples. Le faible, le fort, l'innocent, l'incrédule, le sacrilège; tous sont devant vous. Quel spectacle! Je me tais, mon âme se trouble et s'égare en son propre fond. Trinité formidable au crime, recevez mes humbles hommages.

SECONDE PARTIE

TEXTES POSTHUMES

FRAGMENTS

L'HOMME VERTUEUX DÉPEINT PAR SON GÉNIE

Quand je trouve dans un ouvrage une grande imagination avec une grande sagesse, un jugement net et profond, des passions très hautes mais vraies, nul effort pour paraître grand, une extrême sincérité, beaucoup d'éloquence, et point d'art que celui qui vient du génie ; alors je respecte l'auteur, je l'estime autant que les sages ou que les héros qu'il a peints. J'aime à croire que celui qui a conçu de si grandes choses n'aurait pas été incapable de les faire ; la fortune qui l'a réduit à les écrire me paraît injuste. Je m'informe curieusement de tout le détail de sa vie ; s'il a fait des fautes, je les excuse, parce que je sais qu'il est difficile à la nature *de tenir toujours le cœur des hommes au-dessus de leur condition*. Je le plains des pièges cruels qui se sont trouvés sur sa route, et même des faiblesses naturelles qu'il n'a pu surmonter par son courage. Mais lorsque, malgré la fortune et malgré ses propres défauts, j'apprends que son esprit a toujours été occupé de grandes pensées, et dominé par les passions les plus aimables, je remercie à genoux la nature de ce qu'elle a fait des vertus indépendantes du bonheur, et des lumières que l'adversité n'a pu éteindre.

SUR L'HISTOIRE DES HOMMES ILLUSTRES

Les histoires des hommes illustres trompent la jeunesse. On y présente toujours le mérite comme respecta-

ble, on y plaint les disgrâces qui l'accompagnent, et on y
parle avec mépris de l'injustice du monde à l'égard de la
vertu et des talents. Ainsi, quoiqu'on y fasse voir les
hommes de génie presque toujours malheureux, on peint
cependant leur génie et leur condition avec de si riches
couleurs, qu'ils paraissent dignes d'envie dans leurs malheurs mêmes. Cela vient de ce que les historiens confondent leurs intérêts avec ceux des hommes illustres dont ils
parlent : marchant dans les mêmes sentiers, et aspirant à
peu près à la même gloire, ils relèvent autant qu'ils
peuvent l'éclat des talents ; on ne s'aperçoit pas qu'ils
plaident leur propre cause, et comme on n'entend que
leur voix, on se laisse aisément séduire à la justice de leur
cause, et on se persuade aisément que le parti le meilleur
est aussi le plus appuyé des honnêtes gens. L'expérience
détrompe là-dessus ; pour peu qu'on ait vu le monde, on
découvre bientôt son injustice naturelle envers le mérite,
l'envie des hommes médiocres, qui traverse jusqu'à la
mort les hommes excellents, et enfin l'orgueil des hommes élevés par la fortune, qui ne se relâche jamais en
faveur de ceux qui n'ont que du mérite. Si on savait cela
de meilleure heure, on travaillerait avec moins d'ardeur à
la vertu ; et quoique la présomption de la jeunesse surmonte tout, je doute qu'il entrât autant de jeunes gens
dans la carrière.

L'INJUSTICE ENVERS LES GRANDS HOMMES

Avouons l'injustice de notre siècle : s'il est vrai que
l'erreur des temps barbares ait été de rendre aux grands
hommes un culte superstitieux, il faut convenir en même
temps que celle des siècles polis est de se plaire à dégrader ces mêmes hommes, à qui nous devons notre politesse et nos lumières. On ne peut nommer un personnage
illustre en aucun genre que la critique n'ait attaqué, et
n'attaque encore. Les uns nous apprennent que Virgile
était un petit esprit ; d'autres regardent en pitié les admirateurs d'Homère ; j'en ai vu qui m'ont dit que M. de
Turenne manquait de courage, que le cardinal de Riche-

lieu n'était qu'un sot, et le cardinal Mazarin un fourbe sans esprit. Il n'y a point d'opinion si extravagante qui ne trouve des partisans. Il y a même des gens qui, sans aucune animosité ni raison particulière, se font une sorte de devoir d'attaquer les grandes réputations, et de mépriser l'autorité des jugements du public, dans la seule pensée peut-être d'affecter plus d'indépendance dans leurs sentiments, et de peur de juger d'après les autres. Ce que l'envie la plus basse n'aurait osé dire, le désir d'être remarqué le leur fait hasarder avec confiance ; mais ils se trompent dans l'espérance qu'ils ont de se distinguer par ces bizarres sentiments. Je les compare à ces personnes faibles qui, dans la crainte de paraître gouvernées, rejettent opiniâtrement les meilleurs conseils, et suivent follement leurs fantaisies pour faire un essai de leur liberté. De tout temps il y a eu des hommes que la petitesse de leur esprit a réduits à chercher pour toute gloire de combattre celle des autres, et, quand cette espèce domine, c'est peut-être un signe que le siècle dégénère ; car cela n'arrive que dans la disette des grands hommes.

Sur les gens de lettres

Les grands croient toujours faire honneur aux plus beaux génies lorsqu'ils les admettent à leur familiarité. J'entends dire d'un bel-esprit que les grands lui ont fermé leur porte : est-ce donc l'ambition des gens de lettres d'avoir l'entrée de quelques maisons, et n'y a-t-il plus d'hommes raisonnables parmi eux ? Les grands eux-mêmes ne seraient-ils pas trop heureux que des gens de mérite voulussent bien leur faire part de leurs lumières ? et que témoigne ce mépris, sinon qu'ils ne sont pas capables de profiter de ces lumières ? Si ceux qui cultivent les beaux-arts, ou qui travaillent à éclairer le monde par leurs écrits, étaient capables de quelque hauteur dans les sentiments ; s'ils voulaient, unis par la vertu et par l'amour de la vérité et de la gloire, se soutenir les uns les autres, ils obtiendraient peut-être du reste des hommes la même justice qu'ils auraient le courage de se rendre : mais eux-mêmes apprennent aux gens du monde à les mépriser ; ils brûlent d'envie contre ceux d'entre eux qui se distinguent ; ils se diffament les uns les autres par des querelles ridicules et par des libelles ; une cruelle et inique persécution est jusqu'à la mort le partage de ceux qui excellent. Si on cherche la cause de cette jalousie entre les gens de lettres, on en trouvera plusieurs : la première est qu'il y a dans le monde plus d'esprit que de grandeur d'âme, plus de gens à talent que de génies élevés ; et d'ordinaire les gens d'esprit qui manquent par le cœur, haïssent vivement ceux qui les passent par leurs sentiments et par leur essor. Une autre raison est que les hommes n'ont guère d'estime que pour leur propre genre d'esprit, et qu'ils comprennent à peine les autres talents. Mais il en a toujours été ainsi ; de sorte qu'il n'est pas possible d'espérer que cela change. Cependant, les jeunes gens se flattent, dans leur premier âge, de l'espérance de la gloire ; car lorsque l'on est né avec de l'esprit, il faut bien des années pour se persuader que le mérite a si peu de considération parmi les hommes. Comme ils sont vivement frappés de la beauté ou de la grandeur de certains génies, ils ne peuvent imaginer qu'il y ait des esprits insensibles à cet éclat, et des yeux qui ne le voient point. Et, quoiqu'ils en entendent parler avec mépris, ils ne croient pas que ce sentiment soit général, et ils se relèvent par le mépris qu'ils ont eux-mêmes pour cette sorte de froids esprits. Mais, à mesure qu'ils avancent dans la vie, ils reconnaissent combien ils se sont trompés, et ils se découragent à la vue des dégoûts et des chagrins qui les attendent.

SUR L'IMPUISSANCE DU MÉRITE

Je dirai une chose triste pour tous ceux qui n'ont que du mérite sans fortune : rien ne peut remplir l'intervalle que le hasard de la naissance ou des richesses met entre les hommes.

Dès qu'on n'est point préoccupé par les besoins de la

vie, ou abruti par les plaisirs, on tend à la fortune ou à la
gloire ; c'est presque l'unique fin où se rapportent toutes
les actions, toutes les paroles, toutes les études, toutes les
veilles et toutes les agitations des hommes. On cherche
jusque dans les livres et dans les belles-lettres le secret de
s'élever et de s'établir : si les hommes n'espéraient pas
d'emprunter de leurs lectures des maximes et des lumières pour dominer les autres hommes, il y aurait peu de
curieux, et les meilleurs ouvrages seraient négligés. Mais
ce concours de tous les hommes vers la même fin, cette
égale ambition de s'agrandir et de primer qui les dévore,
les oppose les uns aux autres, et les rend irréconciliables ;
de sorte que, tous prétendant aux mêmes biens, la force
décide ; ceux qui ont plus d'activité, ou plus de sagesse,
ou plus de finesse, ou plus de courage et d'opiniâtreté que
les autres, l'emportent. Ainsi, la vie n'est qu'un long
combat où les hommes se disputent vivement la gloire,
les plaisirs, l'autorité et les richesses. Mais il y en a qui
apportent au combat des armes plus fortes, et qui sont
invincibles par position : tels sont les enfants des grands,
ceux qui naissent avec du bien, et déjà respectés du
monde par leur qualité. De là vient que le mérite qui est
nu, succombe ; car aucun talent, aucune vertu, ne sauraient contraindre ceux qui sont pourvus par la fortune à
se départir de leurs avantages ; ils se prévalent avec empire des moindres privilèges de leur condition, et il n'est
pas permis à la vertu de se mettre en concurrence. Cet
ordre est injuste et barbare ; mais il pourrait servir à
justifier les misérables, s'ils osaient s'avouer leur impuissance et le désavantage de leur position. Cependant, les
hommes, qui ont d'ailleurs tant de vanité, loin de se
rendre une raison si naturelle de leur misère et de leur
obscurité, y cherchent d'autres causes bien moins vraisemblables ; ils accusent je ne sais quelle fatalité personnelle qu'ils n'entendent point, se regardent souvent eux-
mêmes comme les complices de leur malheur, et se re-
pentent de ce qu'ils ont fait, comme s'ils voyaient nettement que toute autre conduite leur eût réussi ; tant ils ont
de peine à se persuader qu'ils ne sont pas nés les maîtres
de leur fortune ! Et si l'on use de cette rigueur envers

soi-même, combien plus n'y est-on pas porté envers les autres ? De là vient que les malheureux ont toujours tort, et que l'on n'appelle point de leur malheur. Ce que je ne dis point pour détourner les hommes de travailler à leur bonheur, mais pour les consoler de leurs disgrâces.

LA NÉCESSITÉ CONSOLE DANS LE MALHEUR

Quelque parti qu'on puisse prendre dans la vie, il faut s'attendre à être souvent déçu. Les événements nous trompent aussi souvent que nos passions, et il y a si peu de choses qui dépendent de nous, que ce serait une merveille si la plupart des événements n'étaient contre nous. Nous voudrions prendre un parti sûr, et il n'en est aucun de tel, pas même l'oisiveté ; car qui nous répond que la fortune respectera notre repos, et ne nous engagera pas malgré nous dans les embarras des affaires ? Sans doute, si la grandeur et la gloire étaient des biens qu'on pût acquérir par sa conduite, on serait inconsolable de les avoir manquées ; mais quand on a connu par expérience ce que peut la fortune sur la vie des hommes, on s'afflige moins dans l'adversité ; on ne se reproche point un malheur inévitable, une destinée injuste et cruelle à laquelle on n'a pu échapper.

SUR LES HASARDS DE LA FORTUNE

Pendant que des hommes de génie, épuisant leur santé et leur jeunesse pour élever leur fortune, languissent dans la pauvreté, et traînent parmi les affronts une existence obscure et violente, des gens sans aucun mérite s'enrichissent en peu d'années par l'invention d'un papier vert[38], ou d'une nouvelle recette pour conserver la fraîcheur du teint, etc. Il ne faut pas chercher à imaginer de grandes choses pour s'enrichir : il suffit de connaître le public, et de flatter son avidité insatiable pour les nouveautés et les bagatelles. Tel homme ignorait jusqu'aux premiers principes de son art, qui, par l'usage d'une herbe purgative que le hasard lui a fait connaître, a fait envier sa fortune aux plus grands hommes de sa profession ; un autre, n'ayant pas assez d'esprit pour se faire connaître par un ouvrage original, avait cultivé obscurément et inutilement les lettres jusqu'à la moitié de son âge, qui, s'étant avisé de traduire un auteur illustre, est parvenu à une espèce de célébrité et de fortune ; un troisième s'était consacré à la prêtrise, et, n'ayant ni les mœurs ni les talents de son état, il est parvenu aux honneurs de l'Église, pour s'être mêlé des affaires du Jansénisme ; de même dans toutes les professions. Si vous vous informez de ce qui a fait la fortune de ceux que vous voyez accrédités, on vous répondra que les uns sont parvenus par le jeu ; d'autres par la protection des femmes, ou par la faveur d'un homme en place dont ils ont servi les plaisirs, ou par la sympathie qui s'est trouvée entre leur âme et celle de quelque grand que le hasard leur a fait connaître ; plusieurs par des occasions uniques et qui n'arriveront plus ; presque tous contre leur attente. Les petits ressorts font plus de fortunes que les grands, parce qu'ils sont plus aisés à pratiquer ; ceux qui ne savent pas se servir des instruments communs et populaires, et qui s'obstinent à n'employer que de grands moyens, trouvent rarement l'occasion de déployer leurs ressources. Il y en a aussi qui n'ont pas la patience de s'avancer par degrés vers leur objet ; ils voudraient arriver au terme tout à coup ; cela ne se peut, et cet empressement les perd. Enfin, il y en a qui sont engagés, par leur éducation et par leur naissance, dans une carrière pour laquelle la nature ne les a point faits ; quelques-uns rompent ces chaînes dont ils sont liés, pour suivre l'attrait de leur génie, et ils prospèrent ; mais les exemples en sont rares, et l'on n'ose imiter cette hardiesse, parce qu'on craint de commettre toute sa fortune à son mérite, quoi que l'on en présume d'ailleurs.

LA VERTU EST PLUS CHÈRE QUE LE BONHEUR

La vertu est plus chère aux grandes âmes que ce que l'on honore du nom de bonheur. Sans doute, il n'appartient pas à tout homme de n'être point touché d'une longue infortune, et c'est manquer de vivacité et de sentiment que de regarder du même œil la prospérité et les disgrâces ; mais souffrir avec fermeté ; sentir sans céder la rigueur de ses destinées ; ne désespérer ni de soi, ni du cours changeant des affaires ; garder dans l'adversité un esprit inflexible, qui brave la prospérité des hommes faibles, défie la fortune, et méprise le vice heureux ; voilà, non les fleurs du plaisir, non l'ivresse des bons succès, non l'enchantement du bonheur, mais un sort plus noble, que l'inconstante bizarrerie des événements ne peut ravir aux hommes qui sont nés avec quelque courage.

IL NE FAUT PAS TOUJOURS S'EN PRENDRE
A LA FORTUNE

Ce qui fait que tant de gens de toutes les professions se plaignent amèrement de leur fortune, [c'] est qu'ils ont quelquefois le mérite d'un autre métier que celui qu'ils font. Je ne sais combien d'officiers, qui ne sauraient mettre en bataille cinquante hommes, auraient excellé au barreau, ou dans les négociations, ou dans les finances. Ils sentent qu'ils ont un talent, et ils s'étonnent qu'on ne leur en tienne aucun compte ; car ils ne font pas attention que c'est un mérite inutile dans leur profession. Il arrive aussi que ceux qui gouvernent négligent d'assez beaux génies, parce qu'ils ne seraient pas propres à remplir les petites places, et qu'on ne veut pas leur donner les grandes. Les talents médiocres font plutôt fortune, parce qu'on trouve partout à les employer.

SUR LA DURETÉ DES HOMMES

C'est une grande simplicité d'entretenir les hommes de ses peines ; ils n'écoutent point, ils n'entendent point, quand on leur parle d'autre chose que d'eux-mêmes. Qu'une grande province soit attaquée et ravagée par l'en-

nemi, que ses habitants soient ruinés par les désordres de
la guerre, et menacés de plus grands malheurs [39] ; c'est un
événement dont le monde parle, comme on parle du
nouvel opéra, de la mort d'un grand, d'un mariage, ou de
telle intrigue rompue et découverte. Mais où sont ceux
qu'on voie touchés, au fond, de ces misères où tant
d'hommes sont intéressés ? Le jeu, les rendez-vous, les
bals, sont-ils interrompus pendant ces disgrâces publiques ? Voit-on moins de monde aux spectacles ? le luxe et
le faste règnent-ils avec moins d'empire pendant ces
désordres ? et si les calamités d'une nation font si peu
d'impression sur le cœur des hommes, comment seraient-
ils touchés de nos maux particuliers ? — Tant mieux, dira
quelque philosophe ; la vie humaine est exposée à tant de
maux, que si les hommes ressentaient les afflictions les
uns des autres, ce ne serait sur la terre qu'un deuil éternel.
Ainsi la nature a fait aux hommes un cœur dur, pour
alléger les misères de leur condition. Mais s'il en est
ainsi, il ne faut point compter sur la pitié des autres ; il
faut mettre toute sa confiance en soi, et n'espérer que sur
son propre courage.

SUR LA FERMETÉ DANS LA CONDUITE

Lorsque l'on se propose un grand objet dans sa
conduite, on peut suivre d'humbles chemins, pourvu
qu'ils soient les plus courts ; le but ennoblit les moyens.
Un homme vain et d'un petit esprit se cabre à la rencontre
des moindres dégoûts, ne peut supporter la hauteur des
gens en place et la fatuité des sots ; il est toute sa vie
comme celui qui n'aurait jamais vu le monde ; tout
l'étonne, tout le révolte, et, quoiqu'il fasse à peu près les
mêmes choses pour sa fortune que les autres hommes, il
ne les fait jamais ni à leur place, ni avec succès. Celui qui
s'élève au-dessus de ces petites délicatesses sait fléchir
à-propos sous la loi de la fortune, de la situation et des
temps ; ni les injustices des grands, ni l'élévation des
méchants, ni les mauvais offices de ses ennemis, ni la
vanité des gens riches, ne peuvent l'avilir à ses propres

yeux ; incapable de se laisser amuser par l'estime et la
flatterie de quelques amis, il se jette parmi la foule,
aborde ses adversaires et ses rivaux, ne craint pas d'approcher ceux qui pourraient le dominer par quelque endroit, mais cherche, au contraire, à lutter, à se familiariser avec leurs avantages, afin de trouver le point faible
par lequel il pourra les entamer, ou du moins s'égaler à
eux. Trop fier pour se croire flétri par les avantages que la
fortune peut donner à ses concurrents, il sait soutenir le
malheur ; égal dans la prospérité et dans les disgrâces, il
fait assez voir que le succès n'a jamais été que le second
objet de ses efforts ; le premier était d'obéir à son génie,
et d'employer toute l'activité de son âme dans une carrière sans bornes.

La raison n'est pas juge du sentiment

On dit qu'il ne faut pas juger des ouvrages de goût par
réflexion, mais par sentiment : pourquoi ne pas étendre
cette règle sur toutes les choses qui ne sont pas du ressort
de l'esprit, comme l'ambition, l'amour, et toutes les
autres passions ? Je pratique ce que je dis : je porte rarement au tribunal de la raison la cause du sentiment ; je sais
que le sang-froid et la passion ne pèsent pas les choses à
la même balance, et que l'un et l'autre s'accusent avec
trop de partialité. Ainsi, quand il m'arrive de me repentir
de quelque chose que j'ai fait par sentiment, je tâche de
me consoler en pensant que j'en juge mal par réflexion,
que je ferais la même chose, en dépit du raisonnement, si
la même passion me reprenait, et que peut-être je ferais
bien ; car on est souvent très injuste pour soi-même, et
l'on se condamne à tort.

L'activité est dans l'ordre de la nature

On ne peut condamner l'activité sans accuser l'ordre de
la nature. Il est faux que ce soit notre inquiétude qui nous
dérobe au présent ; le présent nous échappe de lui-même,

et s'anéantit malgré nous. Toutes nos pensées sont mortelles, nous ne les saurions retenir; et si notre âme n'était secourue par cette activité infatigable qui répare les écoulements perpétuels de notre esprit, nous ne durerions qu'un instant; telles sont les lois de notre être. Une force secrète et inévitable emporte avec rapidité nos sentiments; il n'est pas en notre puissance de lui résister, et de nous reposer sur nos pensées; il faut marcher malgré nous, et suivre le mouvement universel de la nature. Nous ne pouvons retenir le présent que par une action qui sort du présent. Il est tellement impossible à l'homme de subsister sans action, que, s'il veut s'empêcher d'agir, ce ne peut être que par un acte encore plus laborieux que celui auquel il s'oppose; mais cette activité qui détruit le présent, le rappelle, le reproduit, et charme les maux de la vie.

Contre le mépris des choses humaines

Le mépris des choses humaines détourne les hommes de la vertu, en leur ôtant ou l'espérance ou l'estime de la gloire; il décourage les jeunes gens, il afflige et dégoûte les vieillards, et, ne corrigeant aucun vice, il amollit toutes les vertus. Au contraire, l'estime des biens humains et des avantages proportionnés à notre nature excite les hommes à bien faire, dans tous les états et dans tous les âges; fait les grands capitaines, les bons citoyens, les magistrats éclairés, les ministres laborieux, les grands écrivains, les braves, les habiles et les vertueux; elle apporte au monde le goût du travail, la fermeté dans le malheur, la modération dans la prospérité. Il a été un temps où l'ambition était un devoir et une vertu; on pouvait alors parler sûrement aux hommes de la gloire, parce qu'elle les touchait tous également. Les moindres citoyens avaient droit aux honneurs de leur patrie, et pouvaient aspirer sans présomption à s'en rendre dignes; mais le courage des hommes est devenu plus timide et n'ose s'avouer. Et cependant l'amour de la gloire est encore l'âme invisible de tous ceux qui sont capables de quelque vertu ; la gloire a les vœux secrets de tous les cœurs, jusque-là que ceux qui affectent le plus de la mépriser, sont plus soupçonnés que les autres d'y prétendre, et que, la négligeant dans les grandes choses, ils idolâtrent son nom et son apparence dans les petites. Ils démentent leurs propres discours, ou par les secrets efforts qu'ils font pour l'obtenir, ou par leur jalousie contre ceux qui l'obtiennent.

SUR LA POLITESSE

Qui trouble la paix des mariages, qui met la désunion dans les familles, qui dégoûte les amis les uns des autres, sinon le défaut de politesse ? La politesse est le lien de toute société, et il n'y en a aucune qui puisse durer sans elle. Or, la politesse n'est guère que dissimulation et artifice ; mais le but justifie tout. La dissimulation qui ne se propose que le bien d'autrui et la paix de la société, est discrétion ; et la sincérité qui trouble l'un et l'autre, n'est que brutalité, humeur et imprudence. Le commerce du monde n'est fondé que sur la politesse et la flatterie ; qui en ôtera ces choses, ruinera les principes de ce commerce. Les hommes se plaignent sans cesse de leur fausseté réciproque, et ils sont incapables de supporter la vérité.

SUR LA TOLÉRANCE

Est-ce une nécessité aux législateurs d'êtres sévères ? C'est une question débattue, ancienne, et très contestable, puisque de puissantes nations ont fleuri sous des lois très douces ; mais on n'a jamais mis en doute que la tolérance ne fût un devoir pour les particuliers. C'est elle qui rend la vertu aimable, qui ramène les âmes obstinées, qui apaise les ressentiments et les colères, qui, dans les villes et dans les familles, maintient l'union et la paix, et fait le plus grand charme de la vie civile. Se pardonnerait-on les uns aux autres, je ne dis pas des mœurs

différentes, mais même des maximes opposées, si on ne
savait tolérer ce qui nous blesse ? Et qui peut s'arroger le
droit de soumettre les autres hommes à son tribunal ? Qui
peut être assez impudent pour croire qu'il n'a pas besoin
de l'indulgence qu'il refuse aux autres ? J'ose dire qu'on
souffre moins des vices des méchants que de l'austérité
farouche et orgueilleuse des réformateurs, et j'ai remarqué qu'il n'y avait guère de sévérité qui n'eût sa source
dans l'ignorance de la nature, dans un amour-propre
excessif, dans une jalousie dissimulée, enfin, dans la
petitesse du cœur.

SUR LA COMPASSION

Les âmes les plus généreuses et les plus tendres se
laissent quelquefois porter par la contrainte des événements jusqu'à la dureté et à l'injustice ; mais il faut peu de
chose pour les ramener à leur caractère, et les faire rentrer
dans leurs vertus. La vue d'un animal malade, le gémis-
sement d'un cerf poursuivi dans les bois par des chas-
seurs, l'aspect d'un arbre penché vers la terre et traînant
ses rameaux dans la poussière, les ruines méprisées d'un
vieux bâtiment, la pâleur d'une fleur qui tombe et qui se
flétrit, enfin toute les images du malheur des hommes
réveillent la pitié d'une âme tendre, contristent le cœur, et
plongent l'esprit dans une rêverie attendrissante.
L'homme du monde même le plus ambitieux, s'il est né
humain et compatissant, ne voit pas sans douleur le mal
que les dieux lui épargnent ; fût-il même peu content de sa
fortune, il ne croit pourtant pas la mériter encore, quand il
voit des misères plus touchantes que la sienne ; comme si
c'était sa faute qu'il y eût d'autres hommes moins heureux que lui, sa générosité l'accuse en secret de toutes les
calamités du genre humain, et le sentiment de ses propres
maux ne fait qu'aggraver la pitié dont les maux d'autrui le
pénètrent.

SUR LES MISÈRES CACHÉES

La terre est couverte d'esprits inquiets que la rigueur de leur condition et le désir de changer leur fortune tourmentent inexorablement jusqu'à la mort. Le tumulte du monde empêche qu'on ne réfléchisse sur ces tentations secrètes qui font franchir aux hommes les barrières de la vertu. Pour moi, je n'entre jamais au Luxembourg, ou dans les autres jardins publics, que je n'y sois environné de toutes les misères sourdes qui accablent les hommes, et que divers objets ne m'avertissent et ne me parlent de calamités que j'ignore. Tandis que, dans la grande allée, se presse et se heurte une foule d'hommes et de femmes sans passions, je rencontre, dans les allées détournées, des misérables qui fuient la vue des heureux, des vieillards qui cachent la honte de leur pauvreté, des jeunes gens que l'erreur de la gloire entretient à l'écart de ses chimères, des femmes que la loi de la nécessité condamne à l'opprobre, des ambitieux qui concertent peut-être des témérités inutiles pour sortir de l'obscurité. Il me semble alors que je vois autour de moi toutes les passions qui se promènent, et mon âme s'afflige et se trouble à la vue de ces infortunés, mais, en même temps, se plaît dans leur compagnie séditieuse. Je voudrais quelquefois aborder ces solitaires, pour leur donner mes consolations ; mais ils craignent d'être arrachés à leurs pensées, et ils se détournent de moi : le plaisir et la société n'ont plus de charmes pour ceux que l'illusion de la gloire asservit ; la joie et le rire ne font que passer sur leurs lèvres. Je plains ces misères cachées, que la crainte d'être connues rend plus pesantes ; je veux, si je puis, fuir le vice, et fermer mon cœur aux promesses des passions injustes ; mais il y aurait de la dureté à n'être pas touché de la faiblesse de tant d'hommes qui, sans les malheurs de leur vie, auraient pu chérir la vertu, et achever leurs jours dans l'innocence.

Sur la frivolité du monde

Le monde est rempli de gens qui passent leur vie à s'entretenir les uns les autres de ce qu'ils savent, à se raconter des faits dont ils sont réciproquement instruits, ou des actions auxquelles ils ont eu la même part ; ils se rappellent avec vivacité des choses qu'aucun d'eux n'a oubliées, les guerres qu'ils ont faites ensemble, les livres qu'ils ont lus, les conversations qu'ils ont eues en de certains temps ; et ils ne s'écoutent point les uns les autres, car ils savent d'avance ce qu'on leur veut dire. Mais ils souffrent qu'on leur apprenne des choses qu'ils savent, afin d'avoir droit, à leur tour, de débiter de semblables puérilités, et, lorsqu'ils ont épuisé un certain cercle de faits et de réflexions, ils reprennent les mêmes discours, et ne se lassent point de se répéter. De telles conversations rendent l'esprit paresseux, pesant, et l'endorment en quelque sorte dans l'oisiveté. Les gens du monde ne tombent point dans ces longueurs, dans ces détails et dans ces récits inutiles ; ils ne se permettent guère de parler des choses passées ; mais ils s'occupent trop du présent, et traitent tous les sujets d'une manière trop superficielle et trop frivole ; ils ne vont jamais jusqu'au nœud des choses, et n'intéressent que la surface de l'esprit, sans aller au cœur : ce qui fait qu'il y a peu de conversations profitables, et qui mènent à une fin. Aussi la plupart des hommes ne se doutent-ils pas que la conversation puisse être regardée d'une autre manière que comme un amusement et un délassement. Ceux qui en font une sorte de commerce et une négociation perpétuelle sont très rares ; mais, comme ils y apportent beaucoup plus de fond que les autres, ils en retirent aussi un plus grand profit.

De même, il y a peu d'actions qui mènent à une fin utile. Je vois tous les ans des officiers [40] qui se dérangent pour plusieurs années, afin de pouvoir se vanter qu'ils ont vu le monde ; ils quittent leur femme et leurs enfants pour venir consommer à Paris, en peu de mois, le revenu de plusieurs années, et s'ensevelir ensuite dans leur pro-

vince. D'autres se ruinent au jeu ou dans un des quartiers
de la ville, sans pouvoir réussir à faire percer leur nom
jusqu'à la bonne compagnie, et ils ne sont connus que des
marchands et des ouvriers. On en voit qui se tourmentent
toute leur vie pour faire leur cour à leur évêque, à l'inten-
dant de leur province, au commandant, aux magistrats, et
aux grands qui passent; ils donnent à dîner, ils font des
voyages; ils emploient le temps, qui est si précieux, en
bagatelles; comme aussi ceux qui veulent voir des gens
de lettres, pour acquérir la réputation de beaux-esprits, au
lieu de cultiver les lettres elles-mêmes.

SUR LE BEL-ESPRIT

On ne demande pas à un bel-esprit qu'il approfondisse un art, pourvu qu'il sache discourir de l'art des
autres. Il n'a pas besoin d'exceller dans un métier; il
suffit qu'il se mêle de tous les métiers, et qu'il ait la
surface de tous les talents. Il doit savoir écrire en prose
et en vers sur quelque sujet qui se présente; il est
même obligé de lire beaucoup de choses inutiles, parce
qu'il doit parler fort peu de choses nécessaires; le sublime de sa science est de rendre des pensées frivoles
par des traits. Qui prétend mieux penser ou mieux vivre? Qui sait même où est la vérité? Un esprit supérieur aux préjugés fait valoir toutes les opinions, mais
ne tient à aucune; il a vu le fort et le faible de tous les
principes, et il a reconnu que l'esprit humain n'avait
que le choix de ses erreurs. Indulgente philosophie, qui
égale Achille et Thersite, et nous laisse la liberté d'être
ignorants, paresseux, frivoles, sans nous faire de pire
condition! Aussi voyons-nous qu'elle a fait des progrès
rapides : ce n'était d'abord que le ton d'un petit nombre
de beaux-esprits; aujourd'hui c'est une des modes du
peuple.

SUR LE TON A LA MODE

Si c'est être pédant que d'affecter la singularité, mettre
de l'esprit partout, penser peu naturellement, et s'expri-

mer de même, que de pédants n'y a-t-il pas parmi les gens
de lettres, et parmi les gens du monde ? Que voit-on
aujourd'hui dans les livres et dans la meilleure compagnie, que beaucoup d'esprit sans justesse, une envie de
briller aux dépens de la raison, une ignorance très présomptueuse, ou des connaissances très superficielles ? On
serait mal venu cependant de dire que les gens du monde
et les beaux-esprits sont les pédants, et que quelques
hommes sensés et simples, qui savent assez, mais qui
brillent peu, qui n'estiment que la raison et le naturel,
sont les gens véritablement agréables. De même, si
quelqu'un eût dit, il y a six-vingts ans, que l'hôtel de
Rambouillet ne rassemblait que des pédants et des pré-
cieuses, assurément, on ne l'eût guère écouté. On l'a dit
néanmoins, peu de temps après, et personne aujourd'hui
ne le met en doute. Ce n'est donc pas à nous qu'il est
permis de juger de notre siècle ; c'est à ceux qui viendront
après nous à se moquer de notre ton et de nos modes, si
les leurs ne sont encore pires. On n'eût pas cru, du temps
de Louis XIII, que le ton du connétable de Luynes et des
autres courtisans de ce règne ne fût pas le meilleur et le
plus aimable qu'on pût avoir : il serait plaisant que certains hommes, que je ne nomme pas, et qui font grand
bruit parmi nous, devinssent quelque jour aussi ridicules
que le maréchal de Bellegarde [41] et que Voiture.

SUR L'INCAPACITÉ DES LECTEURS

Combien de gens connaissent tous les livres et tous les
auteurs, sont instruits de toutes les opinions et de tous les
systèmes, qui sont incapables de discerner le vrai du
faux, et d'apprécier ce qu'ils lisent ! Combien d'autres se
plaignent qu'on n'écrit plus rien de raisonnable, et que
tous les auteurs ne font que se répéter les uns les autres,
qui, s'il paraissait un ouvrage original, non seulement ne
l'approuveraient pas, mais seraient les premiers à le combattre, à en relever les défauts, et à se prévaloir contre lui
des négligences qui pourraient s'y rencontrer ! Cette disposition trop ordinaire des esprits, l'espèce d'oubli dans

lequel ont été ensevelis pendant longtemps de grands
ouvrages, et l'injustice que d'assez beaux génies ont
éprouvée de leurs contemporains, autorisent des hommes
très médiocres à protester contre les jugements de leur
siècle, et à attendre follement de la postérité l'estime
refusée à leurs ouvrages. C'est cette même incapacité des
lecteurs, c'est leur mauvais goût, leur avidité pour les
bagatelles, qui enhardissent et multiplient jusqu'à l'excès
les livres fades et les niaiseries littéraires. Si l'art de
penser et d'écrire n'est plus qu'un métier mécanique,
comme l'arpentage, ou l'orfèvrerie; si on n'y est plus
engagé par le seul instinct du génie, mais par désœuvre-
ment ou par intérêt; s'il y a sans comparaison plus de
mauvais ouvriers dans cette profession que dans les autres, il faut s'en prendre à ceux qui soutiennent ces faibles
artisans et leurs faibles ouvrages, en les lisant. Cependant, de même que le grand nombre des arts inutiles
prouve et entretient la richesse des États puissants, peut-
être aussi que cette foule d'auteurs et d'ouvrages frivoles,
qui entretiennent le luxe et la paresse de l'esprit, prouvent, à tout prendre, qu'il y a aujourd'hui plus de lumières, plus de curiosité et plus d'esprit qu'autrefois parmi
les hommes.

SUR LE MERVEILLEUX

Les hommes aiment le merveilleux, non pas parce qu'il
est faux, mais parce qu'ils aiment ce qui les surprend. Du
reste, ils ne l'aiment qu'autant qu'ils le croient, et ils ne
le croient qu'autant qu'il est revêtu des dehors du vrai, ou
qu'il leur paraît tel. Moins les hommes sont éclairés, plus
il est facile de leur en imposer par des fables, c'est-à-dire
de les leur faire recevoir pour des vérités; car quand ils
savent que ce sont des mensonges, tout au plus ils s'en
amusent, mais ils ne s'y intéressent pas. Il ne faut donc
pas dire que *le vrai a besoin d'emprunter la figure du
faux pour être reçu agréablement dans l'esprit humain* [42]; un homme qui écrirait sur ce principe n'écrirait
que pour les sots, et serait bientôt méprisé des bons
esprits.

Les fables ont été inventées pour faire recevoir la vérité aux enfants, ou aux esprits faibles qui ne sortent pas de l'enfance ; mais rien n'est si rebutant pour des hommes raisonnables, et il n'y a que les agréments du style, le charme des vers, la beauté et la vérité des maximes que ces fables enveloppent, qui puissent en faire supporter la puérilité. Dire donc que les fables plaisent aux hommes, c'est dire que la plupart des hommes sont enfants, qu'ils se laissent surprendre au merveilleux, que peu de chose éblouit leur jugement, et tire leur esprit de son assiette ; c'est dire que peu de gens ont assez de sagacité pour distinguer le vrai du faux ; mais dans les choses où le vrai est connu, le faux se présente inutilement, et, plus il est orné, plus il est ennuyeux.

SUR LES ANCIENS ET LES MODERNES

Un Athénien pouvait parler avec véhémence de la gloire à des Athéniens ; un Français à des Français, nullement ; il serait honni. L'imitation des anciens est fort trompeuse : telle hardiesse qu'on admire avec raison dans Démosthène, passerait pour déclamation dans notre bouche. J'en suis fort fâché, nous sommes un peu trop philosophes ; à force d'avoir ouï dire que tout était petit ou incertain parmi les hommes, nous croyons qu'il est ridicule de parler affirmativement et avec chaleur de quoi que ce soit. Cela a banni l'éloquence des écrits modernes ; car l'unique objet de l'éloquence est de persuader et de convaincre ; or, on ne va point à ce but quand on ne parle pas très sérieusement. Celui qui est de sang-froid n'échauffe pas, celui qui doute ne persuade pas ; rien n'est plus sensible. Mais la maladie de nos jours est de vouloir badiner de tout ; on ne souffre qu'à peine un autre ton.

ON PEUT ROUGIR D'UNE VERTU

Je me suis trouvé autrefois, dans un bain public, avec une vieille femme qui, voyant que j'étais fort jeune, et sachant que j'étais dans le service, m'honorait de quelques plaisanteries très militaires. Je rougissais malgré moi, non pas de l'impudence de cette vieille, car on ne rougit point des défauts d'autrui, mais de ma propre pudeur, que son impertinence rendait ridicule. Pendant qu'elle se faisait honneur des défauts de mon âge, je mourais de honte de paraître avec les vertus de son sexe. Un capucin était à côté de moi, et ne rougissait point : c'est que la pudeur était la vertu de son état, et non du mien. Les hommes sont si faibles, qu'ils se font des devoirs, non seulement des talents, mais même des vices de leur profession.

SUR LES ARMÉES D'A PRÉSENT

Le courage, que nos ancêtres admiraient comme la première des vertus, n'est plus regardé, peu s'en faut, que comme une erreur populaire ; et, quoique tous n'osent avouer dans leurs discours ce sentiment, leur conduite le manifeste. Le service de la patrie passe pour une vieille mode, pour un préjugé ; on ne voit plus dans les armées que dégoût, ennui, négligence, murmures insolents et téméraires ; le luxe et la mollesse s'y produisent avec la même effronterie qu'au sein de la paix ; et ceux qui pourraient, par l'autorité de leurs emplois, arrêter le progrès du mal, l'entretiennent par leur exemple. Des jeunes gens, poussés par la faveur au-delà de leurs talents et de leur âge, font ouvertement mépris de ces places qu'ils ne méritent pas, en effet, d'occuper ; des grands, qui seraient tenus, par le seul respect de leur nom, à cultiver l'estime et l'affection de leurs troupes, se cachent, puisqu'il faut le dire, ou se cantonnent, et forment jusque dans les camps de petites sociétés où ils s'entretiennent encore du *bon ton,* et regrettent l'oisiveté et les délices de Paris. Ces messieurs s'ennuient du genre de vie que l'on mène à l'armée ; et comment pourraient-ils s'en contenter, n'ayant ni le talent de la guerre, ni l'estime de leurs troupes, ni le goût de la gloire ? Aussi, voyez-les sous leurs tentes : qui pensez-vous y rencontrer pour l'ordinaire ? S'il y a dans l'armée un sujet médiocre, un fat dont la réputation soit équivoque, et qui soit aussi peu aimé qu'estimé de ses camarades, c'est là qu'il est souffert, et quelquefois recherché, pour prix de ses honteux offices ; c'est là qu'il nargue le mérite plus timide, qui évite de lui disputer ce lâche honneur. Pendant ce temps, les officiers sont accablés des dépenses que le faste des supérieurs introduit et favorise ; et bientôt le dérangement de leurs affaires, ou l'impossibilité de parvenir et de mettre en pratique leurs talents, les obligent à se retirer, parce que les gens de courage ne sauraient longtemps souffrir l'injustice ouverte, et que ceux qui travaillent pour la gloire ne peuvent se fixer à un état où l'on ne recueille aujourd'hui que de la honte.

Regarder moins aux actions qu'aux sentiments

Un des plus grands traits de la vie de Sylla est d'avoir dit qu'il voyait dans César, encore enfant, plusieurs Marius, c'est-à-dire un esprit plus ambitieux et plus fatal à la liberté. Molière n'est pas moins admirable d'avoir prévu, sur une petite pièce de vers que lui montra Racine au sortir du collège, que ce jeune homme serait le plus grand poète de son siècle. On dit qu'il lui donna cent louis pour l'encourager à entreprendre une tragédie. Cette générosité, de la part d'un comédien qui n'était pas riche, me touche autant que la magnanimité d'un conquérant qui donne des villes et des royaumes. Il ne faut pas mesurer les hommes par leurs actions, qui sont trop dépendantes de leur fortune, mais par leurs sentiments et leur génie.

Contre l'esprit d'emprunt

Ce qui fait que tant de gens d'esprit en apparence parlent, jugent, entendent, agissent si peu à propos et si mal, c'est qu'ils n'ont qu'un esprit d'emprunt ; on ne mâche point avec des dents postiches, quoiqu'elles paraissent au-dehors comme les autres. Il y a des hommes qui naissent avec un talent particulier pour recueillir ce que les autres pensent ou imaginent; ils joignent à une mémoire heureuse un esprit facile; ils sont pétris de phrases, d'expressions brillantes, de plaisanteries et de réflexions qu'ils placent du mieux qu'ils peuvent, et qui éblouissent ceux qui ne les connaissent point. On est étonné que des hommes qui ont été capables de penser ou d'exprimer de si bonnes choses, ne les appliquent pas avec plus de justesse, et qu'il manque toujours quelque chose à leurs raisonnements. Ces gens-là ont une teinture de toutes les sciences, et parlent quelquefois des arts plus spécieusement que les plus habiles artistes; ils sont physiciens, ils sont géomètres; ils savent du moins répéter des opinions sur tout les sujets, et il ne leur manque que de concevoir eux-mêmes ce qu'ils disent. Il y en a d'autres qui jugent très bien, mais avec du temps; on leur propose quelquefois des choses assez simples, et ils ne les saisissent point; on en est surpris, ils le sont eux-mêmes; car ils se croyaient de la pénétration, et ils n'ont que du jugement.

SUR LA SIMPLICITÉ
ET CONTRE L'ABUS DE L'ART

Souvent, fatigué de cet art qui domine aujourd'hui dans les écrits, dans la conversation, dans les affaires, et jusque dans les plaisirs; rebuté de traits, de saillies, de plaisanteries, et de tout cet esprit que l'on veut mettre dans les moindres choses, je dis en moi-même: Si je pouvais trouver un homme qui n'eût point d'esprit, et avec lequel il n'en fallût point avoir; un homme ingénu et modeste, qui parlât seulement pour se faire entendre et pour exprimer les sentiments de son cœur, un homme qui n'eût que de la raison et un peu de naturel, avec quelle ardeur je courrais me délasser dans son entretien du jargon et des épigrammes des gens à la mode! O charmante simplicité, j'abandonnerais tout pour marcher sur vos traces! Il n'y a rien de grand ni d'aimable où la simplicité n'est pas; les arts ambitieux qui la fuient perdent leur éclat et leurs charmes; il n'y a ni vertus ni plaisirs qui n'empruntent d'elle leurs grâces les plus touchantes; et comment se fait-il qu'on en puisse perdre le goût jusqu'à ne pas s'apercevoir qu'on l'a perdu? Il est vrai que les hommes ont aimé l'art dans tous les temps, et que leur esprit s'est toujours flatté de perfectionner la nature : c'est la première prétention de la raison, et la plus ancienne chimère de la vanité. Toutefois, je pardonne aisément aux premiers hommes d'avoir trop attendu de l'art; ce serait proprement à nous, qui en connaissons par expérience la faiblesse, d'en être moins amoureux; mais l'esprit humain a trop peu de fonds pour se tenir dans ses propres limites, et la nature elle-même a mis au cœur des hommes ce désir ambitieux de la polir. Nous fardons notre pauvreté sans pouvoir la couvrir, et les moindres occasions font tomber ces couleurs empruntées et cette parure étrangère. Mais tant que les hommes naîtront avec peu d'esprit et beaucoup d'envie d'en avoir, ils voudront étendre ainsi leur sphère et se donner plus d'essor. Que veux-je donc dire? que le monde n'a jamais été aussi simple que nous le peignons parfois, mais qu'il me paraît que ce siècle l'est encore beaucoup moins que les autres, parce qu'étant plus riche des dons de l'esprit, il semble lui appartenir au même titre d'être plus vain et plus ambitieux.

LES PRÉCEPTES CORRIGENT PEU

Que n'a-t-on pas écrit contre l'orgueil des grands, contre la jalousie des petits, contre les vices de tous les hommes? Quelles peintures n'a-t-on pas faites du ridicule, de la vanité, de l'intempérance, de la fourberie, de l'inconséquence, etc.? Mais qui s'est corrigé par ces images ou par ces préceptes? Quel homme a mieux jugé, ou mieux vécu, après tant d'instructions reçues? Il faut l'avouer : le nombre de ceux qui peuvent profiter des leçons des sages est bien petit, et, dans ce petit nombre, la plupart oublient ce qu'ils doivent à l'instruction et à leurs maîtres, de sorte qu'il n'est pas d'occupation si ingrate que celle d'instruire les hommes. Ils sont faits de manière qu'ils devront toujours tout à ceux qui pensent, et que toujours ils abuseront contre eux des lumières qu'ils en reçoivent ; il est même ordinaire que ceux qui agissent recueillent le fruit du labeur de ceux qui se bornent à imaginer ou à instruire. Dès qu'on ne fait valoir que la raison et la justice, on est toujours la victime de ceux qui n'emploient que l'action et la violence : de là vient que le plus médiocre et le plus borné de tous les métiers est celui d'écrivain et de philosophe.

Sur la morale et la physique

C'est un reproche ordinaire de la part des physiciens à ceux qui écrivent des mœurs, que la morale n'a aucune certitude comme les mathématiques et les expériences physiques. Mais je crois qu'on pourrait dire, au contraire, que l'avantage de la morale est d'être fondée sur un petit nombre de principes très solides, et qui sont à la portée de l'esprit des hommes ; que c'est de toutes les sciences la plus connue, et celle qui a été portée [le] plus près de sa perfection : car il y a peu de vérités morales un peu importantes qui n'aient été écrites ; et ce qui manque à cette science, c'est de réunir toutes ces vérités, et de les séparer de quelques erreurs qu'on y a mêlées ; mais c'est un défaut de l'esprit humain plus que de cette science, car les hommes ne sont guère capables de concevoir aucun sujet tout entier, et d'en voir les divers rapports et les différentes faces. L'avantage de la morale est donc d'être plus connue que les autres sciences ; de là on peut conclure qu'elle est plus bornée, ou qu'elle est plus naturelle aux hommes, ou l'un et l'autre à la fois : car on ne peut nier, je crois, qu'elle est plus naturelle aux hommes ; et on est assez obligé de convenir, en même temps, que se renfermant tout entière dans un sujet aussi borné que [l'est] le genre humain, elle a moins d'étendue que la physique, qui embrasse toute la nature. Ainsi l'avantage de la morale sur la physique est de pouvoir être mieux connue et mieux possédée, et l'avantage de la physique sur la morale est d'être plus vaste et plus étendue. La morale se glorifie d'être plus sûre et plus praticable ; et la physique, au contraire, de passer les bornes de l'esprit humain, de s'étendre au-delà de toutes ses conceptions, d'étonner et de confondre l'imagination par ce qu'elle lui fait apercevoir de la nature... Voilà du moins ce qui me paraît de ces deux sciences. Je trouve la morale plus utile, parce que nos connaissances ne sont guère profitables qu'autant qu'elles approchent de la perfection ; mais elle me paraît aussi un peu bornée ; au lieu que le seul aspect des éléments de la physique accable mon imagination... Je me sens frappé d'une vive curiosité à la vue de toutes les merveilles de l'univers, mais je suis dégoûté aussitôt du peu que l'on en peut connaître, et il me semble qu'une science, si élevée au-dessus de notre raison, n'est pas trop faite pour nous.

Cependant ce qu'on a pu en découvrir n'a pas laissé que de répandre de grandes lumières sur toutes les choses humaines : d'où je conclus qu'il est bon que beaucoup d'hommes s'appliquent à cette science, et la portent jusqu'au degré où elle peut être portée, sans se décourager par la lenteur de leurs progrès et par l'imperfection de leurs connaissances... Il faut avouer que c'est un grand spectacle que celui de l'univers : de quelque côté qu'on porte sa vue, on ne trouve jamais de terme. L'esprit n'arrive jamais ni à la dernière petitesse des objets, ni à l'immensité du tout ; les plus petites choses tiennent à l'infini ou à l'indéfini. L'extrême petitesse et l'extrême grandeur échappent également à notre imagination ; elle n'a plus de prise sur aucun objet dès qu'elle veut l'approfondir. *Nous apercevons,* dit Pascal, *quelque apparence du milieu des choses, dans un désespoir éternel d'en connaître ni le principe ni la fin,* etc [43].

La physique est incertaine à l'égard des principes du mouvement, à l'égard du vide ou du plein, de l'essence des corps, etc. Elle n'est certaine que dans les dimensions, les distances, les proportions et les calculs qu'elle emprunte de la géométrie.

M. Newton, au moyen d'une seule cause occulte [44],

explique tous les phénomènes de la nature ; et les anciens,
en admettant plusieurs causes occultes, n'expliquaient
pas la moindre partie de ces phénomènes. La cause occulte de M. Newton est celle qui produit la pesanteur et
l'attraction mutuelle des corps ; mais il n'est pas impossible peut-être que cette pesanteur et cette attraction ne
soient à elles-mêmes leur propre cause, car il n'est pas
nécessaire qu'une qualité que nous apercevons dans un
sujet y soit produite par une cause ; elle peut exister par
elle-même. On ne demande pas pourquoi la matière est
étendue : c'est là sa manière d'exister ; elle ne peut être
autrement. Ne se peut-il pas faire que la pesanteur lui soit
aussi essentielle que l'étendue ? Pourquoi non ? Il n'est
aucune portion de matière qui ne soit étendue : l'étendue
est donc essentielle à la matière. Mais s'il n'y a aucune
portion de matière qui ne soit pesante, ne faudrait-il pas
ajouter la pesanteur à l'essence de la matière ? Si le
mouvement n'est autre chose que la pesanteur des corps,
nous voilà bien avancés dans le secret de la nature.

Toutes nos démonstrations ne tendent qu'à nous faire
connaître les choses avec la même évidence que nous les
connaissons par sentiment. Connaître par sentiment est
donc le plus haut degré de connaissance ; il ne faut donc
pas demander une raison de ce que nous connaissons par
sentiment.

SUR L'ÉTUDE DES SCIENCES

S'il y a des sciences qui ne satisfassent qu'une vaine
curiosité, qui ne rendent les hommes ni plus vertueux, ni
plus aimables, qui n'aient presque point de rapports avec
nos intérêts et nos devoirs, ce sont les dernières qu'il faut
apprendre, mais il est bon de ne pas les négliger entièrement ; car il n'y a point de science qui ne puisse agrandir
l'esprit, et, si la vie humaine n'était pas si courte, il n'en
faudrait point rejeter. Il convient donc à un homme, qui a
l'esprit facile et pénétrant, de prendre une forte teinture
des sciences nécessaires pour comprendre, s'il se peut,
les premières lois du monde matériel ; pourvu cependant

qu'il réserve son application principale pour le monde spirituel, où sont renfermés ses plaisirs, ses devoirs, ses attachements, et sa fortune. Il doit laisser aux physiciens et aux géomètres la partialité singulière qu'ils ont pour leurs études : pendant que ces grands observateurs de la nature se vantent qu'il n'y a point de certitude hors des mathématiques, l'homme d'un esprit flexible et délié apprend, par le commerce des hommes, le secret d'aller à ses fins ; il sonde les routes du cœur, s'instruit des ressorts de l'âme, et, au moyen d'une science, incertaine selon les mathématiciens, se procure certainement les plus grands avantages de la vie. Peu jaloux des expériences de l'électricité ou de la pesanteur, ou de tel autre effet encore plus rare, dont les causes sont ignorées ; moins occupé de calculs que de sentiments, il fait des expériences de l'humanité, du courage et de la prudence. Il ne prétend pas cependant détourner les physiciens ou les géomètres de leurs études, pour les engager à celle de l'homme ; il sait trop que ceux qui réfléchissent avec quelque profondeur, sont déterminés invinciblement par la nature à approfondir de certains objets, et non les autres ; qu'il faut que chacun obéisse à la loi de son instinct et aux convenances de sa fortune, et qu'il est bon, d'ailleurs, que l'esprit de tous les hommes ne soit pas tourné vers le même objet.

SUR LA JUSTICE

La justice est le sentiment d'une âme amoureuse de l'ordre, et qui se contente *du sien*. Elle est le fondement des sociétés ; nulle vertu n'est plus utile au genre humain ; nulle n'est consacrée à meilleur titre. Le potier ne doit rien à l'argile qu'il a pétrie, dit saint Paul ; Dieu ne peut être injuste ; cela est visible ; mais nous en concluons qu'il est donc juste, et nous nous étonnons qu'il juge tous les hommes par la même loi, quoiqu'il ne donne pas à tous la même grâce ; et, quand on nous démontre que cette conduite est formellement opposée aux principes de l'équité, nous disons que la justice divine n'est point semblable à la justice humaine. Qu'on définisse donc cette justice contraire à la nôtre; il n'est pas raisonnable d'attacher deux idées différentes au même terme, pour lui donner tantôt un sens, tantôt un autre, selon nos besoins; et il faudrait ôter toute équivoque sur une matière de cette importance.

SUR LA PROVIDENCE

Les inondations ou la sécheresse font périr les fruits; le froid excessif dépeuple la terre des animaux qui n'ont point d'abri; les maladies épidémiques ravagent en tous lieux l'espèce humaine, et changent de vastes royaumes en déserts; les hommes se détruisent eux-mêmes par les guerres, et le faible est la proie du fort. Celui qui ne possède rien, s'il ne peut travailler, qu'il meure : c'est la loi du sort; il diminue et s'évanouit à la face du soleil, délaissé de toute la terre. Les bêtes se dévorent aussi entre elles : le loup, l'épervier, le faucon, si les animaux plus faibles leur échappent, périssent eux-mêmes; rivaux de la barbare cruauté des hommes, ils se partagent ses restes sanglants et ne vivent que de carnage. O terre! ô terre! tu n'es qu'un tombeau, et un champ couvert de dépouilles; tu n'enfantes que pour la mort. Qui t'a donné l'être? Ton âme paraît endormie dans ses fers. Qui préside à tes mouvements? Te faut-il admirer dans ta constante et invariable imperfection? Ainsi s'exhale le chagrin d'un philosophe qui ne connaît que la raison et la nature sans révélation.

SUR L'ÉCONOMIE DE L'UNIVERS

Tout ce qui a l'être a un ordre, c'est-à-dire, une certaine manière d'exister qui lui est aussi essentielle que son être même : pétrissez au hasard un morceau d'argile; en quelque état que vous le laissiez, cette argile aura des rapports, une forme et des proportions, c'est-à-dire un ordre, et cet ordre subsistera tant qu'un agent supérieur

s'abstiendra de le déranger. Il ne faut donc pas s'étonner
que l'univers ait ses lois et une certaine économie; je
vous défie de concevoir un seul atome sans cet attribut.
— Mais, dit-on, ce qui étonne, ce n'est pas que l'univers
ait un ordre immuable et nécessaire, mais c'est la beauté,
la grandeur et la magnificence de son ordre. — Faibles
philosophes! entendez-vous bien ce que vous dites? Savez-vous que vous n'admirez que les choses qui passent
vos forces ou vos connaissances? Savez-vous que si vous
compreniez bien l'univers, et qu'il ne s'y rencontrât rien
qui passât les limites de votre pouvoir, vous cesseriez
aussitôt de l'admirer? C'est donc votre très grande petitesse qui fait un colosse de l'univers; c'est votre faiblesse
infinie qui vous le représente dans votre poussière, animé
d'un esprit si vaste, si puissant et si prodigieux. Cependant tout petits, tout bornés que vous êtes, vous ne laissez
pas d'apercevoir de grands défauts dans cet infini, et il
vous est impossible de justifier tous les maux moraux et
physiques que vous y éprouvez. Vous dites que c'est la
faiblesse de votre esprit qui vous empêche de voir l'utilité
et la bienséance de ces désordres apparents; mais pourquoi ne croyez-vous pas tout aussi bien que c'est cette
même faiblesse de vos lumières qui vous empêche de
saisir le vice des beautés apparentes que vous admirez?
Vous répondez que l'univers a la meilleure forme possible, puisque Dieu l'a fait tel qu'il est. Cette solution est
d'un théologien, non d'un philosophe; or, c'est par cet
endroit qu'elle me touche, et je m'y soumets sans réserve; mais je suis bien aise de faire connaître que c'est
par la théologie, et non par la vanité de la philosophie,
qu'on peut prouver les dogmes de la religion.

SUR LES CONVERSATIONS DU MONDE

On parlerait peu, dit un auteur, *si la vanité ne faisait
parler* [45]. Voilà pourquoi on est taciturne dans sa famille,
et avec les gens qu'on dédaigne; on ne leur parle que pour
le besoin. C'est dans le monde que l'on se prodigue, et
que l'on produit la plaisanterie forcée, les contes froids,

et les riens ; là, comme on veut se parler, n'ayant rien à se dire, on se passe mutuellement toutes ces puérilités. Il faudrait, pour s'entretenir de choses plus intéressantes, convenir de goûts et d'opinions ; mais à peine, entre deux amis, peut-on trouver une telle convenance ; quant au monde, où l'on est toujours en garde et en défiance les uns des autres, le discours ne saurait rouler que sur des sujets généraux, le plus souvent très frivoles ; et, comme ces conversations n'ont qu'un intérêt emprunté de la vanité qui s'y mêle, on en change à chaque moment, ce qui fatigue de telle manière les gens accoutumés à pousser un peu loin leurs idées, qu'ils ne sont jamais au sujet qu'on traite, et ne disent rien à propos. Ceux qui ont l'habitude du monde triomphent à montrer le ridicule et la pesanteur de ceux-ci, et ceux-ci disent, à leur tour, des gens du monde qu'ils n'embrassent tant de sujets que par légèreté, et par impuissance d'en approfondir aucun : reproches, quelquefois, bien fondés, des deux parts ; car le caractère de la pesanteur est d'appuyer mal à propos, et celui de la légèreté, de changer mal à propos. Mais il y en a qui réunissent ces deux caractères, qui insistent sur les choses inutiles ou froides, et glissent sur toutes les autres ; et, comme cette espèce est celle qui compose surtout le train du monde, il faut convenir que ses règles ont plus de sens et d'esprit qu'on ne pense, je parle des règles du monde : en effet, des conversations plus solides lasseraient bien vite des gens qui n'y pourraient rien fournir ; leur vanité souffrirait, le peu d'esprit qu'ils ont s'épuiserait en un moment, pour tomber en langueur, et nous les toucherions peut-être encore moins, en leur parlant de choses qui nous fussent personnelles ; car, outre qu'il y aurait de l'imprudence dans cette conduite, et que l'on risquerait de n'être pas écouté, il est difficile aussi que l'intérêt général puisse se rencontrer dans la conversation d'un homme qui parlerait de lui et de ses propres affaires. C'est ainsi qu'il n'est pas nécessaire seulement de parler de choses frivoles, mais qu'il est encore nécessaire d'en parler frivolement ; et, cette coutume ayant son principe dans la frivolité de presque tous les gens du monde, tels qu'ils sont, il n'y aurait rien de plus déraisonnable qu'un usage plus raisonnable. Cependant, on en voit quelques-uns qui font entrer dans la conversation les grands et les petits sujets, et qui se persuadent même, qu'en les confondant de la sorte, et en traitant légèrement les matières les plus relevées, comme un jeu au-dessous de leur application, ils font paraître un esprit supérieur aux plus hautes difficultés, lorsqu'ils n'ont pas même de quoi les entendre : mais c'est là une impertinence à laquelle encore la coutume et la réflexion même nous soumettent. A quoi bon résister, et qu'attendre jamais de la vanité jointe à l'esprit faux, si ce n'est le ridicule à l'excès ?

Sur le luxe

Le luxe dépeuple la campagne, attire les laboureurs et les artisans dans le sein des grandes villes, par l'appât d'un métier plus doux, ou par l'espoir d'un gain plus rapide ; empêche d'autres hommes de se marier, par vanité ou par libertinage ; fait que des terres, dans presque toutes les provinces, demeurent en friche, et met les peuples dans une espèce de dépendance à l'égard de leurs voisins, parce que le besoin qu'ils ont les uns des autres les assujettit les uns aux autres, et attache toute leur fortune à un mutuel négoce, dont le succès n'a pas assez de certitude pour suppléer les fruits certains du labourage. Toutefois, étant impossible de maintenir dans un état puissant l'égalité des conditions et des fortunes, il est sensible aussi que l'on n'en peut fermer l'entrée au luxe, non pas même l'y réformer, parce que le coup qu'on lui porte accable nécessairement une infinité d'artisans qui, privés de toutes ressources, et habitués à des arts faciles, deviennent, par leur incapacité ou leur vanité paresseuses, inutiles à la patrie, et l'affaiblissent par leur oisiveté, s'ils y demeurent, ou par leur désertion, s'ils l'abandonnent ; ce qui découvre le malheureux germe dont toutes les choses humaines sont sensiblement infectées, et prépare, dans la grandeur même des empires, leur inévitable ruine.

Que d'hommes inutiles en France ! que de légistes, que

de valets, que de religieux! que de bourgeois, qui crou-
pissent dans l'oisiveté des villes, et privent le royaume de
leur industrie et de leur travail! La plupart de ces maux
irrémédiables ont leur source dans la grandeur de l'État,
et dans la prospérité même de ceux qui les produisent. Il
semble à quelques hommes qu'on pourrait réparer ce
désordre, en faisant tomber sur les riches les charges les
plus onéreuses; mais qu'arriverait-il de là? Ils diminue-
raient leurs dépenses, ou à la ville, ou à la campagne; si à
la campagne, les terres dépériraient; si à la ville, le
commerce; et, alors, les artisans ou les paysans, sans
travail, seraient réduits à l'aumône ou à quitter leur pays,
alternative également ruineuse pour l'État.

Je suis persuadé que, dans le Royaume, on n'a jamais
vu autant d'argent qu'il s'y en trouve à présent; mais il
est apparent que les denrées ont augmenté sans proportion
à l'argent, ce qui fait que tant de millions ne peuvent
cependant suffire à la facilité des échanges, et que le Roi
ne peut pas faire le recouvrement des impôts, sans interrompre ou gêner le cours du commerce, diminuer le
travail et la consommation, et, par conséquent, le produit
de la terre et de l'industrie.

Comment porter remède à ce mal? Diminuer les impôts? mais cela ne se peut pas, car les charges de l'État
sont augmentées; il souffrirait de cette diminution, et
l'État ne peut être en souffrance, que tous les citoyens n'y
soient en même temps que lui. Hausser les espèces? non,
car les denrées hausseraient dans la même proportion.
Baisser les espèces? encore moins, car les denrées bais-
seraient, et le recouvrement des impôts deviendrait plus
difficile encore. On pourrait faire une refonte des mon-
naies, hausser les nouvelles, et baisser les anciennes;
mais il en arriverait qu'on cacherait les anciennes, qu'on
les porterait hors du Royaume, et que le commerce intérieur languirait nécessairement, faute de circulation et de
nourriture. Où donc recourir? Aux billets? qui s'y fierait
aujourd'hui [46]? On a proposé quelquefois de diminuer,
ou même d'anéantir les charges de l'État; mais c'est une
grande entreprise, et qui veut être approfondie. On a
peut-être des moyens moins violents: rendre les avanta-

ges du commerce supérieurs aux dommages du luxe ; avilir l'oisiveté, et protéger l'industrie, l'agriculture et la population ; empêcher, autant qu'il se peut, la disproportion trop grande des fortunes ; simplifier la perception des revenus du Roi ; en un mot, bien d'autres ressources, qu'une connaissance plus profonde de l'état de chaque province pourrait révéler aux ministres ; car je crois qu'il est impossible, dans la condition présente du Royaume, de faire quelque bien, autrement que dans le détail, et de trouver, par exemple, de ces moyens simples, qui opèrent par une impulsion unique et universelle. La plupart de ces beaux systèmes n'ont qu'un endroit de réel, et ne sont pas proportionnés à leur fin : l'État est comme une balance : un poids trop fort emporterait d'un coup l'équilibre [47].

PLAN D'UN LIVRE DE PHILOSOPHIE

Ceux qui ne lisent que pour s'amuser, ou pour enrichir leur esprit de beaucoup de pensées fines ou délicates, sans se soucier de la vérité et s'intéresser au fond des choses, trouvent assez à se satisfaire dans la multitude de livres que nous possédons ; car la plupart des auteurs ne paraissent avoir écrit que pour ce genre d'hommes ; la plupart n'ont pensé qu'à mettre de l'esprit dans leurs ouvrages. Aussi peu inquiets de la vérité que leurs lecteurs, ils ne se sont pas mis en peine de faire entrer dans leurs écrits ce qu'on ne devait pas y chercher ; ils y ont répandu de l'esprit, parce que ce n'était que de l'esprit qu'on y voulait. Ainsi, ils n'ont point rejeté la vérité, lorsqu'elle a pu servir à leur dessein ; mais ils lui ont associé ou substitué l'erreur, lorsqu'elle leur a été utile ; de sorte que les livres les plus estimés n'ont plus été des titres et des archives de la vérité, mais de simples recueils d'esprit et de pensées vraies ou fausses. Je serais bien porté à croire que l'objet des premiers hommes qui ont écrit n'a pas été si vain et si frivole : il y a grande apparence que les premiers auteurs de réflexions se sont flattés de découvrir la vérité à leurs lecteurs, et que les premiers lecteurs ont espéré de recevoir cette lumière de leurs maîtres ; mais, comme les découvertes ne se sont faites que peu à peu, et par différents hommes qui, tous, ont envisagé les objets par divers côtés, de là s'est formée dans l'esprit des hommes une confusion de pensées et de principes, que peu ont eu la force de développer et de réunir sous un même point de vue. Plus les réflexions et les vues se sont multipliées, plus les hommes se sont trouvés accablés de cette infinité de connaissances, moins leur esprit s'est trouvé capable de les dépouiller des erreurs qui les accompagnent, et de les réduire en principes. Faute de pouvoir accorder un grand nombre de réflexions contradictoires en apparence, ou véritablement incompatibles, plusieurs se sont persuadés qu'il n'appartenait pas à l'homme de connaître la vérité, car le pyrrhonisme est né de l'impuissance de l'esprit, comme l'indifférence de la vérité est née du pyrrhonisme. On a fait ce raisonnement : s'il y a tant de choses également apparentes et néanmoins incompatibles, ou tout est erreur dans le monde, ou l'esprit de l'homme est incapable de démêler la vérité ; or, si la vérité ne peut être connue, c'est une folie de la chercher. Alors, et les auteurs et les lecteurs sont convenus qu'il n'était plus question que d'avoir de l'esprit, et les uns n'ont écrit, et les autres n'ont lu, que dans cette unique pensée.

Mais, parce que le plus grand nombre des hommes aime à croire, qu'il y a, d'ailleurs, beaucoup de vérités sensibles et que l'esprit a de la peine à rejeter malgré les ombres qui les obscurcissent, il est arrivé que le plus grand nombre a regardé avec mépris les livres et les auteurs où l'on n'apercevait, en général, qu'une vaine affectation d'esprit. En effet, si la vérité ne peut être connue, à quoi sert l'esprit qui ne peut la trouver ? et, si la vérité peut être connue, à quoi sert l'esprit qui ne tend pas à l'enseigner ? Ainsi, les philosophes et les auteurs se sont décriés et avilis eux-mêmes aux yeux des hommes, qui n'ont pas besoin de savoir qu'un autre homme a de l'esprit, et veulent des lectures utiles, ou proscrivent la lecture avec raison, si elle est inutile.

Ce n'est pas que la plupart des grands hommes qui ont écrit dans les derniers temps, n'aient écrit dogmatiquement, et n'aient eu, la plupart, un système général sur tous les objets essentiels; mais, comme ils n'ont traité que des sujets particuliers, et qu'ils n'ont pas pris soin de faire un corps de leurs principes, il n'est pas aisé de saisir leurs vues éparses, et de les rapprocher pour former un système; d'autant mieux qu'ayant considéré les choses en divers temps et sous diverses faces, ils n'ont pas toujours évité de se contredire, et se sont trompés quelquefois, parce qu'il n'appartient à aucun homme d'échapper à toute sorte d'erreurs. Si l'on ajoute à ces considérations que le dernier siècle, où ces grands hommes ont paru, sortait à peine de la barbarie et des ténèbres d'une longue ignorance, on ne sera nullement surpris, qu'ayant eu tant d'obstacles à surmonter, chacun dans son genre, pour trouver le vrai, ils n'aient pu réunir les différentes découvertes que les uns et les autres faisaient en même temps.

C'est à nous, qui venons après tant de grands génies, à rassembler toutes leurs lumières, et à purger leurs opinions du faux qui peut s'y être mêlé. Avec des matériaux aussi riches que ceux qu'ils nous ont laissés, nous pouvons bien plus aisément élever un édifice qui ait de la proportion et de l'étendue. C'est à nous à prendre des vues générales, et à nous former un esprit vaste de tant d'esprits particuliers, mais excellents, qui nous ont ouvert l'entrée de toutes les sciences. Aussi voyons-nous que ceux qui marchent de plus près sur les pas de ces hommes illustres, font paraître des vues plus générales et peut-être plus étendues qu'on n'en trouve dans la plupart de leurs modèles. Cet avantage est celui de notre siècle, plutôt que celui de nos auteurs, et nous ne devons pas, je crois, en tirer de la vanité; nous le devons d'autant moins, que ces vues générales que nous affectons sont encore mêlées de beaucoup d'erreurs, et ne sont présentées, nulle part, avec méthode, ni même en système. Or, il me paraît que c'est un grand défaut dans les ouvrages de réflexion de ne pas faire un tout, car l'esprit saisit avec peine ce qui n'est point un. C'est pourquoi j'ai toujours pensé qu'il serait fort utile de former un système général de toutes les vérités essentielles que l'on peut connaître sur les sciences utiles.

Comme la principale erreur de notre siècle est de croire tout incertain et problématique, je voudrais qu'on s'attachât d'abord à détruire cette erreur nuisible, qu'on découvrît, en même temps, la certitude et l'utilité de certaines sciences, qu'on les appréciât toutes avec justice, et qu'on mît chacune dans son rang. Je voudrais qu'on pût rapprocher, en peu de mots, les siècles barbares et le petit nombre de siècles éclairés; qu'en les comparant les uns aux autres, on fît voir ce que la nature peut faire pour les hommes, et ce que l'éducation peut y ajouter; que l'on mît dans une balance les divers avantages du savoir et de l'ignorance, que l'on expliquât l'origine des principales erreurs, et qu'on nous menât aux grandes sources de nos opinions.

Je voudrais encore qu'on prouvât la réalité de la vertu et celle du vice, qu'on expliquât la religion et la morale, que l'on remontât aux principes de l'une et de l'autre, qu'on cherchât, dans la connaissance de l'esprit humain, la source des coutumes différentes, des mœurs qui nous semblent les plus barbares, et des opinions qui nous surprennent le plus, afin qu'on ne s'étonnât plus de tant de choses qu'il serait si facile de concilier et de comprendre.

Comme le commerce paraît aujourd'hui une chose fort importante, ainsi que les manufactures et les arts qui le font fleurir, et qu'il se trouve, néanmoins, des philosophes qui méprisent toutes ces choses qu'ils croient superflues, et voudraient ramener les hommes à la première simplicité, je crois qu'il serait instructif et agréable de montrer en quoi les uns et les autres se trompent, et en quoi ils peuvent être bien fondés. Il ne serait ni moins utile ni moins nécessaire de décider entre les ignorants et les savants du mérite des beaux-arts, trop estimés peut-être par les uns, et trop avilis par les autres. Je voudrais qu'on fixât aussi nos opinions sur le gouvernement, dont les hommes disputent depuis si longtemps sans pouvoir s'accorder.

Rien ne serait plus utile, ce me semble, que de régler ainsi tous les principaux points de nos disputes, en conciliant, autant qu'il est possible, toutes les vérités répandues dans nos opinions, et en les dépouillant du faux qui s'y est mêlé. Or, je crois qu'il serait nécessaire, pour cela, de traiter chaque chose brièvement, clairement, et de manière que les vérités présentées prévinssent toutes les objections qu'on a coutume de leur opposer, afin d'éviter les longueurs et les détails; car, si l'on s'engageait, sur chaque article, ou dans de longues disputes ou dans des détails expliqués, l'ouvrage devenant alors trop étendu pour être saisi facilement et d'un coup d'œil, on perdrait le fruit principal qu'on s'y propose, qui est de pouvoir rapprocher en peu de mots toutes les vérités importantes, et former un corps de principes. Toutefois, il serait facile, après avoir traité les grands sujets dans un premier tome, d'en expliquer les branches et les effets dans un second et dans un troisième, qui, sans séparer les matières du premier volume, ne feraient que les éclaircir.

AUTRE CONSEIL A UN JEUNE HOMME
IL FAUT AVOIR LES TALENTS DE SON ÉTAT

Mon cher ami, il faut avoir les talents de son état, ou le quitter. Parce qu'on est né gentilhomme, on fait la guerre, quoiqu'on n'ait ni santé, ni patience, ni activité, ni amour des détails, qualités essentielles et indispensables dans un tel métier; ou, si l'on est né dans la robe, on s'attache au barreau, sans éloquence, sans sagacité, sans goût pour l'étude des lois; ainsi des autres professions. Si l'on a du mérite d'ailleurs, on s'étonne de ne pas faire son chemin, on se plaint d'une profession ingrate, et l'on se dégoûte. Un homme de votre âge, qui a des passions, qui n'aime pas les détails, s'impatiente dans les emplois subalternes par lesquels il est nécessaire de passer, lorsqu'on n'est pas né sous les enseignes de la faveur; il se déplaît dans ces occupations frivoles et laborieuses qui sont inséparables des petits services; il néglige même de s'instruire de ce qu'il peut y avoir de grand dans sa profession, lorsqu'il se voit si éloigné de pouvoir mettre en pratique cette théorie, et il préfère à une étude, qui est un peu sèche, des connaissances plus agréables et plus étendues. Par là il met ceux qui disposent des emplois en droit de négliger son avancement, comme il néglige lui-même son devoir ; car il faut se rendre justice : les récompenses militaires ne sont dues qu'à ceux qui ont les vertus militaires ; mais parce qu'on ne fait pas cette réflexion, on trouve les ministres et les généraux injustes, et on les accuse de ses propres fautes. Si votre métier est trop dur, choisissez-en un dont vous soyez à même de remplir tous les devoirs.

RÉFLEXIONS CRITIQUES

Sur quelques ouvrages de M. de Voltaire

Après avoir parlé de Rousseau et des plus grands poètes du siècle passé, je crois que ce peut être ici la place de
dire quelque chose d'un homme qui honore notre siècle,
et qui n'est ni moins grand ni moins célèbre que tous ceux
qui l'ont précédé, quoique sa gloire, plus près de nos
yeux, soit plus exposée à l'envie. Il ne m'appartient pas
de faire une critique raisonnée de tous ses écrits, qui
passent de trop loin mes connaissances et la faible étendue de mes lumières; ce soin me convient d'autant
moins, qu'une infinité d'hommes, plus instruits que moi,
ont déjà fixé les idées qu'on en doit avoir. Ainsi, je ne
parlerai pas de *La Henriade,* qui, malgré les défauts
qu'on lui impute, et ceux qui y sont en effet, passe
néanmoins, sans contestation, pour le plus grand ouvrage
de ce siècle, et le seul poème, en ce genre, de notre
nation. Je dirai peu de choses encore de ses *Tragédies :*
comme il n'y en a aucune qu'on ne joue au moins une fois
chaque année, tous ceux qui ont quelque étincelle de bon
goût peuvent y remarquer, d'eux-mêmes, le caractère original de l'auteur, les grandes pensées qui y règnent, les morceaux éclatants de poésie qui les embellissent, la manière
forte dont les passions y sont ordinairement conduites,
et les traits hardis et sublimes dont elles sont pleines.

Je ne m'arrêterai donc pas à faire remarquer dans
Mahomet cette expression grande et tragique du genre
terrible, qu'on croyait épuisée par l'auteur d'*Électre* [48].
Je ne parlerai pas de la tendresse répandue dans *Zaïre,* ni

du caractère théâtral des passions d'Hérode [49], ni de la singulière et noble nouveauté d'*Alzire,* ni des éloquentes harangues qu'on lit dans *La Mort de César,* ni enfin de tant d'autres pièces, toutes différentes, qui font admirer le génie et la fécondité de leur auteur. Mais, parce que la tragédie de *Mérope* me paraît encore mieux écrite, plus touchante et plus naturelle que les autres, je n'hésiterai pas à lui donner la préférence. J'admire les grands caractères qui y sont décrits, le vrai qui règne dans les sentiments et les expressions, la simplicité sublime du rôle d'Égisthe, caractère unique sur notre théâtre ; la tendresse impétueuse de Mérope, ses discours coupés, véhéments, et tantôt remplis de violence, tantôt de hauteur. Je ne suis pas assez tranquille à la représentation d'un ouvrage qui produit de si grands mouvements, pour examiner si les règles et les vraisemblances sévères n'y sont pas blessées ; la pièce me serre le cœur dès le commencement, et me mène jusqu'à la catastrophe sans me laisser la liberté de respirer. S'il y a donc quelqu'un qui prétende que la conduite de l'ouvrage est peu régulière, et qui pense que M. de Voltaire n'est pas heureux dans la fiction ou dans le tissu de ses pièces, sans entrer dans cette question, trop longue à discuter, je me contenterai de lui répondre que ce même défaut dont on accuse M. de Voltaire a été reproché très justement à plusieurs pièces excellentes, sans leur faire tort : les dénouements de Molière sont peu estimés, et *Le Misanthrope,* qui est le chef-d'œuvre de la comédie, est une comédie sans action ; mais c'est le privilège des hommes comme Molière et M. de Voltaire, d'être admirables, malgré leurs défauts, et, souvent, dans leurs défauts mêmes.

Reprenons *Mérope.* Ce que j'admire encore dans cette tragédie, c'est que les personnages y disent toujours ce qu'ils doivent dire, et sont grands sans affectation. Il faut lire la seconde scène du second acte pour comprendre ce que je dis ; qu'on me permette d'en citer la fin, quoiqu'il soit aisé de trouver dans la même pièce de plus grands morceaux :

ÉGISTHE

. . . .
Ce faux instinct de gloire égara mon courage;
A mes parents, flétris par les rides de l'âge,
J'ai de mes jeunes ans dérobé les secours:
C'est ma première faute, elle a troublé mes jours.
Le ciel m'en a puni; le ciel inexorable
M'a conduit dans le piège, et m'a rendu coupable.

MÉROPE

Il ne l'est point, j'en crois son ingénuité;
Le mensonge n'a point cette simplicité.
Tendons à sa jeunesse une main bienfaisante;
C'est un infortuné que le ciel me présente:
Il suffit qu'il soit homme et qu'il soit malheureux.
Mon fils peut éprouver un sort plus rigoureux.
Il me rappelle Égisthe; Égisthe est de son âge:
Peut-être comme lui, de rivage en rivage,
Inconnu, fugitif, et partout rebuté,
Il souffre le mépris qui suit la pauvreté.
L'opprobre avilit l'âme et flétrit le courage.

Cette dernière réflexion de Mérope est bien naturelle et
bien sublime: une mère aurait pu être touchée de toute
autre crainte dans une telle calamité; et, néanmoins,
Mérope paraît pénétrée de ce sentiment. Voilà comme les
sentences sont grandes dans la tragédie, et comme il
faudrait toujours les y placer. C'est cette manière si
simple de faire parler les passions qui caractérise les
grands hommes; c'est, je crois, cette sorte de grandeur
qui est propre à Racine, et que tant de poètes après lui ont
négligée, ou parce qu'ils ne la connaissaient pas, ou parce
qu'il leur a été bien plus facile de dire des choses guin-
dées, et d'exagérer la nature. Aujourd'hui, on croit avoir
fait un caractère lorsqu'on a mis dans la bouche d'un
personnage ce qu'on veut faire penser de lui, et qui est
précisément ce qu'il doit taire; une mère affligée dit
qu'elle est affligée, et un héros dit qu'il est un héros. Il
faudrait que les personnages fissent penser tout cela
d'eux, et que rarement ils le dissent; mais, tout au
contraire, ils le disent, et le font rarement penser. Le
grand Corneille n'a pas été exempt de ce défaut, et cela a
gâté tous ses caractères; car, enfin, ce qui forme un
caractère, ce n'est pas, je crois, quelques traits, ou har-

dis, ou forts, ou sublimes, c'est l'ensemble de tous les traits et des moindres discours d'un personnage. Si on fait parler un héros, qui mêle partout de l'ostentation, de la vanité, et des choses basses à de grandes choses, j'admire ces traits de grandeur qui appartiennent au poète, mais je sens du mépris pour son héros, dont le caractère est manqué. L'éloquent Racine, qu'on accuse de stérilité dans ses caractères, est le seul de son temps qui ait fait des caractères ; et ceux qui admirent la variété du grand Corneille sont bien indulgents de lui pardonner l'invariable ostentation de ses personnages, et le caractère toujours dur des vertus qu'il a décrites.

C'est pourquoi quand M. de Voltaire a critiqué les caractères d'Hippolyte, Bajazet, Xipharès, Britannicus, il n'a pas prétendu, je crois, attaquer le mérite de ceux d'Athalie, Joad, Acomat, Agrippine, Néron, Burrhus, Mithridate, etc. Mais puisque cela me conduit à parler du *Temple du Goût,* je suis bien aise d'avoir occasion de dire que j'en estime grandement les décisions. J'excepte ces mots : *Bossuet, le seul éloquent entre tant d'écrivains qui ne sont qu'élégants* [50] : car M. de Voltaire lui-même est trop éloquent pour réduire à ce petit mérite d'élégance les ouvrages de Pascal, l'homme de la terre qui savait mettre la vérité dans le plus beau jour, et raisonner avec le plus de force. Je prends la liberté de défendre encore contre son autorité le vertueux auteur de *Télémaque,* homme né véritablement pour enseigner aux rois l'humanité, dont les paroles tendres et persuasives pénètrent mon cœur, et qui, par la noblesse et par la vérité de ses peintures, par les grâces touchantes de son style, se fait aisément pardonner d'avoir employé trop souvent les lieux communs de la poésie et un peu de déclamation. Mais, quoi qu'il puisse être de cette trop grande partialité de M. de Voltaire pour Bossuet, que je respecte d'ailleurs plus que personne, et qui est le plus sublime des orateurs, je déclare que tout le reste du *Temple du Goût* m'a frappé par la vérité des jugements, par la vivacité, la variété et le tour aimable du style ; et je ne puis comprendre que l'on juge si sévèrement d'un ouvrage si peu sérieux, et qui est un modèle d'agréments.

Dans un genre assez différent, l'*Epître aux mânes de Génonville* et celle *Sur la mort de mademoiselle Lecouvreur* m'ont paru deux morceaux remplis de charme, et où la douleur, l'amitié, l'éloquence et la poésie parlent avec la grâce la plus ingénue et la simplicité la plus touchante. J'estime plus deux petites pièces faites de génie, comme celles-ci, et qui respirent la passion, que beaucoup d'assez longs poèmes.

Je finirai sur les ouvrages de M. de Voltaire, en disant quelque chose de sa prose. Il n'y a guère de mérite essentiel qu'on ne puisse trouver dans ses écrits ; si l'on est bien aise de voir toute la politesse de notre siècle, avec un grand art pour faire sentir la vérité dans les choses de goût, on n'a qu'à lire la préface d'*Œdipe*, écrite contre M. de La Motte avec une délicatesse inimitable ; si l'on cherche du sentiment, de l'harmonie jointe à une noblesse singulière, on peut jeter les yeux sur la préface d'*Alzire*, et sur l'*Epître à madame la marquise du Châtelet* ; si l'on demande une littérature universelle, un goût étendu qui embrasse le caractère de plusieurs nations, et qui peigne les manières différentes des plus grands poètes, on le trouvera dans les *Réflexions sur les poètes épiques*, et les divers morceaux traduits par M. de Voltaire des poètes anglais, d'une manière qui passe peut-être les originaux. Je ne parle pas de l'*Histoire de Charles XII*, qui, par la faiblesse des critiques que l'on en a faites, a dû acquérir une autorité incontestable, et qui me paraît être écrite avec une force, une précision et des images dignes d'un tel peintre ; mais quand on n'aurait vu de M. de Voltaire que son *Essai sur le siècle de Louis XIV*, et ses *Réflexions sur l'Histoire* [51], ce serait assez pour reconnaître en lui, non seulement un écrivain du premier ordre, mais encore un génie sublime qui peint tout en grand, et, d'un seul trait, met la vérité toute nue sous les yeux ; une vaste imagination qui rapproche de loin les choses humaines ; enfin, un esprit supérieur aux préjugés, qui unit à la politesse et à l'esprit philosophique de son siècle, la connaissance des siècles passés, de leurs mœurs, de leur politique, de leurs religions, et toute l'économie du genre humain.

Si pourtant il se trouve encore des gens prévenus, qui s'attachent à relever ou les erreurs ou les défauts de ses ouvrages, et qui demandent à un homme si universel la même perfection et la même justesse de ceux qui se sont renfermés dans un seul genre, et souvent dans un genre assez petit, que peut-on répondre à des critiques si peu raisonnables? J'espère que le petit nombre des juges désintéressés me saura du moins quelque gré d'avoir osé dire les choses que j'ai dites, parce que je les ai pensées, et que la vérité m'a été chère. C'est le témoignage que l'amour des lettres m'oblige de rendre à un homme qui n'est ni en place, ni puissant, ni favorisé, et auquel je ne dois que la justice que tous les hommes lui doivent comme moi, et que l'ignorance ou l'envie s'efforcent inutilement de lui ravir.

SUR FÉNELON

Les répétitions de Fénelon ne me choquent point; il me semble qu'elles sont bien placées dans un style, noble et touchant comme le sien, mais en même temps familier et populaire. Ces répétitions sont un art de faire reparaître la même vérité sous de nouveaux tours et sous de nouvelles images, pour l'imprimer plus avant dans l'esprit des hommes. Je ne voudrais retrancher du roman de *Télémaque,* car rien autre chose ne m'y déplaît, que les lieux communs de poésie dont il est rempli, et quelques imitations un peu trop faibles des grands ouvrages de l'Antiquité; l'art d'imiter, lorsqu'il n'est pas parfait, dégénère toujours en déclamation. Il est, je crois, très rare qu'on soit emphatique par trop de chaleur; mais c'est un défaut où l'on tombe presque inévitablement lorsqu'on n'est animé que d'une chaleur empruntée. Voilà peut-être ce qui est arrivé quelquefois à l'illustre auteur dont je parle; mais ces imitations passagères ne m'empêchent pas de reconnaître dans ses écrits un caractère véritablement original, une âme tendre, ingénue, éloquente, une imagination abondante et ornée, un esprit facile, enchanteur et plein de grâce, vrai dans ses peintures, varié dans ses tours, harmonieux et riche dans ses expressions, toujours pathétique, le seul écrivain qui ait donné à la modération un caractère élevé, qui ait parlé sans faste de la vertu, et qui l'ait embellie et la fasse aimer par les charmes de la simplicité et de l'éloquence.

Sur Pascal et Bossuet

J'aime Boileau d'avoir dit que Pascal était également au-dessus des anciens et des modernes; moi-même, j'ai pensé quelquefois, sans jamais l'oser dire, qu'il n'avait pas moins de génie pour l'éloquence que Démosthène. S'il m'appartenait de hasarder mon sentiment sur de si grands hommes, je dirais encore que Bossuet est plus majestueux et plus sublime qu'aucun des Romains et des Grecs. Il ne serait peut-être pas inutile que ceux qui joignent un goût solide à la connaissance des langues anciennes voulussent bien fixer sur ce point nos opinions.

Sur les prosateurs du XVIIᵉ siècle

Il me semble qu'on peut compter sous le règne de Louis XIV quatre écrivains de prose de génie : Pascal, Bossuet, Fénelon, La Bruyère. C'est se borner sans doute à un bien petit nombre ; mais ce nombre, tout borné qu'il est, ne se retrouve pas dans plusieurs siècles ; les grands hommes dans tous les genres sont toujours très rares. M. de Voltaire, dont les décisions sur toutes les choses de goût sont si justement estimées, ne paraît accorder qu'au seul Bossuet le mérite d'être éloquent. Si ce jugement est exact, on pourrait présumer que le génie de l'éloquence est encore moins commun que celui de la poésie.

Sur Descartes

Descartes, s'étant fondé sur des principes faux, a eu besoin de beaucoup d'invention et de sagacité pour élever un système sur des fondements si ruineux. Il est admirable, jusque dans ses erreurs, par le nombre prodigieux de machines et de ressorts dont il les a étayées ; cependant cette même abondance ou cette diversité de moyens est une preuve qu'il n'a pas connu la vérité, la vérité étant telle de sa nature que, lorsqu'on la conçoit distinctement, on l'établit à peu de frais ; elle se prouve elle-même en se montrant.

SUR MONTAIGNE ET PASCAL

Montaigne pensait fortement, naturellement, hardiment ; il joignait à une imagination inépuisable un esprit invinciblement tourné à réfléchir. On admire dans ses écrits ce caractère original qui manque rarement aux âmes vraies ; il avait reçu de la nature ce génie sensible et frappant, qu'on ne peut d'ailleurs refuser aux hommes qui sont supérieurs à leur siècle. Montaigne a été un prodige dans des temps barbares ; cependant on n'oserait dire qu'il ait évité tous les défauts de ses contemporains ; il en avait lui-même de considérables qui lui étaient propres, qu'il a défendus avec esprit, mais qu'il n'a pu justifier, parce qu'on ne justifie point de vrais défauts. Il ne savait ni lier ses pensées, ni donner de justes bornes à ses discours, ni rapprocher utilement les vérités, ni en conclure. Admirable dans les détails, incapable de former un tout ; savant à détruire, faible à établir ; prolixe dans ses citations, dans ses raisonnements, dans ses exemples ; fondant sur des faits vagues et incertains des jugements hasardeux ; affaiblissant quelquefois de fortes preuves par de vaines et inutiles conjectures ; se penchant souvent du côté de l'erreur pour contre-peser l'opinion ; combattant par un doute trop universel la certitude ; parlant trop de soi, quoi qu'on en dise, comme il parlait trop d'autres choses ; incapable de ces passions altières et véhémentes qui sont presque les seules sources du sublime ; choquant, par son indifférence et son indécision, les âmes impérieuses et décisives ; obscur et fatigant en mille endroits, faute de méthode ; en un mot, malgré tous les charmes de sa naïveté et de ses images, très faible orateur, parce qu'il ignorait l'art nécessaire d'arranger un discours, de déterminer, de passionner et de conclure.

Pascal n'a surpassé Montaigne ni en naïveté, ni en fécondité, ni en imagination; il l'a surpassé en profondeur, en finesse, en sublimité, en véhémence; il a porté à sa perfection l'éloquence d'art, que Montaigne ignorait entièrement, et n'a point été égalé dans cette vigueur de génie par laquelle on rapproche les objets, et on résume un discours; mais la chaleur et la vivacité de son esprit ardent et inquiet pouvaient lui donner des erreurs, dont le génie ferme et modéré de Montaigne ne s'est pas montré susceptible.

SUR FONTENELLE

M. de Fontenelle mérite d'être regardé par la postérité comme un des plus grands philosophes de la terre. Son *Histoire des oracles*, son petit traité *De l'Origine des fables*, une grande partie de ses *Dialogues,* sa *Pluralité des mondes,* sont des ouvrages qui ne devraient jamais périr, quoique le style en soit froid, et peu naturel en beaucoup d'endroits. On ne peut refuser à l'auteur de ces ouvrages d'avoir donné de nouvelles lumières au genre humain; personne n'a mieux fait sentir que lui cet amour immense que les hommes ont pour le merveilleux, cette pente extrême qu'ils ont à respecter les vieilles traditions et l'autorité des anciens. C'est à lui, en grande partie, qu'on doit cet esprit philosophique qui fait mépriser les déclamations et les autorités, pour discuter le vrai avec exactitude. Le désir qu'il a eu dans tous ses écrits de rabaisser les anciens l'a conduit à découvrir tous leurs faux raisonnements, tout le fabuleux, les déguisements de leurs histoires et la vanité de leur philosophie. Ainsi la querelle des anciens et des modernes, qui n'était pas fort importante en elle-même, a produit des dissertations sur les traditions et sur les fables de l'Antiquité, qui ont découvert le caractère de l'esprit des hommes, détruit les superstitions, et agrandi les vues de la morale. M. de

Fontenelle a excellé encore à peindre la faiblesse et la vanité de l'esprit humain; c'est dans cette partie, et dans les vues qu'il a eues sur l'histoire ancienne et sur la superstition, qu'il me paraît véritablement original. Son esprit fin et profond ne l'a trompé que dans les choses de sentiment; partout ailleurs, il est admirable.

SUR LES MAUVAIS ÉCRIVAINS

Il faut écrire parce que l'on pense, parce que l'on est pénétré de quelque sentiment, ou frappé de quelque vérité utile. Ce qui fait qu'on est inondé de tant de livres froids, frivoles ou pesants, c'est que l'on ne suit pas cette maxime. Souvent, un homme qui a résolu de faire un livre se met devant sa table, sans savoir ce qu'il doit dire, ni même ce qu'il doit penser; ayant l'esprit vide, il essaie de remplir du papier, il écrit et efface, et forge des pensées et des phrases, comme le maçon bat du plâtre, ou comme l'artisan le plus grossier travaille à un ouvrage mécanique. Ce n'est pas le cœur qui l'inspire, ce n'est pas la réflexion qui le conduit, et ce qu'il laisse partout apercevoir c'est l'envie d'avoir de l'esprit, et la fatigue que ce soin lui coûte. On trouve dans tout ce qu'il écrit cette empreinte dure et cet importun caractère, car il est naturel que les ouvrages de la volonté portent la marque de leur origine. On voit un auteur qui sue pour penser, qui sue pour se faire entendre; qui, après avoir formé quelques idées toujours imparfaites, et plus subtiles que vraies, s'efforce de persuader ce qu'il ne croit pas, de faire sentir ce qu'il ne sent pas, d'enseigner ce que lui-même ignore; qui, pour développer ses réflexions, dit des choses aussi faibles et aussi obscures que ses pensées mêmes : car ce que l'on conçoit nettement, on n'a pas besoin de le commenter; mais ce qu'on ne fait qu'entre-voir, ou ce qu'on imagine faiblement, on l'allonge plus aisément qu'on ne l'explique. L'esprit se peint dans la parole, qui est son image, et les longueurs du discours sont le sceau des esprits stériles et des imaginations ténébreuses; de là vient qu'il y a tant de *remplissage* dans les écrits, et si peu de choses utiles. Si l'on voulait ramener d'assez longs ouvrages à leurs principaux chefs, on verrait que tout se réduit à un très petit nombre de pensées, étendues avec profusion et partout mêlées d'erreurs; et ce défaut, que l'on remarque dans les livres de réflexion, n'est pas moins sensible dans les ouvrages de pur sentiment : c'est une abondance stérile qui rebute, une vaine richesse de paroles qui ne couvre point la nudité des idées, des sentiments faibles dans le cœur, et bouffis par l'expression, de fausses couleurs, des mouvements feints et forcés. Aussi voyons-nous peu d'ouvrages qui se fassent lire sans peine : il faut travailler pour démêler le sens d'un philosophe qui a cru s'entendre, pour découvrir le rapport des pensées d'un poète avec les images dont il les revêt, pour suivre les prolixités d'un orateur qui ne va point au but, et ne convainc ni ne touche. S'il fallait en juger par ces écrits, un livre n'est pas une suite d'idées qui naissent nécessairement les unes des autres; ce n'est pas un tableau où les yeux s'attachent d'eux-mêmes, et saisissent avidement les fortes images du vrai; ce n'est pas l'invention d'un homme qui s'oblige par son travail à nous épargner la peine de nous appliquer pour nous instruire : cet ordre si naturel est renversé; c'est le lecteur lui-même qui est obligé de s'ennuyer, pour trouver le mérite d'un ouvrage où l'on a prétendu le divertir; et, comme il n'imagine pas qu'un gros volume puisse ne contenir que peu de matière, ou que ce qui a coûté visiblement tant de travail soit si dépourvu de mérite, il croirait volontiers que c'est sa faute, s'il n'est pas plus amusé ou plus instruit.

Concluons de tout cela qu'il faut avoir pensé avant d'écrire, qu'il faut sentir pour émouvoir, connaître avec évidence pour convaincre, et que tous les efforts qu'on fait pour paraître ce qu'on n'est pas ne servent qu'à manifester plus clairement ce que l'on est. Pour moi, je voudrais que ceux qui écrivent, poètes, orateurs, philosophes, auteurs en tout genre, se demandassent du moins à eux-mêmes : Ces pensées que j'ai proposées, ces sentiments que j'ai voulu inspirer, cette lumière, cette évidence de la vérité, cette chaleur, cet enthousiasme, que

j'ai tâché de faire naître, en étais-je pénétré moi-même ?
En un mot, les ai-je contrefaits, ou éprouvés ? Je voudrais
qu'ils se persuadassent qu'il ne sert de rien d'avoir mis de
l'esprit dans un ouvrage, quand on n'y a pas joint le talent
d'instruire et de plaire. Je leur demanderais enfin de se
souvenir de cette maxime, et de la graver en gros caractères dans leur cabinet : *que l'auteur est fait pour le
lecteur, mais que le lecteur n'est pas fait pour admirer
l'auteur qui lui est inutile.*

SUR UN DÉFAUT DES POÈTES

Le plus grand et le plus ordinaire défaut des poètes est
de ne savoir pas conserver le génie de leur langue, et la
naïveté du sentiment. Ils ne pensent pas que c'est manquer entièrement de génie pour la poésie et pour l'éloquence, que de ne pas posséder celui de sa langue. Le
génie de toutes les sciences et de tous les arts consiste
principalement à saisir le vrai, et, lorsqu'on le saisit et
qu'on l'exprime dans de grandes choses, on a incontestablement un grand génie. Mais des mots assemblés sans
choix, des pensées rimées, beaucoup d'images qui ne
peignent rien, parce qu'elles sont déplacées, des sentiments faux et forcés, tout cela ne mérite pas le nom de
poésie ; c'est un jargon barbare et insupportable. Je voudrais que ceux qui se mêlent de faire des vers voulussent
considérer que, l'objet de la poésie n'étant point la difficulté vaincue, le public n'est pas obligé de tenir compte
aux gens sans talent de la très grande peine qu'ils ont à
écrire.

SUR L'ODE

Je ne sais point si Rousseau a surpassé Horace et
Pindare dans ses odes ; s'il les a surpassés, je conclus que
l'ode est un mauvais genre, ou, du moins, un genre qui
n'a pas encore atteint, à beaucoup près, sa perfection.
L'idée que j'ai de l'ode est que c'est une espèce de délire,

un transport de l'imagination ; mais ce transport et ce
délire, s'ils étaient vrais et non pas feints, devraient
remplir les odes de sentiment ; car il n'arrive jamais que
l'imagination soit véritablement échauffée sans passionner l'âme : or, rien n'est plus froid que de très beaux vers,
où l'on ne trouve que de l'harmonie, et des images sans
chaleur et sans enthousiasme. Mais ce qui fait que Rousseau est si admiré, malgré ce défaut de passion, c'est que
la plupart des poètes qui ont essayé de faire des odes,
n'ayant pas plus de chaleur que lui, n'ont pu même
atteindre à son élégance, à son harmonie, à sa simplicité,
et à la richesse de sa poésie. Ainsi, il est admiré, non
seulement pour les beautés réelles de ses ouvrages, mais
aussi pour les défauts de ses imitateurs. Les hommes sont
faits de manière qu'ils ne jugent guère que par comparaison ; et, jusqu'à ce qu'un genre ait atteint sa véritable
perfection, ils ne s'aperçoivent point de ce qui lui manque ; ils ne s'aperçoivent pas même qu'ils ont pris une
mauvaise route, et qu'ils ont manqué le génie d'un certain
genre, tant que le vrai génie et la vraie route leur restent
inconnus. C'est ce qui a fait que tous les mauvais auteurs
qui ont primé dans leur siècle ont passé incontestablement
pour de grands hommes, personne n'osant contester à
ceux qui faisaient mieux que les autres qu'ils fussent dans
le bon chemin.

SUR LA POÉSIE ET L'ÉLOQUENCE

M. de Fontenelle dit formellement, en plusieurs endroits de ses ouvrages, que l'éloquence et la poésie sont
peu de chose, etc. Il me semble qu'il n'est pas trop
nécessaire de défendre l'éloquence. Qui devrait mieux
savoir que M. de Fontenelle, que la plupart des choses
humaines, je dis celles dont la nature a abandonné la
conduite aux hommes, ne se font que par la séduction ?
C'est l'éloquence qui, non seulement convainc les hommes, mais qui les échauffe pour les choses qu'elle leur a
persuadées, et qui, par conséquent, se rend maîtresse de
leur conduite. Si M. de Fontenelle n'entendait par l'élo-

quence qu'une vaine pompe de paroles, l'harmonie, le
choix, les images d'un discours, encore que toutes ces
choses contribuent beaucoup à la persuasion, il pourrait
cependant en faire peu d'estime, parce qu'elles n'auraient
pas grand pouvoir sur des esprits fins et profonds comme
le sien ; mais M. de Fontenelle ne peut ignorer que la
grande éloquence ne se borne point à l'imagination, et
qu'elle embrasse la profondeur du raisonnement qu'elle
fait valoir, ou par un grand art et par une singulière
netteté, ou par une chaleur d'expression et de génie qui
entraîne les esprits les plus opiniâtres. L'éloquence a
encore cet avantage qu'elle rend les vérités populaires,
qu'elle les fait sentir aux moins habiles, et qu'elle se
proportionne à tous les caractères ; enfin, je crois qu'on
peut dire qu'elle est la marque la plus certaine de la
vigueur de l'esprit, et l'instrument le plus puissant de la
nature humaine... A l'égard de la poésie, je ne crois pas
qu'elle soit fort distincte de l'éloquence. Un grand poète
la nomme l'*éloquence harmonieuse* [52] ; je me fais honneur de penser comme lui. Je sais bien qu'il peut y avoir
dans la poésie de petits genres, qui ne demandent que
quelque vivacité d'imagination et l'art des vers ; mais
dira-t-on que la physique est peu de chose, parce qu'il y a
des parties de la physique qui ne sont pas d'une grande
étendue ou d'une grande utilité ? La grande poésie demande nécessairement une grande imagination, avec un
génie fort et plein de feu ; or, on n'a point cette grande
imagination et ce génie vigoureux, sans avoir en même
temps de grandes lumières et des passions ardentes, qui
éclairent l'âme sur toutes les choses de sentiment, c'est-
à-dire, sur la plus grande partie des objets que l'homme
connaît le mieux. Le génie qui fait les poètes est le même
qui donne la connaissance du cœur de l'homme ; Molière et
Racine n'ont si bien réussi à peindre le genre humain, que
parce qu'ils ont eu l'un et l'autre une grande imagination ;
tout homme qui ne saura pas peindre fidèlement les passions, la nature, ne méritera pas le nom de grand poète. Ce
mérite si essentiel ne le dispense pas d'avoir les autres ; un
grand poète est obligé d'avoir des idées justes, de conduire
sagement tous ses ouvrages, de former des plans réguliers,

et de les exécuter avec vigueur. Qui ne sait qu'il est peut-être plus difficile de former un bon plan pour un poème, que de faire un système raisonnable sur quelque petit sujet philosophique ? Je sais bien qu'on m'objectera que Milton, Shakespeare, et Virgile même, n'ont pas brillé dans leurs plans : cela prouve que le talent peut subsister sans une grande régularité, mais ne prouve point qu'il l'exclue. Combien peu avons-nous d'ouvrages de morale et de philosophie où il règne un ordre irréprochable ! Est-il surprenant que la poésie se soit si souvent écartée de cette sagesse de conduite, pour chercher des situations et des peintures pathétiques, tandis que nos ouvrages de raisonnement, où on n'a recherché que la méthode et la vérité, sont la plupart si peu vrais, et si peu méthodiques ? C'est donc par la faiblesse naturelle de l'esprit humain que quelques poèmes manquent de conduite, et non parce que le défaut de conduite est propre à l'esprit poétique. Je suis fâché qu'un esprit supérieur, comme M. de Fontenelle, veuille bien appuyer de son autorité les préjugés du peuple contre un art aimable, et dont le génie est donné à si peu d'hommes. Tout génie qui fait concevoir plus vivement les choses humaines, comme on ne peut le refuser à la poésie, doit porter partout plus de lumières ; je sais que ce sont des lumières de sentiment, qui ne serviraient peut-être pas toujours à bien discuter les objets ; mais n'y a-t-il point d'autre manière de connaître que par discussion ? et peut-on conclure quelque chose contre la justesse d'un esprit qui ne sera pas propre à discuter ? Qu'y a-t-il, après tout, d'estimable dans l'humanité ? Sera-ce les connaissances physiques et l'esprit qui sert à les acquérir ? Mais pourquoi donner cette préférence à la physique ? Pourquoi l'esprit qui sert à connaître l'esprit lui-même, ne sera-t-il pas aussi estimable que celui qui recherche les causes naturelles avec tant de lenteur et d'incertitude ? Le plus grand mérite des hommes est d'avoir la faculté de connaître ; et la connaissance la plus parfaite et la plus utile qu'ils puissent acquérir peut bien être celle d'eux-mêmes. Je supplie ceux qui sont persuadés de ces vérités de me pardonner les preuves que j'en apporte ; elles ne peuvent être regardées comme inutiles, puisque la plus grande partie des hommes les ignorent, et que le plus grand philosophe de ce siècle veut bien favoriser cette ignorance.

Je sais bien que les grands poètes pourraient employer leur esprit à quelque chose de plus utile pour le genre humain que la poésie ; je sais bien que l'attrait invincible du génie les empêche encore d'ordinaire de s'appliquer à d'autres choses ; mais n'ont-ils pas cela de commun avec ceux qui cultivent les sciences ? Parmi un si grand nombre de philosophes, combien peu s'en trouve-t-il qui aient inventé des choses utiles à la société, et dont l'esprit n'eût pu être mieux employé ailleurs, s'il eût été capable pour d'autres choses de la même application ? Est-il nécessaire, d'ailleurs, que tous les hommes s'appliquent à la politique, à la morale, et aux connaissances les plus utiles ? N'est-il pas, au contraire, infiniment mieux que les talents se partagent ? Par là, tous les arts et toutes les sciences fleurissent ensemble ; de ce concours et de cette diversité se forme la vraie richesse des sociétés. Il n'est ni possible ni raisonnable que tous les hommes travaillent pour la même fin.

SUR L'EXPRESSION DANS LE STYLE

Combien toutes les règles sont-elles inutiles, si on voit encore aujourd'hui des gens de lettres qui, sous prétexte d'aimer les choses, non les mots, ne témoignent aucune estime pour la véritable beauté de l'expression dans le style ! Je n'admire pas l'élégance, lorsqu'elle ne recouvre que des pensées faibles, et n'est point soutenue de l'éloquence du cœur et des images ; mais les plus mâles pensées ne peuvent être rendues que par des paroles, et nous n'avons encore aucun exemple d'un ouvrage qui ait passé à la postérité sans éloquence dans l'expression. La méprisera-t-on, parce qu'on n'écrit pas comme Bossuet et comme Racine ? Quand on n'a pas de talent, il faudrait, au moins, avoir du goût.

Sur la difficulté
de peindre les caractères

Lorsque tout un peuple est frivole et n'a rien de grand dans ses mœurs, un homme qui hasarde des peintures un peu hardies doit passer pour un visionnaire. Ses tableaux manquent de vraisemblance, parce qu'on n'en trouve pas les modèles dans le monde ; car l'imagination des hommes se renferme dans le présent, et ne trouve de vérité que dans les images qui lui représentent ses expériences. Il faudrait donc, quand on veut peindre avec hardiesse, attacher de semblables peintures à un corps d'histoire, ou, du moins, à une fiction qui pût leur prêter, avec la vraisemblance de l'histoire, son autorité. C'est ce que La Bruyère a senti à merveille : il ne manquait pas de génie pour faire de grands caractères ; mais il ne l'a presque jamais osé. Ses portraits paraissent petits, quand on les compare à ceux du *Télémaque,* ou des *Oraisons* de Bossuet ; mais il a eu de bonnes raisons pour écrire comme il a fait, et on ne peut trop l'en louer. Cependant c'est être sévère que d'obliger tous les écrivains à se renfermer dans les mœurs de leur temps ou de leur pays. On pourrait, si je ne me trompe, leur donner un peu plus de liberté, et permettre aux peintres modernes de sortir quelquefois de leur siècle, à condition qu'ils ne sortiraient jamais de la nature.

RÉFLEXIONS ET MAXIMES *

331. La naïveté est lumineuse ; elle fait sentir les choses fines à ceux qui seraient incapables de les saisir d'eux-mêmes.

332. La naïveté se fait mieux entendre que la précision ; c'est la langue du sentiment, préférable à celle de l'imagination et de la raison, parce qu'elle est belle et vulgaire.

333. Il y a peu d'esprits qui connaissent le prix de la naïveté, et qui ne fardent point la nature. Les enfants coiffent leurs chats, mettent des gants à un petit chien ; et devenus hommes, ils composent leur maintien, leurs écrits, leurs discours ; j'ai traversé autrefois un village, où l'on assemblait tous les mulets, le jour de la fête, pour les bénir, et j'ai vu qu'on ornait de rubans le dos de ces pauvres bêtes. Les hommes aiment tellement la draperie, qu'ils tapissent jusqu'aux chevaux.

334. Je connais des hommes que la naïveté rebute, comme quelques personnes délicates seraient blessées de voir une femme toute nue ; ils veulent que l'esprit soit couvert comme le corps.

335. On ne s'élève point aux grandes vérités sans enthousiasme ; le sang-froid discute et n'invente point ; il faut peut-être autant de feu que de justesse pour faire un véritable philosophe.

* La numérotation des Réflexions et Maximes ci-après, en chiffres arabes, indique qu'il s'agit là d'éditions posthumes.

336. L'esprit n'atteint au grand que par saillies.

337. La Bruyère était un grand peintre, et n'était pas peut-être un grand philosophe; le duc de La Rochefoucauld était philosophe, et n'était pas peintre.

338. Locke était un grand philosophe, mais abstrait ou diffus, et quelquefois obscur. Son chapitre *De la Puissance* est plein de ténèbres, de contradictions, et moins propre à faire connaître la vérité qu'à confondre nos idées sur cette matière [53].

339. Si quelqu'un trouve un livre obscur, l'auteur ne doit pas se défendre. Osez prouver qu'on a eu tort de ne pas vous entendre, osez justifier vos expressions, on attaquera votre sens : Oui, dira-t-on, je vous entends bien; mais je ne pouvais pas croire que ce fût là votre pensée.

340. Un bon esprit ne s'arrête pas au sens des paroles, lorsqu'il voit celui de l'auteur.

341. Faites remarquer une pensée dans un ouvrage, on vous répondra qu'elle n'est pas neuve; demandez alors si elle est vraie, vous verrez qu'on n'en saura rien.

342. Voulez-vous dire de grandes choses, accoutumez-vous d'abord à n'en jamais dire de fausses.

343. Pourquoi appelle-t-on *académique* un discours fleuri, élégant, ingénieux, harmonieux; et non pas un discours vrai et fort, lumineux et simple ? Où cultivera-t-on la vraie éloquence, si on l'énerve dans l'Académie ?

344. Ce que bien des gens, aujourd'hui, appellent écrire pesamment, c'est dire uniment la vérité, sans fard, sans plaisanterie et sans trait.

345. Un homme écrivait à quelqu'un sur un intérêt capital; il lui parlait avec quelque chaleur, parce qu'il

avait envie de le persuader ; il montra sa lettre à un homme de beaucoup d'esprit, mais très prévenu de la mode : — Et pourquoi, lui dit cet ami, n'avez-vous pas donné à vos raisons un tour plaisant ? Je vous conseille de refaire votre lettre.

346. On raconte de je ne sais quel peuple [54], qu'il alla consulter un oracle pour s'empêcher de rire dans les délibérations publiques : notre folie n'est pas encore aussi raisonnable que celle de ce peuple.

347. C'est une chose remarquable que presque tous les poètes se servent des expressions de Racine, et que Racine n'ait jamais répété ses propres expressions.

348. Nous admirons Corneille, dont les plus grandes beautés sont empruntées de Sénèque et de Lucain que nous n'admirons pas.

349. Je voudrais qu'on me dît si ceux qui savent le latin n'estiment pas Lucain plus grand poète que Corneille.

350. Il n'y a point de poète en prose ; mais il y a plus de poésie dans Bossuet que dans tous les poèmes de La Motte.

351. Comme il y a beaucoup de soldats et peu de braves, on voit aussi beaucoup de versificateurs et presque point de poètes. Les hommes se jettent en foule dans les métiers honorables, sans autre vocation que leur vanité, ou, tout au plus, l'amour de la gloire.

352. Boileau n'a jugé de Quinault que par ses défauts, et les amateurs du poète lyrique n'en jugent que par ses beautés.

353. La musique de Montéclair [55] est sublime dans le fameux chœur de *Jephté,* mais les paroles de l'abbé Pellegrin ne sont que belles. Ce n'est pas de ce que l'on

danse autour d'un tombeau à l'Opéra, ou de ce qu'on y meurt en chantant, que je me plains ; il n'y a point de gens raisonnables qui trouvent cela ridicule : mais je suis fâché que les vers soient toujours au-dessous de la musique, et que ce soit du musicien qu'ils empruntent leur principale expression. Voilà le défaut ; et lorsque j'entends dire, après cela, que Quinault a porté son genre à la perfection, je m'en étonne ; et, quoique je n'aie pas grande connaissance là-dessus, je ne puis du tout y souscrire.

354. Tous ceux qui ont l'esprit conséquent ne l'ont pas juste ; ils savent bien tirer des conclusions d'un seul principe, mais ils n'aperçoivent pas toujours tous les principes et toutes les faces des choses ; ainsi, ils ne raisonnent que sur un côté, et ils se trompent. Pour avoir l'esprit toujours juste, il ne suffit pas de l'avoir droit, il faut encore l'avoir étendu ; mais il y a peu d'esprits qui voient en grand, et qui, en même temps, sachent conclure : aussi n'y a-t-il rien de plus rare que la véritable justesse. Les uns ont l'esprit conséquent, mais étroit ; ceux-là se trompent sur toutes les choses qui demandent de grandes vues ; les autres embrassent beaucoup, mais ils ne tirent pas si bien des conséquences, et tout ce qui demande un esprit droit les met en danger de se perdre.

355. Qu'on examine tous les ridicules, on n'en trouvera presque point qui ne viennent d'une sotte vanité, ou de quelque passion qui nous aveugle et qui nous fait sortir de notre place ; un homme ridicule ne me paraît être qu'un homme hors de son véritable caractère et de sa force.

356. Tous les ridicules des hommes ne caractérisent qu'un seul vice, qui est la vanité ; et, comme les passions des gens du monde sont subordonnées à ce faible, c'est, apparemment, la raison pourquoi il y a si peu de vérité dans leurs manières, dans leurs mœurs, et dans leurs plaisirs. La vanité est ce qu'il y a de plus naturel dans les hommes, et ce qui les fait sortir le plus souvent de la nature.

357. Les critiques les plus spécieuses ne sont pas, souvent, raisonnables : Montaigne a repris Cicéron de ce que, après avoir exécuté de grandes choses pour la république, il voulait encore tirer gloire de son éloquence ; mais Montaigne ne pensait pas que ces grandes choses qu'il loue, Cicéron ne les avait faites que par la parole.

358. Est-il vrai que rien ne suffise à l'opinion, et que peu de chose suffise à la nature ? Mais l'amour des plaisirs, mais la soif de la gloire, mais l'avidité des richesses, en un mot, toutes les passions ne sont-elles pas insatiables ? Qui donne l'essor à nos projets, qui borne, ou qui étend nos opinions, sinon la nature ? N'est-ce pas encore la nature qui nous pousse même à sortir de la nature, comme le raisonnement nous écarte quelquefois de la raison, ou comme l'impétuosité d'une rivière rompt ses digues, et la fait sortir de son lit ?

359. Catilina n'ignorait pas les périls d'une conjuration ; son courage lui persuada qu'il les surmonterait : l'opinion ne gouverne que les faibles ; mais l'espérance trompe les plus grandes âmes.

360. Tout a sa raison ; tout arrive comme il doit être ; il n'y a donc rien contre le sentiment ou la nature. Je m'entends ; mais je ne me soucie guère qu'on m'entende.

361. Il ne faut pas, dit-on, qu'une femme se pique d'esprit, ni un roi d'être éloquent ou de faire des vers, ni un soldat de délicatesse et de civilité, etc. : les vues courtes multiplient les maximes et les lois, parce qu'on est d'autant plus enclin à prescrire des bornes à toutes choses qu'on a l'esprit moins étendu. Mais la nature se joue de nos petites règles ; elle sort de l'enceinte trop étroite de nos opinions, et fait des femmes savantes ou des rois poètes, en dépit de toutes nos entraves.

362. On instruit les enfants à craindre et à obéir ; l'avarice, l'orgueil, ou la timidité des pères, enseignent

aux enfants l'économie, l'arrogance, ou la soumission. On les excite encore à être copistes, à quoi ils ne sont déjà que trop enclins ; nul ne songe à les rendre originaux, hardis, indépendants.

363. Si l'on pouvait donner aux enfants des maîtres de jugement et d'éloquence, comme on leur donne des maîtres de langues ; si on exerçait moins leur mémoire que leur activité et leur génie ; si, au lieu d'émousser la vivacité de leur esprit, on tâchait d'élever l'essor et les mouvements de leur âme, que n'aurait-on pas lieu d'attendre d'un beau naturel ? Mais on ne pense pas que la hardiesse, ou que l'amour de la vérité et de la gloire, soient les vertus qui importent à leur jeunesse ; on ne s'attache, au contraire, qu'à les subjuguer, afin de leur apprendre que la dépendance et la souplesse sont les premières lois de leur fortune.

364. Les enfants n'ont pas d'autre droit à la succession de leur père que celui qu'ils tiennent des lois ; c'est au même titre que la noblesse se perpétue dans les familles : la distinction des ordres du royaume est une des lois fondamentales de l'État.

365. Celui qui respecte les lois honore le bonheur de la naissance ; la considération qu'il a pour la noblesse est encore appuyée sur la longue possession où elle est des premiers honneurs. La possession est le seul titre des choses humaines ; les traités et les bornes des États, la fortune des particuliers et la dignité royale elle-même, tout est fondé là-dessus. Qui voudrait remonter aux commencements, ne trouverait presque rien qui ne fût matière à contestation : la possession est donc le plus respectable de tous les titres, puisqu'elle nous donne la paix.

366. C'est dans notre propre esprit, et non dans les objets extérieurs, que nous apercevons la plupart des choses : les sots ne connaissent presque rien, parce qu'ils sont vides, et que leur cœur est étroit ; mais les grandes

âmes trouvent en elles-mêmes un grand nombre de choses extérieures ; elles n'ont besoin, ni de lire, ni de voyager, ni d'écouter, ni de travailler, pour découvrir les plus hautes vérités ; elles n'ont qu'à se replier sur elles-mêmes, et à feuilleter, si cela se peut dire, leurs propres pensées.

367. Le sentiment ne nous est pas suspect de fausseté.

368. L'illustre auteur de *Télémaque* ne donne-t-il pas aux princes un conseil timide, lorsqu'il leur inspire d'éloigner des emplois les hommes ambitieux qui en sont capables ? Un grand roi ne craint pas ses sujets, et n'en doit rien craindre.

369. Il faut qu'un roi ait bien peu d'esprit, ou l'âme bien peu forte, pour ne pas dominer ceux dont il se sert.

370. Les vertus règnent plus glorieusement que la prudence ; la magnanimité est l'esprit des rois.

371. Le défaut d'ambition, dans les grands, est quelquefois la source de beaucoup de vices ; de là, le mépris des devoirs, l'arrogance, la lâcheté, et la mollesse. L'ambition, au contraire, les rend accessibles, laborieux, honnêtes, serviables, etc., et leur fait pratiquer les vertus qui leur manquent par nature, mérite souvent supérieur à ces vertus mêmes, parce qu'il témoigne ordinairement une âme forte.

372. On ne saurait trop répéter que tous les avantages humains se perdent par le manque des qualités qui les procurent : les richesses s'épuisent sans l'économie ; la gloire se ternit sans l'action ; la grandeur n'est qu'un titre de mollesse sans l'ambition qui l'a établie, et qui, seule, peut lui conserver sa considération et son crédit.

373. Plaisante fortune pour Bossuet d'être chapelain de Versailles ! Fénelon, du moins, était à sa place ; il était

né pour être le précepteur des rois ; mais Bossuet devait être un grand ministre, sous un roi ambitieux.

374. Je suis toujours surpris que les rois n'essaient point si ceux qui écrivent de grandes choses ne seraient pas capables de les faire : cela vient, vraisemblablement, de ce qu'ils n'ont pas le temps de lire.

375. Un prince, qui n'est que bon, aime ses domestiques, ses ministres, sa famille, son favori, et n'est point attaché à son État ; il faut être un grand roi pour aimer un peuple.

376. Le prince qui n'aime point son peuple peut être un grand homme, mais il ne peut être un grand roi.

377. Un prince est grand et aimable quand il a les vertus d'un roi, et les faiblesses d'un particulier.

378. Louis XIV avait trop de dignité ; je l'aurais aimé plus populaire. Il écrivait à M. de... « Je me réjouis, comme votre ami, du présent que je vous fais, comme votre maître. » Il ne savait jamais oublier qu'il était le maître. C'était un grand roi ; je l'admire ; mais je n'ai jamais regretté de n'être pas né sous son règne.

379. Luynes obtint, à dix-huit ans, la dignité de connétable. La faveur des rois est le plus court chemin pour faire une grande fortune ; c'est ce que savent à merveille tous les courtisans. Aussi, ceux qui ne peuvent arriver jusqu'à l'oreille du prince tâchent-ils, au moins, de gagner les bonnes grâces du ministre, de même que ceux qui n'arrivent pas jusqu'au ministre font la cour au valet de chambre. Tous sont dans l'erreur : il n'y a rien de si difficile que de se faire agréer de quelque grand ; il faut avoir des mérites, et des mérites particuliers. Manquait-on de jeunes gens de dix-huit ans, à la cour de Louis XIII, pour faire un connétable ?

380. Un talent médiocre n'empêche pas une grande fortune, mais il ne la procure, ni ne la mérite.

381. Un honnête homme peut être indigné contre ceux qu'il ne croit pas mériter leur fortune ; mais il n'est pas capable de la leur envier.

382. Nos paysans aiment leurs hameaux ; les Romains étaient passionnés pour leur patrie, pendant que ce n'était qu'une bourgade ; lorsqu'elle devint plus puissante, l'amour de la patrie ne fut plus si vif ; une ville, maîtresse de l'univers, était trop vaste pour le cœur de ses habitants. Les hommes ne sont pas nés pour aimer les grandes choses.

383. Les folies de Caligula ne m'étonnent point ; j'ai connu, je crois, beaucoup d'hommes qui auraient fait leurs chevaux consuls, s'ils avaient été empereurs romains. Je pardonne, par d'autres motifs, à Alexandre de s'être fait rendre des honneurs divins, à l'exemple d'Hercule et de Bacchus, qui avaient été hommes comme lui, et moins grands hommes. Les anciens n'attachaient pas la même idée que nous au nom de *dieu,* puisqu'ils en admettaient plusieurs, tous fort imparfaits ; or, il faut juger des actions des hommes selon les temps. Tant de temples élevés par les empereurs romains à la mémoire de leurs amis morts, n'étaient que les honneurs funéraires de leur siècle, et ces hardis monuments de la fierté des maîtres de la terre n'offensaient ni la religion, ni les mœurs d'un peuple idolâtre.

384. Je me suis trouvé, à l'Opéra, à côté d'un homme qui souriait, toutes les fois que le parterre battait des mains. Il me dit qu'il avait été fou de la musique dans sa jeunesse, mais, qu'à un certain âge, on revenait de beaucoup de choses, parce qu'on en jugeait alors de sang-froid. Un moment après, je m'aperçus qu'il était sourd, et je dis en moi-même : *Voilà donc ce que les hommes appellent juger de sang-froid !* Les vieillards et les sages ont tort ; il faut être jeune et ardent pour juger, surtout des plaisirs.

385. Un homme de sang-froid ressemble à un homme qui a trop dîné, et qui, alors, regarde avec dégoût le repas

le plus délicieux ; est-ce la faute des mets, ou celle de son estomac ?

386. Mes passions et mes pensées meurent, mais pour renaître ; je meurs moi-même sur un lit, toutes les nuits, mais pour reprendre de nouvelles forces et une nouvelle fraîcheur. Cette expérience que j'ai de la mort, me rassure contre la décadence et la dissolution du corps : quand je vois que la force active de mon âme rappelle à la vie ses pensées éteintes, je comprends que celui qui a fait mon corps peut, à plus forte raison, lui rendre l'être. Je dis dans mon cœur étonné : Qu'as-tu fait des objets volages qui occupaient tantôt ta pensée ? retournez sur vos propres traces, objets fugitifs. Je parle, et mon âme s'éveille ; ces images mortelles m'entendent, et les figures des choses passées m'obéissent et m'apparaissent. O âme éternelle du monde, ainsi votre voix secourable revendiquera ses ouvrages, et la terre, saisie de crainte, restituera ses larcins !

387. C'est une marque de férocité et de bassesse d'insulter à un homme dans l'ignominie, s'il est, d'ailleurs, misérable ; il n'y a point d'infamie dont la misère ne fasse un objet de pitié pour les âmes tendres.

388. Il y a des hommes en qui l'infamie est plutôt un malheur qu'un vice ; l'opprobre est une loi de la pauvreté.

389. La honte et l'adversité sont, en quelque sorte, enchaînées l'une à l'autre ; la pauvreté fait plus d'opprobres que le vice.

390. La pauvreté humilie les hommes, jusqu'à les faire rougir de leurs vertus.

391. Le vice n'exclut pas toujours la vertu dans un même sujet ; il ne faut pas surtout croire aisément que ce qui est aimable encore, soit vicieux ; il faut, dans ce cas, s'en fier plus au mouvement du cœur qui nous attire, qu'à la raison qui nous détourne.

392. J'ai la sévérité en horreur, et ne la crois pas trop utile. Les Romains étaient-ils sévères ? N'exila-t-on pas Cicéron, pour avoir fait mourir Lentulus, manifestement convaincu de trahison ? Le Sénat ne fit-il pas grâce à tous les autres complices de Catilina ? Ainsi se gouvernait le plus puissant et le plus redoutable peuple de la terre ; et nous, petit peuple barbare, nous croyons qu'il n'y a jamais assez de gibets et de supplices !

393. Quelle affreuse vertu que celle qui veut haïr et être haïe, qui rend la sagesse, non pas secourable aux infirmes, mais redoutable aux faibles et aux malheureux ; une vertu qui, présumant follement de soi-même, ignore que tous les devoirs des hommes sont fondés sur leur faiblesse réciproque !

394. Vantez la clémence à un homme sévère : Vous serez égorgé dans votre lit, répondra-t-il, si la justice n'est pas inexorable. O timidité sanguinaire !

395. En considérant l'extrême faiblesse des hommes, les incompatibilités de leur fortune avec leur humeur, leurs malheurs toujours plus grands que leurs vices, et leurs vertus toujours moindres que leurs devoirs, je conclus qu'il n'y a de juste que la loi de l'humanité, et que le tempérament de l'indulgence.

396. Les enfants cassent des vitres et brisent des chaises, lorsqu'ils sont hors de la présence de leurs maîtres ; les soldats mettent le feu à un camp qu'ils quittent, malgré les défenses du général ; ils aiment à fouler aux pieds l'espérance de la moisson, et à démolir de superbes édifices. Qui les pousse à laisser partout ces longues traces de leur barbarie ? Est-ce seulement le plaisir de détruire ? ou n'est-ce pas plutôt que les âmes faibles attachent à la destruction une idée d'audace et de puissance ?

397. Les soldats s'irritent aussi contre le peuple chez qui ils font la guerre, parce qu'ils ne peuvent le voler

assez librement, et que la maraude est punie : tous ceux qui font du mal aux autres hommes les haïssent.

398. Lorsqu'on est pénétré de quelque grande vérité et qu'on la sent vivement, il ne faut pas craindre de la dire, quoique d'autres l'aient déjà dite. Toute pensée est neuve, quand l'auteur l'exprime d'une manière qui est à lui.

399. Il y a beaucoup de choses que nous savons mal, et qu'il est très bon qu'on redise.

400. Un livre bien neuf et bien original serait celui qui ferait aimer de vieilles vérités.

401. Quelqu'un a-t-il dit que, pour peindre avec hardiesse, il fallait surtout être vrai dans un sujet noble, et ne point charger la nature, mais la montrer nue ? Si on l'a dit, on peut le redire : car il ne paraît pas que les hommes s'en souviennent, et ils ont le goût si gâté, qu'ils nomment hardi, je ne dis pas ce qui est vraisemblable et approche le plus de la vérité, mais ce qui s'en écarte le plus.

402. La nature a ébauché beaucoup de talents qu'elle n'a pas daigné finir. Ces faibles semences de génie abusent une jeunesse ardente, qui leur sacrifie les plaisirs et les plus beaux jours de la vie. Je regarde ces jeunes gens comme les femmes qui attendent leur fortune de leur beauté : le mépris et la pauvreté sont la peine sévère de ces espérances. Les hommes ne pardonnent point aux malheureux l'erreur de la gloire.

403. Il faut souffrir les critiques éclairées et impartiales qu'on fait des hommes ou des ouvrages les plus estimables : je hais cette chaleur de quelques hommes qui ne peuvent souffrir que l'on sépare, dans ceux qu'ils admirent, les défauts des beautés, et qui veulent tout consacrer.

404. Oserait-on penser de quelques hommes, dont on respecte les noms, et qui ont cultivé leur esprit par un grand usage du monde et par des lectures sans choix, qu'ils nous ont charmés par des grâces qui seront un jour négligées, ou qu'ils nous ont imposé par un mérite qu'on n'a pas toujours jugé digne d'estime? Se parer de beaucoup de connaissances inutiles ou superficielles, affecter une extrême singularité, mettre de l'esprit partout et hors de propos, penser peu naturellement et s'exprimer de même, s'appelait autrefois être un pédant.

405. La politique est la plus grande de toutes les sciences.

406. Les vrais politiques connaissent mieux les hommes que ceux qui font métier de la philosophie; je veux dire qu'ils sont plus vrais philosophes.

407. La plupart des grands politiques ont un système, comme tous les grands philosophes; cela fait qu'ils sont soutenus dans leur conduite, et qu'ils vont constamment à un même but. Les gens légers méprisent cet esprit de suite, et prétendent qu'il faut se gouverner selon les occurrences; mais l'homme le plus capable de prendre toujours le meilleur parti dans l'occasion, ne manquera pas pour cela de se faire un système, sauf à s'en écarter dans les cas particuliers.

408. Ceux qui gouvernent les hommes ont un grand avantage sur ceux qui les instruisent; car ils ne sont obligés de rendre compte ni de tout, ni à tous; et, si on les blâme au hasard de beaucoup de conduites qu'on ignore, on les loue aussi de bien des sottises peut-être.

409. Il est quelquefois plus difficile de gouverner un seul homme qu'un grand peuple.

410. Faut-il s'applaudir de la politique, si son plus grand effort est de faire quelques heureux au prix du repos de tant d'hommes? Et quelle est la sagesse si vantée

de ces lois, qui laissent tant de maux inévitables, et procurent si peu de biens ?

411. Si l'on découvrait le secret de proscrire à jamais la guerre, de multiplier le genre humain, et d'assurer à tous les hommes de quoi subsister, combien nos meilleures lois paraîtraient-elles ignorantes et barbares [56] !

412. Il n'y a point de violence ou d'usurpation qui ne s'autorise de quelque loi : quand il ne se ferait aucun traité entre les princes, je doute qu'il se fît plus d'injustices.

413. Ce que nous honorons du nom de paix n'est proprement qu'une courte trêve, par laquelle le plus faible renonce à ses prétentions, justes ou injustes, jusqu'à ce qu'il trouve l'occasion de les faire valoir à main armée.

414. Les empires élevés ou renversés, l'énorme puissance de quelques peuples et la chute de quelques autres, ne sont que les caprices et les jeux de la nature. Ses efforts, et, si on l'ose dire, ses chefs-d'œuvre, sont ce petit nombre de génies qui, de loin en loin, montrés à la terre pour l'éclairer, et souvent négligés pendant leur vie, augmentent d'âge en âge de réputation, après leur mort, et tiennent plus de place dans le souvenir des hommes que les royaumes qui les ont vus naître, et qui leur disputaient un peu d'estime [57].

415. Plusieurs architectes fameux ayant été employés successivement à élever un temple magnifique, et chacun d'eux ayant travaillé selon son goût et son génie, sans avoir concerté ensemble leur dessein, un jeune homme a jeté les yeux sur ce somptueux édifice, et, moins touché de ses beautés, irrégulières il est vrai, que de ses défauts, il s'est cru longtemps plus habile que tous ces grands maîtres, jusqu'à ce qu'enfin, ayant été lui-même chargé de faire une chapelle dans le temple, il est tombé dans de plus grands défauts que ceux qu'il avait si bien saisis, et n'a pu atteindre au mérite des moindres beautés.

416. Un écrivain qui n'a pas le talent de peindre doit éviter sur toutes choses les détails.

417. Il n'y a point de si petits caractères qu'on ne puisse rendre agréables par le coloris ; le *Fleuriste* de La Bruyère en est la preuve.

418. Les auteurs qui se distinguent principalement par le tour et la délicatesse sont plus tôt usés que les autres.

419. Le même mérite qui fait copier quelques ouvrages, les fait vieillir.

420. Cependant, les ouvrages des grands hommes, si étudiés et si copiés, conservent, malgré le temps, un caractère toujours original : c'est qu'il n'appartient pas aux autres hommes de concevoir et d'exprimer aussi parfaitement les choses mêmes qu'ils savent le mieux. C'est cette manière si vive et si parfaite de concevoir et d'exprimer, qui distingue, dans tous les genres, les hommes de génie, et qui fait que les idées les plus simples et les plus communes, dès qu'ils y ont touché, ne peuvent plus vieillir.

421. Les grands hommes parlent comme la nature, simplement ; ils imposent à la fois par leur simplicité, et par leur assurance : ils dogmatisent, et le peuple croit. Ceux qui ne sont ni assez faibles pour subir le joug, ni assez forts pour l'imposer, se rangent volontiers au pyrrhonisme. Quelques ignorants embrassent le doute, parce qu'ils tournent la science en vanité ; mais on voit peu d'esprits altiers et décisifs qui s'accommodent de l'incertitude, principalement s'ils sont capables d'imaginer ; car ils se rendent amoureux de leurs systèmes, séduits les premiers par leurs propres inventions.

422. Le génie consiste, en tout genre, à concevoir son objet plus vivement et plus complètement que personne ; et de là vient qu'on trouve dans les bons auteurs, quelque chose de si net et de si lumineux, que l'on est d'abord saisi de leurs idées.

423. Les bonnes maximes sont sujettes à devenir tri-
viales.

424. Les hommes aiment les petites peintures, parce
qu'elles les vengent des petits défauts dont la société est
infectée ; ils aiment encore plus le ridicule qu'on jette
avec art sur les qualités éminentes qui les blessent. Mais
les honnêtes gens méprisent le peintre qui flatte si basse-
ment la jalousie du peuple, ou la sienne propre, et qui fait
métier d'avilir tout ce qu'il faudrait respecter.

425. La plupart des gens de lettres estiment beaucoup
les arts, et nullement la vertu ; ils aiment mieux la statue
d'Alexandre que sa générosité ; l'image des choses les
touche, mais l'original les laisse froids. Ils ne veulent pas
qu'on les traite comme des ouvriers, et ils sont ouvriers
jusqu'aux ongles, jusqu'à la moelle des os.

426. Les grandes et premières règles sont trop hautes
pour les hommes, non seulement dans les beaux-arts et
dans les lettres, mais même dans la religion, dans la
morale, dans la politique, et dans la pratique de presque
tous nos devoirs ; elles sont surtout trop fortes pour les
écrivains médiocres, car elles les réduiraient à ne point
écrire.

427. Qui est-ce qui dit qu'il y a eu autrefois un
Horace ? Qui est-ce qui croit qu'il y a présentement une
reine de Hongrie ? Je lui ferai voir que des philosophes
ont nié des choses plus claires. Ce n'est donc pas la
preuve qu'un fait est obscur, ou qu'un principe est douteux, lorsqu'ils ont été contredits ; on en doit conclure, au
contraire, qu'ils sont apparents ; car les gens d'esprit ne
s'avisent guère de contester que ce que le reste des hommes croit incontestable.

428. Ceux qui doutent de la certitude des principes
devraient estimer davantage l'éloquence : s'il n'y a point
de réalités, les apparences augmentent de prix.

429. Vous croyez que tout est problématique; vous ne voyez rien de certain, et vous n'estimez ni les arts, ni la probité, ni la gloire; vous croyez cependant devoir écrire, et vous pensez assez mal des hommes pour être persuadé qu'ils voudront lire des choses inutiles, que vous-même n'estimez point vraies. Votre objet n'est-il pas aussi de les convaincre que vous avez de l'esprit? Il y a donc, du moins, quelque vérité, et vous avez choisi la plus grande et la plus importante pour les hommes : vous leur avez appris que vous aviez plus de délicatesse et plus de subtilité qu'eux. C'est la principale instruction qu'ils peuvent retirer de vos ouvrages; se lasseront-ils de les lire?

430. La prospérité illumine la prudence [58].

431. L'intérêt est la règle de la prudence.

432. Il n'appartient qu'au courage de régler la vie.

433. Les vrais maîtres dans la politique et dans la morale sont ceux qui tentent tout le bien qu'on peut exécuter, et rien au-delà.

434. Un sage gouvernement doit se régler sur la disposition présente des esprits.

435. Tous les temps ne permettent pas de suivre tous les bons exemples et toutes les bonnes maximes.

436. Les mœurs se gâtent plus facilement qu'elles ne se redressent.

437. C'est la preuve qu'une innovation n'est pas nécessaire, lorsqu'elle est trop difficile à établir.

438. Les changements nécessaires aux États se font presque toujours d'eux-mêmes.

439. C'est, en quelque sorte, entreprendre sur les droits de Dieu, que de tenter la réformation des mœurs et

des coutumes dans un grand empire, et, cependant, il se trouve des hommes qui en viennent à bout.

440. La vertu ne s'inspire point par la violence.

441. L'humanité [59] est la première des vertus.

442. La vertu ne peut faire le bonheur des méchants.

443. La paix, qui borne les talents et amollit les peuples, n'est un bien ni en morale, ni en politique.

444. L'amour est le premier auteur du genre humain.

445. La solitude tente puissamment la chasteté.

446. La solitude est à l'esprit ce que la diète est au corps, mortelle lorsqu'elle est trop longue, quoique nécessaire.

447. L'écueil ordinaire des talents médiocres est l'imitation des gens riches; personne n'est si fat qu'un bel-esprit qui veut être un homme du monde.

448. Une jeune femme a moins de complaisants qu'un homme riche qui fait bonne chère.

449. La bonne chère est le premier lien de la *bonne compagnie*.

450. La bonne chère apaise les ressentiments du jeu et de l'amour; elle réconcilie tous les hommes avant qu'ils se couchent.

451. Le jeu, la dévotion, le bel-esprit, sont trois grands partis pour les femmes qui ne sont plus jeunes.

452. Les sots s'arrêtent devant un homme d'esprit comme devant une statue de Bernini, et lui donnent, en passant, quelque louange ridicule.

453. Tous les avantages de l'esprit, et même du cœur, sont presque aussi fragiles que ceux de la fortune.

454. On va dans la fortune et dans la vertu le plus loin qu'on peut ; la raison et la vertu même consolent du reste.

455. Peu de malheurs sont sans ressource ; le désespoir est plus trompeur que l'espérance.

456. Il y a peu de situations désespérées pour un esprit ferme, qui combat à force inégale, mais avec courage, la nécessité.

457. Nous louons souvent les hommes de leur faiblesse, et nous les blâmons de leur force.

458. Ce ne peut être un vice dans les hommes de sentir leur force.

459. Il arrive souvent qu'on nous estime à proportion que nous nous estimons nous-mêmes.

460. La fatuité égale la roture aux meilleurs noms.

461. Il y a plus de faiblesse que de raison à être humilié de ce qui nous manque, et c'est la source de toute bassesse.

462. Ce qui me paraît le plus noble dans notre nature, [c']est que nous nous passions si aisément d'une plus grande perfection.

463. Nous pouvons parfaitement connaître notre imperfection, sans être humiliés par cette vue.

464. Les grands ne connaissent pas le peuple, et n'ont aucune envie de le connaître.

465. La lumière est le premier fruit de la naissance, pour nous enseigner que la vérité est le plus grand bien de la vie.

466. Rien ne dure que la vérité.

467. Il n'appartient qu'aux âmes fortes et pénétrantes de faire de la vérité le principal objet de leurs passions.

468. La vérité n'est pas si usée que le langage, parce qu'il appartient à moins de gens de la manier.

469. Ce n'est pas tout à fait la vérité qui manque le plus souvent aux idées des hommes, mais la précision et l'exactitude. Le faux absolu se rencontre rarement dans leurs pensées, et le vrai, pur et entier, se trouve encore plus rarement dans leurs expressions.

470. Il n'y a aucune vérité qui ne nous arrache notre consentement, lorsqu'on la présente tout entière et distincte à notre esprit.

471. Il n'y a aucune idée *innée*, dans le sens des Cartésiens; mais toutes les vérités existent indépendamment de notre consentement, et sont éternelles.

472. La vérité n'a point d'autre preuve de son existence que l'évidence, et la démonstration n'est autre chose que l'évidence obtenue par le raisonnement.

473. La vérité a son accent, qu'elle peut prêter même au mensonge, et qui est, selon moi, le vrai *bon ton;* rien n'est si loin de l'éloquence que le jargon de l'esprit.

474. L'esprit ne tient pas lieu de savoir.

475. L'esprit enveloppe les simplicités de la nature, pour s'en attribuer l'honneur.

476. Il n'y a qu'une seule passion qui parle ridiculement et sans éloquence, et c'est la passion de l'esprit.

477. Il n'y a de vrai et de solide esprit que celui qui prend sa source dans le cœur.

478. L'esprit ne fait presque jamais le sel de la conversation.

479. L'intérêt, non l'esprit, est le sel de la conversation; l'esprit n'y est, je crois, agréable, qu'autant qu'il met en jeu les passions, à moins que lui-même ne soit la passion de ceux qui parlent.

480. On ne s'ennuie avec beaucoup de gens, et on ne s'amuse avec quelques autres, que par vanité.

481. L'indigence contrarie nos désirs, mais elle les borne; l'opulence multiplie nos besoins, mais elle aide à les satisfaire. Si on est à sa place, on est heureux.

482. Il y a des hommes qui vivent heureux sans le savoir.

483. Les passions des hommes sont autant de chemins ouverts pour aller jusqu'à eux.

484. Si nous voulons tromper les hommes sur nos intérêts, ne les trompons pas sur les leurs.

485. Il y a des hommes dont il faut s'emparer tout d'abord, sans les laisser refroidir.

486. Les auteurs médiocres ont plus d'admirateurs que d'envieux.

487. Il n'y a pas d'écrivain si ridicule, que quelqu'un n'ait traité d'excellent.

488. On fait mal sa cour aux économes par des présents.

489. On fait plutôt fortune auprès des grands en leur facilitant les moyens de se ruiner, qu'en leur apprenant à s'enrichir.

490. Nous voulons faiblement le bien de ceux que nous n'assistons que de nos conseils.

491. La générosité donne moins de conseils que de secours.

492. La philosophie est une vieille mode que certaines gens affectent encore, comme d'autres portent des bas rouges, pour morguer le public.

493. Nous n'avons pas assez de temps pour réfléchir toutes nos actions.

494. La gloire serait la plus vive de nos passions, sans son incertitude.

495. La gloire remplit le monde des vertus, et, comme un soleil bienfaisant, elle couvre toute la terre de fleurs et de fruits.

496. La gloire embellit les héros.

497. Il n'y a pas de gloire achevée, sans celle des armes.

498. Le désir de la gloire prouve également et la présomption, et l'incertitude où nous sommes de notre mérite.

499. Nous ambitionnerions moins l'estime des hommes, si nous étions plus sûrs d'en être dignes.

500. Les siècles savants ne l'emportent guère sur les autres, qu'en ce que leurs erreurs sont plus utiles.

501. Nous ne passons les peuples qu'on nomme barbares, ni en courage, ni en humanité, ni en santé, ni en plaisirs; et, n'étant ainsi ni plus vertueux, ni plus heureux, nous ne laissons pas de nous croire bien plus sages.

502. L'énorme différence que nous remarquons entre les sauvages et nous, ne consiste qu'en ce que nous sommes un peu moins ignorants.

503. Nous savons plus de choses inutiles, que nous n'en ignorons de nécessaires.

504. Les simplicités nous délassent des grandes spéculations.

505. Je crois qu'il n'y a guère eu d'auteurs qui aient été contents de leur siècle.

506. Quand on ne regarderait l'histoire ancienne que comme un roman, elle mériterait encore d'être respectée comme une peinture charmante des plus belles mœurs dont les hommes puissent jamais être capables.

507. N'est-il pas impertinent que nous regardions comme une vanité ridicule ce même amour de la vertu et de la gloire que nous admirons dans les Grecs et les Romains, hommes comme nous, et moins éclairés ?

508. Chaque condition a ses erreurs et ses lumières ; chaque peuple a ses mœurs et son génie, selon sa fortune ; les Grecs, que nous avons passés en délicatesse, nous passaient en simplicité.

509. Qu'il y a peu de pensées exactes ! et combien il en reste encore aux esprits justes à développer !

510. Sur quelque sujet qu'on écrive, on ne parle jamais assez pour le grand nombre, et l'on dit toujours trop pour les habiles.

511. Un auteur n'est jamais si faible que lorsqu'il traite faiblement les grands sujets.

512. Rien de grand ne comporte la médiocrité.

513. Il y a des hommes qui veulent qu'un auteur fixe leurs opinions et leurs sentiments, et d'autres qui n'admirent un ouvrage qu'autant qu'il renverse toutes leurs idées, et ne leur laisse aucun principe d'assuré.

514. Nous ne renonçons pas aux biens que nous nous sentons capables d'acquérir.

515. Il n'y a point de noms si révérés et défendus avec tant de chaleur, que ceux qui honorent un parti.

516. Les grands rois, les grands capitaines, les grands politiques, les écrivains sublimes, sont des hommes; toutes les épithètes fastueuses dont nous nous étourdissons ne veulent rien dire de plus.

517. Tout ce qui est injuste nous blesse, lorsqu'il ne nous profite pas directement.

518. Nul homme n'est assez timide, ou glorieux, ou intéressé, pour cacher toutes les vérités qui pourraient lui nuire.

519. La dissimulation est un effort de la raison, bien loin d'être un vice de la nature.

520. Celui qui a besoin d'un motif pour être engagé à mentir, n'est pas né menteur.

521. Tous les hommes naissent sincères, et meurent trompeurs.

522. Les hommes semblent être nés pour faire des dupes, et l'être d'eux-mêmes.

523. L'aversion contre les trompeurs ne vient ordinairement que de la crainte d'être dupe; c'est par cette raison que ceux qui manquent de sagacité, s'irritent, non seulement contre les artifices de la séduction, mais encore contre la discrétion et la prudence des habiles.

524. Qui donne sa parole légèrement, y manque de même.

525. Qu'il est difficile de faire un métier d'intérêt sans intérêt !

526. Les prétendus honnêtes gens, dans tous les métiers, ne sont pas ceux qui gagnent le moins.

527. Il est plaisant que de deux hommes qui veulent également s'enrichir, l'un l'entreprenne par la fraude ouverte, l'autre par la bonne foi, et que tous les deux réussissent.

528. L'intérêt est l'âme des gens du monde.

529. On trouve des hommes durs, que l'intérêt achève de rendre intraitables.

530. S'il est facile de flatter les hommes en place, il l'est encore plus de se flatter soi-même auprès d'eux : l'espérance fait plus de dupes que l'habileté.

531. Les grands vendent trop cher leur protection, pour que l'on se croie obligé à aucune reconnaissance.

532. Les grands n'estiment pas assez les autres hommes pour vouloir se les attacher par des bienfaits.

533. On ne regrette pas la perte de tous ceux qu'on aime.

534. L'intérêt nous console de la mort de nos proches, comme l'amitié nous consolait de leur vie.

535. Nous blâmons quelques hommes de trop s'affliger, comme nous reprochons à d'autres d'être trop modestes, quoique nous sachions bien ce qu'il en est.

536. C'est jouer une impertinente comédie que d'user

son éloquence à consoler de feintes douleurs, que l'on connaît pour telles.

537. Quelque tendresse que nous ayons pour nos amis ou pour nos proches, il n'arrive jamais que le bonheur d'autrui suffise pour faire le nôtre.

538. On ne fait plus d'amis dans la vieillesse; alors toutes les pertes sont irréparables.

539. La morale purement humaine a été traitée plus utilement et plus habilement par les anciens, qu'elle ne l'est maintenant par nos philosophes.

540. La science des mœurs ne donne pas celle des hommes.

541. Lorsqu'un édifice a été porté jusqu'à sa plus grande hauteur, tout ce qu'on peut faire est de l'embellir, ou d'y changer des bagatelles, sans toucher au fond. De même on ne peut que ramper sur les vieux principes de la morale, si l'on n'est soi-même capable de poser d'autres fondements, qui, plus vastes et plus solides, puissent porter plus de conséquences, et ouvrir à la réflexion un nouveau champ.

542. L'invention est l'unique preuve du génie.

543. On n'apprend aux hommes les vrais plaisirs qu'en les dépouillant des faux biens, comme on ne fait germer le bon grain qu'en arrachant l'ivraie qui l'environne.

544. Il n'y a point, nous dit-on, de faux plaisirs: à la bonne heure; mais il y en a de bas et de méprisables. Les choisirez-vous?

545. Les plus vifs plaisirs de l'âme sont ceux qu'on attribue au corps; car le corps ne doit point sentir, ou il est âme.

546. La plus grande perfection de l'âme est d'être capable de plaisir.

547. La vanité est le premier intérêt et le premier plaisir des riches.

548. C'est la faute des panégyristes, ou de leurs héros, lorsqu'ils ennuient.

549. Il faut savoir mettre à profit l'indulgence de nos amis et la sévérité de nos ennemis.

550. Pauvre, on est occupé de ses besoins; riche, on est dissipé par les plaisirs, et chaque condition a ses devoirs, ses écueils, et ses distractions, que le génie seul peut franchir.

551. Je désirerais de tout mon cœur que toutes les conditions fussent égales; j'aimerais beaucoup mieux n'avoir point d'inférieurs, que de reconnaître un seul homme au-dessus de moi. Rien n'est si spécieux [60], dans la spéculation, que l'égalité; mais rien n'est plus impraticable et plus chimérique.

552. Les grands hommes le sont quelquefois jusque dans les petites choses.

553. Nous n'osons pas toujours entretenir les autres de nos opinions; mais nous saisissons ordinairement si mal leurs idées, que nous perdrions peut-être moins dans leur esprit à parler comme nous pensons, et nous serions moins ennuyeux.

554. Il est juste que ce qu'on imagine n'ait pas l'air si original que ce qu'on pense.

555. On parle et l'on écrit rarement comme l'on pense.

556. Quelle diversité, quel changement et quel intérêt dans les livres, si on n'écrivait plus que ce qu'on pense!

557. On pardonne aisément les maux passés et les aversions impuissantes.

558. Quiconque ose de grandes choses risque inévitablement sa réputation.

559. Que la fortune donne prise sur quelqu'un, la malignité et la faiblesse s'enhardissent, et c'est comme un signal pour l'accabler.

560. Les qualités dominantes des hommes ne sont pas celles qu'ils laissent paraître, mais, au contraire, celles qu'ils cachent le plus volontiers; car ce sont leurs passions qui forment véritablement leur caractère, et on n'avoue point les passions, à moins qu'elles ne soient si frivoles, que la mode les justifie, ou si modérées, que la raison n'en rougisse point. On cache surtout l'ambition, parce qu'elle est une espèce de reconnaissance humiliante de la supériorité des grands, et un aveu de la petitesse de notre fortune, ou de la présomption de notre esprit. Il n'y a que ceux qui désirent peu, ou ceux qui sont à portée de faire réussir leurs prétentions, qui puissent les laisser paraître avec bienséance. Ce qui fait tous les ridicules dans le monde, ce sont les prétentions en apparence mal fondées, ou démesurées, et, parce que la gloire et la fortune sont les avantages les plus difficiles à acquérir, ils sont aussi la source des plus grands ridicules pour ceux qui les manquent.

561. Si un homme est né avec l'âme haute et courageuse, s'il est laborieux, altier, ambitieux, sans bassesse, d'un esprit profond et caché, j'ose dire qu'il ne lui manque rien pour être négligé des grands et des gens en place, qui craignent, encore plus que les autres hommes, ceux qu'ils ne pourraient dominer.

562. Le plus grand mal que la fortune puisse faire aux hommes, est de les faire naître faibles de ressources, et ambitieux.

563. Nul n'est content de son état seulement par modestie ; il n'y a que la religion ou que la force des choses qui puisse borner l'ambition.

564. Les hommes médiocres craignent quelquefois les grandes places, et, quand ils n'y visent point ou les refusent, tout ce qu'on en peut conclure, c'est qu'ils savent qu'ils sont médiocres.

565. Ceux qui ont le plus de vertu ne peuvent quelquefois se défendre de respecter, comme le peuple, les dons de la fortune, tant ils sentent quelle est la force et l'utilité du pouvoir ; mais ils se cachent de ce sentiment comme d'un vice, et comme d'un aveu de leur faiblesse.

566. Si le mérite donnait une partie de l'autorité qui est attachée à la fortune, il n'y a personne qui ne lui accordât la préférence.

567. Il y a plus de grandes fortunes que de grands talents.

568. Il n'est pas besoin d'un long apprentissage pour se rendre capable de négocier, toute notre vie n'étant qu'une pratique non interrompue d'artifices et d'intérêts.

569. Les grandes places instruisent promptement les grands esprits.

570. La présence d'esprit est plus nécessaire à un négociateur qu'à un ministre : les grandes places dispensent quelquefois des moindres talents.

571. Si les armes prospèrent, et que l'État souffre, on peut en blâmer le ministre, non autrement ; à moins qu'il ne choisisse de mauvais généraux, ou qu'il ne traverse les bons.

572. Il faudrait qu'on pût limiter les pouvoirs d'un négociateur sans trop resserrer ses talents, ou du moins,

ne pas le gêner dans l'exécution de ses ordres. On le réduit à traiter, non selon son propre génie, mais selon l'esprit du ministre, dont il ne fait que porter les paroles, souvent opposées à ses lumières. Est-il si difficile de trouver des hommes assez fidèles et assez habiles, pour leur confier le secret et la conduite d'une négociation ? ou serait-ce que les ministres veulent être l'âme de tout, et ne partager leur ministère avec personne ? Cette jalousie de l'autorité a été portée si loin par quelques-uns, qu'ils ont prétendu conduire, de leur cabinet, jusqu'aux guerres les plus éloignées, les généraux étant tellement asservis aux ordres de la cour, qu'il leur était presque impossible de profiter de la faveur des occasions, quoiqu'on les rendît responsables des mauvais succès.

573. Nul traité qui ne soit comme un monument de la mauvaise foi des souverains.

574. On dissimule quelquefois dans un traité, de part et d'autre, beaucoup d'équivoques qui prouvent que chacun des contractants s'est proposé formellement de le violer, dès qu'il en aurait le pouvoir.

575. La guerre se fait aujourd'hui entre les peuples de l'Europe si humainement, si habilement, et avec si peu de profit, qu'on peut la comparer, sans paradoxe, aux procès des particuliers, où les frais emportent le fonds, et où l'on agit moins par force que par ruse.

576. Quelque service que l'on rende aux hommes, on ne leur fait jamais autant de bien qu'ils croient en mériter.

577. La familiarité et l'amitié font beaucoup d'ingrats.

578. Les grandes vertus excitent les grandes jalousies ; les grandes générosités produisent les grandes ingratitudes : il en coûte trop d'être juste envers le mérite éminent.

579. Ni la pauvreté ne peut avilir les âmes fortes, ni la richesse ne peut élever les âmes basses ; on cultive la

gloire dans l'obscurité ; on souffre l'opprobre dans la grandeur : la fortune, qu'on croit si souveraine, ne peut presque rien sans la nature.

580. L'ascendant sur les hommes vaut mieux que la richesse.

581. On en voit que les plus grands intérêts ne peuvent engager à se dessaisir des moindres biens.

582. Qu'importe à un homme ambitieux, qui a manqué sa fortune sans retour, de mourir plus pauvre !

583. Le plus grand effort de l'esprit est de se tenir à la hauteur de la fortune, ou au niveau des richesses.

584. Il y a de fort bonnes gens qui ne peuvent se désennuyer qu'aux dépens de la société.

585. Quelques-uns entretiennent, familièrement et sans façon, le premier homme qu'ils rencontrent, comme on s'appuierait sur son voisin, si on se trouvait mal dans une église.

586. N'avoir nulle vertu ou nul défaut est également sans exemple.

587. Si la vertu se suffisait à elle-même, elle ne serait plus une qualité humaine, mais surnaturelle.

588. Ce qui constitue ordinairement une âme forte, c'est qu'elle soit dominée par quelque passion altière et courageuse, à laquelle toutes les autres, quoique vives, soient subordonnées ; mais je ne veux pas en conclure que les âmes partagées soient toujours faibles ; on peut seulement présumer qu'elles sont moins constantes que les autres.

589. Ce n'est pas toujours par faiblesse que les hommes ne sont ni tout à fait bons, ni tout à fait méchants ;

c'est parce qu'ils ont des vertus mêlées de vices. Leurs
passions contraires se croisent, et ils sont entraînés tour à
tour par leurs bonnes et par leurs mauvaises qualités.
Ceux qui vont le plus loin dans le bien ou dans le mal ne
sont ni les plus sages ni les plus fous, mais ceux qui sont
poussés par quelque passion dominante qui les empêche
de se partager. Plus on a de passions prépondérantes,
quoique différentes, moins on est propre à primer, en
quelque genre que ce soit.

590. Les hommes sont tellement nés pour dépendre,
que les lois mêmes, qui gouvernent leur faiblesse, ne leur
suffisent pas; la fortune ne leur a pas donné assez de
maîtres; il faut que la mode y supplée, et qu'elle règle
jusqu'à leur chaussure.

591. Je consentirais à vivre sous un tyran, à condition
de ne dépendre que de ses caprices, et d'être affranchi de
la tyrannie des modes, des coutumes et des préjugés; la
moindre de nos servitudes est celle des lois.

592. La nécessité nous délivre de l'embarras du choix.

593. Le dernier triomphe de la nécessité est de faire
fléchir l'orgueil; la vertu est plus aisée à abattre que la
vanité. Peut-être aussi que cette vanité, qui résiste au
pouvoir de la fortune, est elle-même une vertu.

594. Qui condamne l'activité, condamne la fécondité.
Agir n'est autre chose que produire; chaque action est un
nouvel être qui commence, et qui n'était pas. Plus nous
agissons, plus nous produisons, plus nous vivons, car le
sort des choses humaines est de ne pouvoir se maintenir
que par une génération continuelle.

595. Les êtres physiques ne dépendent pas d'un premier principe et d'une cause universelle, comme on le
suppose; car moi, qui suis un être libre, je n'ai qu'à
souffler sur de la neige, et voilà que je dérange tout le
système de l'univers. Plaisante chimère, de croire que

toute la nature se gouverne par la même loi, pendant que la terre est couverte de cent mille millions de petits agents, qui traversent, selon leur caprice, cette autorité!

596. Qui travaillera pour le théâtre? Qui fera des portraits ou des satires? Qui osera prétendre à instruire ou à divertir les hommes? Mille gens se tourmentent dans ce but, et l'on n'a jamais vu autant d'artistes: mais les hommes n'estiment que ce qui est nouveau ou ce qui est rare. Nous avons, d'ailleurs, des chefs-d'œuvre en tout genre; tous les grands sujets sont traités; eût-on même assez de génie pour se soutenir à côté des modèles, je doute qu'on obtînt dans le monde le même succès, et que les plus habiles fissent un grand chemin de ce côté-là.

597. Les meilleures choses devenues communes, on s'en dégoûte [61].

598. Les meilleures choses sont les plus communes; on achète l'esprit de Pascal pour un écu; on vend, à meilleur marché, des plaisirs à ceux qui peuvent s'y livrer; il n'y a que les superfluités et les objets de caprice qui soient rares et difficiles; mais, malheureusement, ce sont les seules choses qui touchent la curiosité et le goût du commun des hommes.

599. Se flattera-t-on de briller par la philosophie, ou par les lettres, dont si peu de gens sont capables de juger, pendant que la gloire des politiques, si palpable, et si utile à tout le monde, trouve des contempteurs et des aveugles, qui protestent publiquement contre ses titres?

600. Les hommes méprisent les lettres parce qu'ils en jugent comme des métiers, par leur utilité pour la fortune.

601. Il faut être né raisonnable; car on tire peu de fruit des lumières et de l'expérience d'autrui.

602. On ne peut avoir beaucoup de raison et peu d'esprit.

603. Une maxime qui a besoin de preuves, n'est pas bien rendue.

604. Nous avons d'assez bons préceptes, mais peu de bons maîtres.

605. Un petit vase est bientôt plein; il y a peu de bons estomacs, mais beaucoup de bons aliments.

606. Le métier des armes fait moins de fortunes qu'il n'en détruit.

607. On ne peut avancer les gens de guerre que selon leur grade ou leurs talents : deux prétextes ouverts à la faveur, pour colorer l'injustice.

608. Il y a des gens qui n'auraient jamais fait connaître leurs talents, sans leurs défauts.

609. Les écrivains nous prennent notre bien, et le déguisent, pour nous donner le plaisir de le retrouver.

610. Il ne faut pas laisser prévoir à un lecteur ce qu'on veut lui dire, mais le lui faire penser, afin qu'il puisse nous estimer d'avoir pensé comme lui, mais après lui.

611. L'art de plaire, l'art de penser, l'art d'aimer, l'art de parler, beaux préceptes, mais peu utiles, quand ils ne sont pas enseignés par la nature.

612. Nous ne pensons pas si bien que nous agissons.

613. Ceux qui échappent aux misères de la pauvreté n'échappent pas à celles de l'orgueil.

614. L'orgueil est le consolateur des faibles.

615. Nous délibérons quelquefois lorsque nous voulons faire une sottise, et nous assemblons nos amis, pour les consulter, comme les princes affectent toutes les for-

malités de la justice, lorsqu'ils sont le plus déterminés à la violer.

616. Les beaux esprits se vengent du dédain des riches sur ceux qui n'ont encore que du mérite.

617. L'esprit n'est aujourd'hui à si bas prix que parce qu'il y en a beaucoup.

618. La plaisanterie des philosophes est si mesurée, qu'on ne la distingue pas de la raison.

619. Il échappe quelquefois à un homme ivre des saillies plus agréables que celles des meilleurs plaisants.

620. Quelques hommes seraient bien étonnés d'apprendre ce qui leur fait estimer d'autres hommes.

621. Le corps ne souffre jamais seul des austérités de l'esprit; l'âme s'endurcit avec le corps.

622. On voit de misérables corps victimes languissantes d'un esprit infatigable, qui les tourmente inexorablement jusqu'à la mort. Je me représente alors un grand empire, que l'ambition inquiète d'un seul homme agite et ravage, jusqu'à ce que tout soit détruit, et que l'État périsse.

623. Le soleil est moins éclatant, lorsqu'il reparaît après des jours d'orage, que la vertu qui triomphe d'une longue et envieuse persécution.

624. Les jours sombres et froids de l'automne représentent les approches de la vieillesse; il n'est rien dans la nature qui ne soit une image de la vie humaine, parce que la vie humaine est elle-même une image de toutes choses, et que tout l'univers est gouverné par les mêmes lois.

625. L'amour se fait sentir aux enfants, comme l'ambition, avant qu'ils aient fait aucun choix; les hommes

même s'attendrissent par avance, sans objet réel, et *cher-chent souvent leur défaite sans la rencontrer*.

626. Ceux qui médisent toujours nuisent rarement; ils méditent plus de mal qu'ils n'en peuvent faire.

627. Une préface est ordinairement un plaidoyer, où toute l'éloquence de l'auteur ne peut rendre sa cause meilleure, aussi inutile pour faire valoir un bon ouvrage, que pour en justifier un mauvais.

628. Le défaut unique, en un sens, de tous les ouvrages, c'est d'être trop longs.

629. Ce qui fait que beaucoup de gens de lettres dissimulent le bien qu'ils pensent les uns des autres, c'est qu'ils peuvent craindre que celui qu'ils loueraient ne les loue pas de même par la suite, et qu'il ne soit cru, sur cette même autorité qu'ils auraient contribué à lui assurer.

630. Boileau était plein de génie, et n'avait pas, je crois, un grand génie; tel homme, au contraire, a écrit, dont on ne saurait dire qu'il eût du génie, et qui, cependant, était un grand génie; le cardinal de Richelieu, par exemple.

631. Rousseau a manqué d'invention dans l'expression et de grandeur dans la pensée. Ses poèmes manquent par le fond; ils sont travaillés avec art, mais froids.

632. Qui a plus écrit que César, et qui a exécuté de plus grandes choses?

633. On peut rendre l'esprit plus vif et plus souple, de même que le corps; il n'y a pour cela qu'à exercer l'un, comme on exerce l'autre.

634. Un homme éloquent est celui qui, même sans le vouloir, fait passer sa créance ou ses passions dans l'esprit ou dans le cœur d'autrui.

635. Si un homme parle faiblement, quand il est animé et à son aise, il est impossible qu'il écrive bien.

636. Qu'un homme parle longuement d'un grand procès, qu'il cite les lois, qu'il en fasse l'application au cas qui l'intéresse, ceux qui l'écoutent croiront qu'il est un bon juge ; qu'un autre parle de tranchées, de glacis et de chemins couverts, qu'il crayonne devant des femmes la disposition d'une bataille où il n'était point, on dira qu'il sait son métier, et qu'il y a plaisir à l'entendre. Les hommes se piquent de mépriser la science, et se laissent toujours imposer par ses apparences.

637. Que sert à un homme de robe, de savoir comme on prend une place ? Pourquoi un financier veut-il apprendre la mécanique des vers ? Si les hommes se contentaient des connaissances dont ils ont besoin, et qui entrent dans leur génie, ils auraient assez de temps pour les approfondir ; mais la mode est, aujourd'hui, d'avoir une teinture de toutes les sciences. Un homme qui n'a rien à dire sur un autre métier que le sien n'oserait penser qu'il peut avoir de l'esprit.

638. J'approuverais fort la science universelle, si les hommes en étaient capables ; mais j'estime plus un menuisier, qui sait son métier, qu'un bavard, qui pense tout savoir, et qui ne possède rien.

639. On n'a jamais chargé l'esprit des hommes d'autant de connaissances inutiles et superficielles qu'on le fait aujourd'hui ; on a mis à la place de l'ancienne érudition une science d'ostentation et de paroles. Qu'avons-nous gagné à cela ? Ne vaudrait-il pas mieux être encore pédant comme Huet, et comme Ménage [62] ?

640. Les gens du monde ont une espèce d'érudition ; c'est-à-dire qu'ils savent assez de toutes choses pour en parler de travers. Quelle manie de sortir des bornes de notre esprit et de nos besoins, pour charger notre mémoire de tant de choses inutiles ! Et par quelle fatalité

faut-il, qu'après avoir guéri d'un respect exagéré pour la vraie érudition, nous soyons épris de la fausse ?

641. Le duel avait un bon côté, qui était de mettre un frein à l'insolence des grands ; aussi, je m'étonne qu'ils n'aient pas encore trouvé le moyen de l'abolir entièrement.

642. Le peuple en vient aux mains pour peu de chose ; mais les magistrats et les prêtres ne poussent jamais leurs querelles jusqu'à cette indécence. La noblesse ne pourrait-elle en venir à ce point de politesse ? Pourquoi non, puisque déjà deux corps aussi considérables y sont parvenus ?

643. Si quelqu'un trouve que je me contredis, je réponds : Parce que je me suis trompé une fois, ou plusieurs fois, je ne prétends point me tromper toujours.

644. Quand je vois un homme engoué de la raison, je parie aussitôt qu'il n'est pas raisonnable.

645. J'ai bonne opinion d'un jeune homme, quand je vois qu'il a l'esprit juste, et que, néanmoins, la raison ne le maîtrise point ; je me dis : Voici une âme forte et audacieuse ; ses passions la tromperont souvent, mais, du moins, elle ne sera trompée que par ses passions, et non par celles d'autrui.

646. Ce qu'il y a de plus embarrassant, quand on n'est pas né riche, c'est d'être né fier.

647. On s'étonne toujours qu'un homme supérieur ait des ridicules, ou qu'il soit sujet à de grandes erreurs ; et moi je serais très surpris qu'une imagination forte et hardie ne fît pas commettre de très grandes fautes.

648. Je mets une fort grande différence entre faire des sottises et faire des folies ; un homme médiocre peut ne pas faire de folies, mais il ne saurait éviter de faire beaucoup de sottises.

649. Le plus sot de tous les hommes est celui qui fait des folies par air.

650. Nous méprisons les fables de notre pays, et nous apprenons aux enfants les fables de l'Antiquité.

651. Nous dédaignons les fables de notre pays, et beaucoup de gens les ignorent; mais j'espère qu'elles feront un jour partie de l'éducation des enfants. Il est juste qu'elles aillent à nos neveux, et il faut bien que cela arrive, puisque nous apprenons aujourd'hui, avec tant de soin les fables de l'Antiquité.

652. L'objet de la prose est de dire des choses; mais les sots s'imaginent que la rime est l'unique objet de la poésie, et, dès que leurs vers ont le nombre ordinaire de syllabes, ils pensent que ce qu'ils ont fait avec tant de peine mérite qu'on se donne celle de le lire.

653. Pourquoi un jeune homme nous plaît-il plus qu'un vieillard? Il n'y a presque point d'homme qui puisse se dire pourquoi il aime ou il estime un autre homme, et pourquoi lui-même s'adore.

654. Un philosophe est un personnage froid ou un personnage menteur; il ne doit donc figurer qu'un moment dans un poème, qui doit être un tableau vrai et passionné de la nature.

655. La plupart des grands hommes ont passé la meilleure partie de leur vie avec d'autres hommes qui ne les comprenaient point, ne les aimaient point, et ne les estimaient que médiocrement.

656. N'est-ce pas une chose singulière qu'on ne puisse pas même primer dans l'art du chant avec impunité et sans contestation?

657. Il y a des gens qui, se croyant au plus haut degré de l'esprit, assurent qu'ils aiment les bagatelles et les

riens, que les folies d'Arlequin les réjouissent, qu'ils aiment les farces, l'opéra-comique, et les pantomimes : pour moi, cela ne m'étonne en aucune manière, et je crois ces gens-là sur leur parole.

658. Quand je suis entré dans le monde, j'étais étonné de la rapidité avec laquelle on glissait sur une infinité de choses assez importantes, et je disais en moi-même : Ces gens-ci, qui ont beaucoup d'esprit, jugent qu'il y a beaucoup de réflexions qu'il n'est pas besoin d'exprimer, parce qu'ils voient tout d'abord le bout des choses, et ils ont raison. Je me suis détrompé depuis, et j'ai vu qu'en bonne compagnie, on pouvait s'étendre et s'appesantir, autant qu'ailleurs, sur tous les sujets, pourvu qu'on sût les choisir.

659. J'avais un laquais, qui était fort jeune ; j'étais en voyage ; il me dit que je venais de souper avec un homme de beaucoup d'esprit. Je lui demandai à quoi il connaissait qu'un homme avait de l'esprit : — « C'est quand il dit toujours la vérité. — Voulez-vous dire que c'est quand il ne trompe personne ? — Non, Monsieur, mais quand il ne se trompe pas lui-même. » Je pensai aussitôt que ce jeune homme pouvait bien avoir lui-même plus d'esprit que Voiture et que Benserade ; il est bien sûr, au moins, qu'un *bel-esprit* n'aurait pas rencontré aussi juste.

660. Presque toutes les choses où les hommes ont attaché de la honte, sont très innocentes : on rougit de n'être pas riche, de n'être pas noble, d'être bossu ou boiteux, et d'une infinité d'autres choses dont je ne veux pas parler. Ce mépris, par lequel on comble les disgrâces des malheureux, est la plus forte preuve de l'extravagance et de la barbarie de nos opinions.

661. Je ne puis mépriser un homme, à moins que je n'aie le malheur de le haïr pour quelque mal qu'il m'a fait ; je ne comprends pas le dédain paisible que l'on nourrit de sang-froid pour d'autres hommes.

662. Lorsque j'ai été à Plombières, et que j'ai vu des personnes de tout sexe, de tout âge, et de toute condition, se baigner humblement dans la même eau, j'ai compris tout d'un coup ce qu'on m'avait dit si souvent, et ce que je ne voulais pas croire, que les faiblesses ou les malheurs des hommes les rapprochent, et les rendent souvent plus sociables. Des malades sont plus humains et moins dédaigneux que d'autres hommes.

663. Je remarquai encore dans ces bains que les nudités ne me touchaient point ; c'est parce que j'étais malade. Depuis lors, quand je vois un homme qui n'est point frappé de la pure nature, en quelque sujet que ce soit, je dis que son goût est malade.

664. C'est quelquefois peine perdue, que de traiter les grands sujets et les vérités générales. Que de volumes sur l'immortalité de l'âme, sur l'essence des corps et des esprits, sur le mouvement, sur l'espace, etc. ! Les grands sujets imposent à l'imagination des hommes, et l'on s'attire le respect du monde, en l'entretenant de matières qui passent la portée de son esprit ; mais il y a peu de ces discours qui soient vraiment utiles. Il vaut mieux s'attacher à des choses vraies, instructives, et profitables, qu'à ces grandes spéculations, dont on ne peut rien conclure de raisonnable et de décisif. Les hommes ont besoin de savoir beaucoup de très petites choses, et il faut les en instruire avant tout.

665. Il ne faut point que ce soit la finesse qui domine dans un ouvrage. Un livre est un monument public ; or, tout monument doit être grand et solide. La finesse doit se produire avec tant de simplicité qu'on la sente, en quelque manière, sans la remarquer. Il n'y a, selon moi, que les choses qu'on ne peut dire uniment, qu'il est permis de dire avec finesse.

666. Il y a des gens d'un esprit naturel, facile, abondant, impétueux, qui rejettent absolument le style court, serré, et qui oblige à réfléchir ; ils voudraient toujours

courir dans leurs lectures, et n'être jamais arrêtés ; ils ressemblent à ceux qui se fatiguent en se promenant trop lentement.

667. Lorsqu'on n'entend pas ce qu'on lit, il ne faut pas s'obstiner à le comprendre ; il faut, au contraire, quitter son livre ; on n'aura qu'à le reprendre un autre jour ou à une autre heure, et on l'entendra sans effort. La pénétration, ainsi que l'invention, ou tout autre talent humain, n'est pas une vertu de tous les moments ; on n'est pas toujours disposé à entrer dans l'esprit d'autrui.

668. Il suffit qu'un auteur soit toujours sérieux, et humblement soumis à tous les préjugés, pour qu'on lui croie l'esprit beaucoup plus juste qu'à tous les poètes : je suis persuadé que beaucoup de gens croient Rollin [63] plus grand philosophe que Voltaire.

669. Les sophistes n'estiment pas Fénelon, parce qu'ils ne le trouvent pas assez philosophe ; et moi j'aime mieux un auteur qui me donne un beau sentiment, qu'un recueil de pensées subtiles.

670. On voit des auteurs qui ont dit de grandes choses ; mais on voit aussi qu'ils les ont cherchées ; elles n'étaient pas dans leur esprit ; ils les y ont appelées et incrustées ; aussi, malgré les grandes choses qu'ils ont dites, on ne peut se défendre de les trouver encore petits.

671. On appelait Bayard le *Chevalier sans peur ;* c'est sur ce modèle que sont faits la plupart des héros de notre théâtre. Autres sont les héros d'Homère : Hector a, d'ordinaire, du courage, mais il a peur quelquefois.

672. La fierté est sans doute une passion fort théâtrale, mais il faut qu'elle soit provoquée : un fat est insolent, sans qu'on l'y pousse ; mais une âme forte ne manifeste point sa hauteur, qu'elle n'y soit contrainte.

673. Les fautes de détail sont fautes de jugement : par exemple, lorsque, dans un poème dramatique, les per-

sonnages disent ce qu'ils devraient taire, lorsqu'ils ne soutiennent point leur caractère, ou l'avilissent par des discours bas, ou longs, ou inutiles, toutes ces fautes sont contre le jugement. Qu'un auteur fasse un plan judicieux, mais qu'il pèche dans le détail, il ne va pas moins contre la justesse, que celui qui réussit dans le détail, mais qui s'est trompé dans le plan.

674. Quand les détails sont faibles dans une tragédie, l'attention des spectateurs se relâche nécessairement, et leur esprit se refroidit si fort, que, s'il vient ensuite une grande beauté, elle ne les trouve plus préparés, et manque son impression. Si l'on arrivait au théâtre pour le 5e acte d'une tragédie, serait-on aussi touché de la catastrophe, que si l'on eût écouté attentivement toute la pièce, et que si l'on fût entré dans les intérêts des personnages?

675. S'il pouvait y avoir une république sage, ce devrait être, ce semble, la république des lettres, puisqu'elle n'est composée que de gens d'esprit; mais qui dit une république, dit peut-être un Etat mal gouverné; ce qui fait aussi, je crois, qu'on y rencontre des vertus d'un caractère plus haut; car les hommes ne font jamais de si grandes choses, que lorsqu'ils peuvent faire impunément bien des sottises.

676. L'ambition est habileté, le courage est sagesse, les passions sont esprit, l'esprit est science, ou c'est tout le contraire; car il n'y a rien qui ne puisse être bon ou mauvais, utile ou nuisible, selon l'occasion et les circonstances.

677. L'amour est plus violent que l'amour-propre, puisqu'on peut aimer une femme malgré ses mépris.

678. Je plains un vieillard amoureux; les passions de la jeunesse font un affreux ravage dans un corps usé et flétri.

679. Il ne faut point apprendre à danser en cheveux gris, ni entrer trop tard dans le monde.

680. Une femme laide, qui a quelque esprit, est souvent méchante par le chagrin qu'elle a de n'être pas belle, quand elle voit que la beauté tient lieu de tout.

681. Les femmes ont, pour l'ordinaire, plus de vanité que de tempérament, et plus de tempérament que de vertu.

682. C'est être bien dupe d'aimer le monde, quand on n'aime ni les femmes ni le jeu.

683. Qui est aussi léger qu'un Français ? Qui va, comme lui, à Venise, pour voir des gondoles ?

684. Il est si naturel aux hommes de tirer à soi et de s'approprier tout, qu'ils s'approprient jusqu'à la volonté de leurs amis, et se font de leurs complaisances mêmes un titre pour les dominer avec tyrannie.

685. Qui fait tant de mauvais, de ridicules et d'insipides plaisants ? Est-ce sottise, ou malice ? ou l'un et l'autre à la fois ?

686. La même différence qui est entre la franchise et la grossièreté, se trouve entre l'adresse et le mensonge : l'on n'est grossier, ou menteur, que par quelque défaut d'esprit ; le mensonge n'est que la grossièreté des hommes faux ; c'est la lie de la fausseté.

687. L'imperfection est le principe nécessaire de tout vice ; mais la perfection est une, et incommunicable.

688. Que ceux qui ne peuvent atteindre à la véritable gloire s'en fassent une fausse, rien ne me semble plus pardonnable ; mais un homme qui a des lumières, et qui se dissipe et s'éteint dans des occupations frivoles, me paraît ressembler à ces gens opulents qui se ruinent en colifichets. Il est le plus insensé de tous les hommes, s'il espère de réussir encore, dans son déclin, par les qualités

qui lui ont réussi dans ses beaux jours : les qualités les plus aimables dans les jeunes gens deviennent un opprobre dans la vieillesse.

689. La vieillesse ne peut couvrir sa nudité que par la véritable gloire ; la gloire, seule, tient lieu des talents qu'une longue vie a usés.

690. L'espérance est le seul bien que le dégoût respecte.

691. Une mode en exclut une autre ; les hommes ont l'esprit trop étroit pour estimer à la fois plusieurs choses.

692. Ceux qui sauraient tirer avantage de l'art de plaire, n'en ont pas le don, et ceux qui ont le don de plaire n'ont pas le talent d'en profiter. Il en est de même de l'esprit, des richesses, de la santé, etc. : les dons de la nature et de la fortune ne sont pas si rares que l'art d'en jouir.

693. La meilleure manière d'élever les princes serait, je crois, de leur faire connaître familièrement un grand nombre d'hommes de tout caractère et de tout état ; leur malheur ordinaire est de ne point connaître leur peuple. On est toujours masqué autour d'eux, quand ils sont les maîtres ; ils voient beaucoup de sujets, mais ne voient point d'hommes. De là, le mauvais choix des favoris et des ministres, qui flétrit la gloire des princes, et ruine les peuples.

694. Apprenez à un prince à être sobre, chaste, pieux, libéral, vous faites beaucoup pour lui, mais peu pour son Etat ; vous ne lui enseignez pas à être roi ; lui enseigner à aimer son peuple et sa gloire, c'est lui inspirer à la fois toutes les vertus.

695. Il faut mettre de petits hommes dans les petits emplois ; ils y travaillent de génie et avec amour-propre ; loin de mépriser leurs fonctions subalternes, ils s'en ho-

norent. Il y en a qui aiment à faire distribuer de la paille, à mettre en prison un soldat qui n'a pas bien mis sa cravate, ou à donner des coups de canne à l'exercice; ils sont rogues, suffisants, altiers, et tout contents de leur petit poste; un homme de plus de mérite se trouverait humilié de ce qui fait leur joie, et négligerait peut-être son devoir.

696. Les soldats marchent à l'ennemi, comme les capucins vont à matines. Ce n'est ni l'intérêt de la guerre, ni l'amour de la gloire ou de la patrie, qui animent aujourd'hui nos armées; c'est le tambour qui les mène et les ramène, comme la cloche fait lever et coucher les moines. On se fait encore religieux par dévotion, et soldat par libertinage; mais, dans la suite, on ne pratique guère ses devoirs que par nécessité ou par habitude.

697. Il faut convenir qu'il y a des maux inévitables: ainsi, on tue un homme, au bruit des tambours et des trompettes, pour empêcher la désertion dans les armées, et cette barbarie est nécessaire.

698. Rien de long n'est fort agréable, pas même la vie; cependant on l'aime.

699. Il est permis de regretter la vie, quand on la regrette pour elle-même, et non par timidité devant la mort.

700. Oh! qu'il est difficile de se résoudre à mourir!

TROISIÈME PARTIE

TEXTES RETRANCHÉS

PENSÉES SUR DIVERS SUJETS ^{63bis}

701. Les premiers écrivains travaillaient sans modèles, et n'empruntaient rien que d'eux-mêmes, ce qui fait qu'ils sont inégaux, et mêlés de mille endroits faibles, avec un génie tout divin. Ceux qui ont réussi après eux ont puisé dans leurs inventions, et par là sont plus soutenus ; nul ne trouve tout dans son propre fonds.

702. Qui saura penser de soi-même, et former de nobles idées, qu'il prenne, s'il peut, hardiment, la manière et le tour des maîtres : toutes les richesses de l'expression appartiennent de droit à ceux qui savent les mettre à leur place.

703. Il ne faut pas craindre non plus de redire une vérité ancienne, lorsqu'on peut la rendre plus sensible par un meilleur tour, ou la joindre à une autre vérité qui l'éclaircisse, et former un corps de raisons. C'est le propre des inventeurs de saisir le rapport des choses, et de savoir les rassembler ; et les découvertes anciennes sont moins à leurs premiers auteurs qu'à ceux qui les rendent utiles.

704. On fait un ridicule à un homme du monde du talent et du goût d'écrire. Je demande aux gens raisonnables : Que font ceux qui n'écrivent pas ?

705. On ne peut avoir l'âme grande ou l'esprit un peu pénétrant, sans quelque passion pour les lettres. Les arts sont consacrés à peindre les traits de la belle nature ; les

sciences à la vérité. Les arts ou les sciences embrassent tout ce qu'il y a dans les objets de la pensée de noble ou d'utile ; de sorte qu'il ne reste à ceux qui les rejettent, que ce qui est indigne d'être peint ou enseigné.

706. Voulez-vous démêler, rassembler vos idées, les mettre sous un même point de vue, et les réduire en principes ? jetez-les d'abord sur le papier. Quand vous n'auriez rien à gagner par cet usage du côté de la réflexion, ce qui est faux manifestement, que n'acquerriez-vous pas du côté de l'expression ? Laissez dire à ceux qui regardent cette étude comme au-dessous d'eux. Qui peut croire avoir plus d'esprit, un génie plus grand et plus noble que le cardinal de Richelieu ? Qui a été chargé de plus d'affaires, et de plus importantes ? Cependant nous avons des *Controverses* de ce grand ministre, et un *Testament politique ;* on sait même qu'il n'a pas dédaigné la poésie. Un esprit si ambitieux ne pouvait mépriser la gloire la moins empruntée et la plus à nous qu'on connaisse. Il n'est pas besoin de citer, après un si grand nom, d'autres exemples : le duc de La Rochefoucauld, l'homme de son siècle le plus poli et le plus capable d'intrigues, auteur du livre des *Maximes ;* le fameux cardinal de Retz, le cardinal d'Ossat [64], le chevalier Guillaume Temple [65], et une infinité d'autres qui sont aussi connus par leurs écrits que par leurs actions immortelles. Si nous ne sommes pas à même d'exécuter de si grandes choses que ces hommes illustres, qu'il paraisse du moins par l'expression de nos pensées, et par ce qui dépend de nous, que nous n'étions pas incapables de les concevoir.

707. Deux études sont importantes : la vérité et l'éloquence ; la vérité, pour donner un fondement solide à l'éloquence, et bien disposer notre vie ; l'éloquence, pour diriger la conduite des autres hommes, et défendre la vérité.

708. La plupart des grandes affaires se traitent par écrit ; il ne suffit donc pas de savoir parler : tous les intérêts subalternes, les engagements, les plaisirs, les

devoirs de la vie civile, demandent qu'on sache parler; c'est donc peu de savoir écrire. Nous aurions besoin tous les jours d'unir l'une et l'autre éloquence; mais nulle ne peut s'acquérir, si d'abord on ne sait penser; et on ne sait guère penser, si l'on n'a des principes fixes et puisés dans la vérité. Tout confirme notre maxime : l'étude du vrai la première, l'éloquence après.

709. C'est un mauvais parti pour une femme que d'être coquette : il est rare que celles de ce caractère allument de grandes passions; et ce n'est pas à cause qu'elles sont légères, comme on le croit communément, mais parce que personne ne veut être dupe. La vertu nous fait mépriser la fausseté, et l'amour-propre nous la fait haïr.

710. Est-ce force dans les hommes d'avoir des passions, ou insuffisance et faiblesse? Est-ce grandeur d'être exempt de passions, ou médiocrité de génie? Ou tout est-il mêlé de faiblesse et de force, de grandeur et de petitesse?

711. Qui est [le] plus nécessaire au maintien d'une société d'hommes faibles, et que leur faiblesse a unis, la douceur, ou l'austérité? Il faut employer l'une et l'autre : que la loi soit sévère, et les hommes indulgents.

712. La sévérité dans les lois est humanité pour les peuples; dans les hommes, elle est la marque d'un génie étroit et cruel : il n'y a que la nécessité qui puisse la rendre innocente.

713. Le projet de rapprocher les conditions a toujours été un beau songe; la Loi ne saurait égaler les hommes malgré la Nature.

714. S'il n'y avait de domination légitime que celle qui s'exerce avec justice, nous ne devrions rien aux mauvais rois.

715. Comptez rarement sur l'estime et sur la confiance d'un homme qui entre dans tous vos intérêts, s'il ne vous parle aussi des siens.

716. C'est la conviction manifeste de notre incapacité que le hasard dispose si universellement et si absolument de tout. Il n'y a rien de plus rare dans le monde que les grands talents et que le mérite des emplois : la fortune est plus partiale qu'elle n'est injuste.

717. Les hommes sont si sensibles à la flatterie que lors même qu'ils pensent que c'est flatterie, ils ne laissent pas d'en être les dupes.

718. Le mystère dont on enveloppe ses desseins marque quelquefois plus de faiblesse que l'indiscrétion, et souvent nous fait plus de tort.

719. Ceux qui font des métiers infâmes, comme les voleurs, les femmes perdues, se font gloire de leurs crimes, et regardent les honnêtes gens comme des dupes : la plupart des hommes, dans le fond du cœur, méprisent la vertu, peu la gloire.

720. La Fontaine était persuadé, comme il le dit, que l'apologue était un art divin : jamais peut-être de véritablement grands hommes ne se sont amusés à tourner des fables.

721. Une mauvaise préface allonge considérablement un mauvais livre ; mais ce qui est bien pensé est bien pensé, et ce qui est bien écrit est bien écrit.

722. Ce sont les ouvrages médiocres qu'il faut abréger : je n'ai jamais vu de préface ennuyeuse devant un bon livre.

723. Toute hauteur affectée est puérile ; si elle se fonde sur des titres supposés, elle est ridicule ; et si ces titres sont frivoles, elle est basse : le caractère de la vraie hauteur est d'être toujours à sa place.

724. Nous n'attendons pas d'un malade qu'il ait l'enjouement de la santé et la force du corps ; s'il conserve même sa raison jusqu'à la fin, nous nous en étonnons ; et s'il fait paraître quelque fermeté, nous disons qu'il y a de l'affectation dans cette mort : tant cela est rare et difficile. Cependant, s'il arrive qu'un autre homme démente, en mourant, ou la fermeté, ou les principes qu'il a professés pendant sa vie ; si, dans l'état du monde le plus faible, il donne quelque marque de faiblesse... ô aveugle malice de l'esprit humain ! il n'y a point de contradictions si manifestes que l'envie n'assemble pour nuire.

725. On n'est pas appelé à la conduite des grandes affaires, ni aux sciences, ni aux beaux-arts, ni à la vertu, quand on n'aime pas ces choses pour elles-mêmes, indépendamment de la considération qu'elles attirent ; on les cultiverait donc inutilement dans ces dispositions : ni l'esprit, ni la vanité, ne peuvent donner le génie.

726. Les femmes ne peuvent comprendre qu'il y ait des hommes désintéressés à leur égard.

727. Il n'est pas libre à un homme qui vit dans le monde de n'être pas galant.

728. Quels que soient ordinairement les avantages de la jeunesse, un jeune homme n'est pas bien venu auprès des femmes, jusqu'à ce qu'elles en aient fait un fat.

729. Il est plaisant qu'on ait fait une loi de la pudeur aux femmes, qui n'estiment dans les hommes que l'effronterie.

730. On ne loue une femme ni un auteur médiocre comme eux-mêmes se louent.

731. Une femme qui croit se bien mettre ne soupçonne pas, dit un auteur, que son ajustement deviendra un jour aussi ridicule que la coiffure de Catherine de Médicis : toutes les modes dont nous sommes prévenus vieilliront peut-être avant nous, et même le *bon ton*.

PARADOXES MÊLÉS
DE RÉFLEXIONS ET DE MAXIMES [66].

LIVRE I

732. Il y a peu de choses que nous sachions bien.

733. Si on n'écrit point parce qu'on pense, il est inutile de penser pour écrire.

734. Tout ce qu'on n'a pensé que pour les autres est ordinairement peu naturel.

735. La clarté est la bonne foi des philosophes.

736. La netteté est le vernis des maîtres.

737. La netteté épargne les longueurs, et tient lieu de preuves aux idées.

738. La marque d'une expression propre est que, même dans les équivoques, on ne puisse lui donner qu'un sens.

739. Les grands philosophes sont les génies de la raison.

740. Pour savoir si une pensée est nouvelle, il n'y a qu'à l'exprimer bien simplement.

741. Il y a peu de pensées synonymes, mais beaucoup d'approchantes.

742. Lorsqu'un bon esprit ne voit pas qu'une pensée puisse être utile, il y a grande apparence qu'elle est fausse.

743. Nous recevons quelquefois de grandes louanges, avant d'en mériter de raisonnables.

744. Les feux de l'aurore ne sont pas si doux que les premiers regards de la gloire.

745. Les réputations mal acquises se changent en mépris.

746. L'espérance est le plus utile ou le plus pernicieux des biens.

747. L'adversité fait beaucoup de coupables et d'imprudents.

748. Le courage est la lumière de l'adversité ?

749. L'erreur est la nuit des esprits, et le piège de l'innocence.

750. Les demi-philosophes ne louent l'erreur, que pour faire, malgré eux, les honneurs de la vérité.

751. C'est être bien impertinent de vouloir faire croire qu'on n'a pas assez d'illusions pour être heureux.

752. Celui qui souhaiterait sérieusement des illusions, aurait au-delà de ses vœux.

753. Les corps politiques ont leurs défauts inévitables, comme les divers âges de la vie humaine. Qui peut garantir la vieillesse des infirmités, hors la mort ?

754. La sagesse est le tyran des faibles.

755. Les regards affables ornent le visage des rois.

756. La licence étend toutes les vertus et tous les vices.

757. La paix rend les peuples plus heureux, et les hommes plus faibles.

758. Le premier soupir de l'enfance est pour la liberté.

759. L'indolence est le sommeil des esprits.

760. Les passions [les] plus vives sont celles dont l'objet est le plus prochain, comme le jeu, l'amour, etc.

761. Lorsque la beauté règne sur les yeux, il est probable qu'elle règne encore ailleurs.

762. Tous les sujets de la beauté ne connaissent pas leur souveraine.

763. Si les faiblesses de l'amour sont pardonnables, c'est principalement aux femmes, qui règnent par lui.

764. Notre intempérance loue les plaisirs.

765. La constance est la chimère de l'amour.

766. Les hommes simples et vertueux mêlent de la délicatesse et de la probité jusque dans leurs plaisirs.

767. Ceux qui ne sont plus en état de plaire aux femmes, et qui le savent, s'en corrigent.

768. Les premiers jours du printemps ont moins de grâce que la vertu naissante d'un jeune homme.

769. L'utilité de la vertu est si manifeste, que les méchants la pratiquent par intérêt.

770. Rien n'est si utile que la réputation, et rien ne donne la réputation si sûrement que le mérite.

771. La gloire est la preuve de la vertu.

772. La trop grande économie fait plus de dupes que la profusion.

773. La profusion n'avilit que ceux qu'elle n'illustre pas.

774. Si un homme, obéré et sans enfants, se fait quelques rentes viagères, et jouit par cette conduite des commodités de la vie, nous disons que c'est un fou qui a mangé son bien.

775. Les sots admirent qu'un homme à talents ne soit pas une bête sur ses intérêts.

776. La libéralité et l'amour des lettres ne ruinent personne; mais les esclaves de la fortune trouvent toujours la vertu trop achetée.

777. On fait bon marché d'une médaille, lorsqu'on n'est pas curieux d'antiquités : ainsi, ceux qui n'ont pas de sentiment pour le mérite, ne tiennent presque pas de compte des plus grands talents.

778. Le grand avantage des talents paraît en ce que la fortune, sans mérite, est presque inutile.

779. On tente d'ordinaire sa fortune par les talents qu'on n'a pas.

780. Il vaut mieux déroger à sa qualité qu'à son génie : ce serait être fou de conserver un état médiocre, au prix d'une grande fortune ou de la gloire.

781. Il n'y a point de vice qui ne soit nuisible, dénué d'esprit.

782. J'ai cherché s'il n'y avait point de moyen de faire sa fortune sans mérite, et je n'en ai trouvé aucun.

783. Moins on veut mériter sa fortune, plus il faut se donner de peine pour la faire.

784. Les beaux-esprits ont une place dans la bonne compagnie, mais la dernière.

785. Les sots usent des gens d'esprit comme les petits hommes portent de grands talons.

786. Il y a des hommes dont il vaut mieux se taire que de les louer selon leur mérite.

787. Il ne faut pas tâcher de contenter les envieux.

788. Le mépris de notre nature est une erreur de notre raison.

789. Un peu de café après le repas fait qu'on s'estime ; il ne faut aussi, quelquefois, qu'une petite plaisanterie pour abattre une grande présomption.

790. On oblige les jeunes gens à user de leurs biens comme s'il était sûr qu'ils dussent vieillir.

791. A mesure que l'âge multiplie les besoins de la nature, il resserre ceux de l'imagination.

792. Tout le monde empiète sur un malade, prêtres, médecins, domestiques, étrangers, amis ; et il n'y a pas jusqu'à sa garde qui ne se croie en droit de le gouverner.

793. Quand on devient vieux, il faut se parer.

794. L'avarice annonce le déclin de l'âge et la fuite précipitée des plaisirs.

795. L'avarice est la dernière et la plus absolue de nos passions.

796. Personne ne peut mieux prétendre aux grandes places que ceux qui ont les talents.

797. Les plus grands ministres ont été ceux que la fortune avait placés le plus loin du ministère.

798. La science des projets consiste à prévenir les difficultés de l'exécution.

799. La timidité dans l'exécution fait échouer les entreprises téméraires.

800. Le plus grand de tous les projets est celui de former un parti.

801. On promet beaucoup, pour se dispenser de donner peu.

802. L'intérêt et la paresse anéantissent les promesses quelquefois sincères de la vanité.

803. Il ne faut pas trop craindre d'être dupe.

804. La patience obtient quelquefois des hommes ce qu'ils n'ont jamais eu l'intention d'accorder; l'occasion peut même obliger les plus trompeurs à effectuer de fausses promesses.

805. Les dons intéressés sont importuns.

806. S'il était possible de donner sans perdre, il se trouverait encore des hommes inaccessibles.

807. L'impie endurci dit à Dieu: Pourquoi as-tu fait des misérables?

808. Les avares ne se piquent pas ordinairement de beaucoup de choses.

809. La folie de ceux qui réussissent est de se croire habiles.

810. La raillerie est l'épreuve de l'amour-propre.

811. La gaieté est la mère des saillies.

812. Les sentences sont les saillies des philosophes.

813. Les hommes pesants sont opiniâtres.

814. Nos idées sont plus imparfaites que la langue.

815. La langue et l'esprit ont leurs bornes; la vérité est inépuisable.

LIVRE II

816. La nature a donné aux hommes des talents divers: les uns naissent pour inventer, et les autres pour embellir; mais le doreur attire plus de regards que l'architecte.

817. Un peu de bon sens ferait évanouir beaucoup d'esprit.

818. Le caractère du faux-esprit est de ne paraître qu'aux dépens de la raison.

819. On est d'autant moins raisonnable sans justesse, qu'on a plus d'esprit.

820. L'esprit a besoin d'être occupé; et c'est une raison de parler beaucoup, que de penser peu.

821. Quand on ne sait pas s'entretenir et s'amuser soi-même, on veut entretenir et amuser les autres.

822. Vous trouverez fort peu de paresseux que l'oisiveté n'incommode; et, si vous entrez dans un café, vous verrez qu'on y joue aux dames.

823. Les paresseux ont toujours envie de faire quelque chose.

824. La raison ne doit pas régler, mais suppléer la vertu.

825. Nous jugeons de la vie d'une manière trop désintéressée quand nous sommes forcés de la quitter.

826. Socrate savait beaucoup moins que Bayle [et que F. [67]]; il y a peu de sciences utiles.

827. Aidons-nous des mauvais motifs pour nous fortifier dans les bons desseins.

828. Les conseils les plus faciles à pratiquer sont les plus utiles.

829. Conseiller, c'est donner aux hommes des motifs d'agir qu'ils ignorent.

830. Nous nous défions de la conduite des meilleurs esprits, et nous ne nous défions pas de nos conseils.

831. L'âge peut-il donner droit de gouverner la raison?

832. Nous croyons avoir droit de rendre un homme heureux à ses dépens, et nous ne voulons pas qu'il l'ait lui-même.

833. Si un homme est souvent malade, et qu'ayant mangé une cerise, il soit enrhumé le lendemain, on ne manque pas de lui dire, pour le consoler, que *c'est sa faute*.

834. Il y a plus de sévérité que de justice.

835. La libéralité de l'indigent est nommée prodigalité.

836. Il faudrait qu'on nous pardonnât, au moins, les fautes qui n'en seraient pas, sans nos malheurs.

837. On n'est pas toujours si injuste envers ses ennemis qu'envers ses proches.

838. La haine des faibles n'est pas si dangereuse que
leur amitié.

839. En amitié, en mariage, en amour, en tel autre
commerce que ce soit, nous voulons gagner; et, comme
le commerce des amis, des amants, des parents, des
frères, etc., est plus étendu que tout autre, il ne faut pas
être surpris d'y trouver plus d'ingratitudes et d'injustices.

840. La haine n'est pas moins volage que l'amitié.

841. La pitié est moins tendre que l'amour.

842. Les choses que l'on sait le mieux sont celles
qu'on n'a pas apprises.

843. Au défaut des choses extraordinaires, nous aimons qu'on nous propose à croire celles qui en ont l'air.

844. L'esprit développe les simplicités du sentiment,
pour s'en attribuer l'honneur.

845. On tourne une pensée comme un habit, pour s'en
servir plusieurs fois.

846. Nous sommes flattés qu'on nous propose comme
un mystère ce que nous avons pensé naturellement.

847. Ce qui fait qu'on goûte médiocrement les philosophes, c'est qu'ils ne nous parlent pas assez des choses
que nous savons.

848. La paresse et la crainte de se compromettre ont
introduit l'honnêteté dans la dispute.

849. Quelque mérite qu'il puisse y avoir à négliger les
grandes places, il y en a peut-être encore plus à les bien
remplir.

850. Si les grandes pensées nous trompent, elles nous amusent.

851. Il n'y a point de faiseur de stances qui ne se préfère à Bossuet, simple auteur de prose ; et, dans l'ordre de la nature, nul ne doit penser aussi peu juste qu'un génie manqué.

852. Un versificateur ne connaît point de juge compétent de ses écrits : si on ne fait pas de vers, on ne s'y connaît pas ; si on en fait, on est son rival.

853. Le même croit parler la langue des dieux, lorsqu'il ne parle pas celle des hommes ; c'est comme un mauvais comédien qui ne peut déclamer comme l'on parle.

854. Un autre défaut de la mauvaise poésie est d'allonger la prose, comme le caractère de la bonne est de l'abréger.

855. Il n'y a personne qui ne pense d'un ouvrage en prose : Si je me donnais de la peine, je le ferais mieux. Je dirais à beaucoup de gens : Faites seulement une réflexion digne d'être écrite.

856. Tout ce que nous prenons dans la morale pour défaut n'est pas tel.

857. Nous remarquons beaucoup de vices, pour admettre peu de vertus.

858. L'esprit est borné jusque dans l'erreur, qu'on dit son domaine.

859. L'intérêt d'une seule passion, souvent malheureuse, tient quelquefois toutes les autres en captivité ; et la raison porte ses chaînes sans pouvoir les rompre.

860. Il y a des faiblesses, si on l'ose dire, inséparables de notre nature.

861. Si on aime la vie, on craint la mort.

862. La gloire et la stupidité cachent la mort, sans triompher d'elle.

863. Le terme du courage est l'intrépidité à la vue d'une mort sûre.

864. La noblesse est un monument de la vertu, immortelle comme la gloire.

865. Lorsque nous appelons les réflexions, elles nous fuient; et quand nous voulons les chasser, elles nous obsèdent, et tiennent malgré nous nos yeux ouverts pendant la nuit.

866. Trop de dissipation et trop d'étude épuisent également l'esprit, et le laissent à sec; les traits hardis en tout genre ne s'offrent pas à un esprit tendu et fatigué.

867. Comme il y a des âmes volages que toutes les passions dominent tour à tour, on voit des esprits vifs et sans assiette que toutes les opinions entraînent successivement, ou qui se partagent entre les contraires, sans oser décider.

868. Les héros de Corneille étalent des maximes fastueuses et parlent magnifiquement d'eux-mêmes, et cette enflure de leurs discours passe pour vertu parmi ceux qui n'ont point de règle dans le cœur pour distinguer la grandeur d'âme de l'ostentation.

869. L'esprit ne fait pas connaître la vertu.

870. Il n'y a point d'homme qui ait assez d'esprit pour n'être jamais ennuyeux.

871. La plus charmante conversation lasse l'oreille d'un homme occupé de quelque passion.

872. Les passions nous séparent quelquefois de la société, et nous rendent tout l'esprit qui est au monde aussi
inutile que nous le devenons nous-mêmes aux plaisirs
d'autrui.

873. Le monde est rempli de ces hommes qui imposent aux autres par leur réputation ou leur fortune ; s'ils se
laissent trop approcher, on passe tout à coup à leur égard
de la curiosité jusqu'au mépris, comme on guérit quelquefois, en un moment, d'une femme qu'on a recherchée
avec ardeur.

874. On est encore bien éloigné de plaire, lorsqu'on
n'a que de l'esprit.

875. L'esprit ne nous garantit pas des sottises de notre
humeur.

876. Le désespoir est la plus grande de nos erreurs.

877. La nécessité de mourir est la plus amère de nos
afflictions.

878. Si la vie n'avait point de fin, qui désespérerait de
sa fortune ? La mort comble l'adversité.

879. Combien les meilleurs conseils sont-ils peu utiles, si nos propres expériences nous instruisent si rarement !

880. Les conseils qu'on croit les plus sages sont les
moins proportionnés à notre état.

881. Nous avons des règles pour le théâtre qui passent
peut-être les forces de l'esprit humain.

882. Lorsqu'une pièce est faite pour être jouée, il est
injuste de n'en juger que par la lecture.

883. Il peut plaire à un traducteur [68] d'admirer
jusqu'aux défauts de son original, et d'attribuer toutes ses

sottises à la barbarie de son siècle. Lorsque je crois toujours apercevoir dans un auteur les mêmes beautés et les mêmes fautes, il me paraît plus raisonnable d'en conclure que c'est un écrivain qui joint de grands défauts à des qualités éminentes, une grande imagination et peu de jugement, ou beaucoup de force et peu d'art, etc.; et, quoique je n'admire pas beaucoup l'esprit humain, je ne puis cependant le dégrader jusqu'à mettre dans le premier rang un génie si défectueux, qui choque continuellement le sens commun.

884. Nous voudrions dépouiller de ses vertus l'espèce humaine, pour nous justifier nous-mêmes de nos vices, et les mettre à la place des vertus détruites; semblables à ceux qui se révoltent contre les puissances légitimes, non pour égaler tous les hommes par la liberté, mais pour usurper la même autorité qu'ils calomnient.

885. Un peu de culture et beaucoup de mémoire, avec quelque hardiesse dans les opinions et contre les préjugés, font paraître l'esprit étendu.

886. Il ne faut pas jeter du ridicule sur les opinions respectées; car on blesse par là leurs partisans, sans les confondre.

887. La plaisanterie la mieux fondée ne persuade point, tant on est accoutumé qu'elle s'appuie sur de faux principes.

888. L'incrédulité a ses enthousiastes, ainsi que la superstition: et, comme l'on voit des dévots qui refusent à Cromwell jusqu'au bon sens, on trouve d'autres hommes qui traitent Pascal et Bossuet de petits esprits.

889. Le plus sage et le plus courageux de tous les hommes, M. de Turenne, a respecté la religion; et une infinité d'hommes obscurs se placent au rang des génies et des âmes fortes, seulement à cause qu'ils la méprisent.

890. Ainsi, nous tirons vanité de nos faiblesses et de nos folles erreurs. Osons l'avouer : la raison fait des philosophes, et la gloire fait des héros ; la seule vertu fait des sages.

LIVRE III

891. Si nous avons écrit quelque chose pour notre instruction, ou pour le soulagement de notre cœur, il y a grande apparence que nos réflexions seront encore utiles à beaucoup d'autres ; car personne n'est seul dans son espèce, et jamais nous ne sommes ni si vrais, ni si vifs, ni si pathétiques, que lorsque nous traitons les choses pour nous-mêmes.

892. Lorsque notre âme est pleine de sentiments, nos discours sont pleins d'intérêt.

893. Le faux, présenté avec art, nous surprend et nous éblouit ; mais le vrai nous persuade et nous maîtrise.

894. On ne peut contrefaire le génie.

895. Il ne faut pas beaucoup de réflexions pour faire cuire un poulet, et cependant nous voyons des hommes qui sont toute leur vie mauvais rôtisseurs ; tant il est nécessaire, dans tous les métiers, d'y être appelé par un instinct particulier et comme indépendant de la raison.

896. Lorsque les réflexions se multiplient, les erreurs et les connaissances augmentent dans la même proportion.

897. Ceux qui viendront après nous sauront peut-être plus que nous, et ils s'en croiront plus d'esprit ; mais seront-ils plus heureux ou plus sages ? Nous-mêmes qui savons beaucoup, sommes-nous meilleurs que nos pères, qui savaient si peu ?

898. Nous sommes tellement occupés de nous et de nos semblables que nous ne faisons pas la moindre attention à tout le reste, quoique sous nos yeux, et autour de nous.

899. Qu'il y a peu de choses dont nous jugions bien !

900. Nous n'avons pas assez d'amour-propre pour dédaigner le mépris d'autrui.

901. Personne ne nous blâme si sévèrement que nous nous condamnons souvent nous-mêmes.

902. L'amour n'est pas si délicat que l'amour-propre.

903. Nous prenons ordinairement sur nous nos bons et nos mauvais succès ; et nous nous accusons ou nous nous louons des caprices de la fortune.

904. Personne ne peut se vanter de n'avoir jamais été méprisé.

905. Il s'en faut bien que toutes nos habiletés ou que toutes nos fautes portent coup ; tant il y a peu de choses qui dépendent de notre conduite !

906. Combien de vertus et de vices sont sans conséquence !

907. Nous ne sommes pas contents d'être habiles, si on ne sait pas que nous le sommes ; et, pour ne pas en perdre le mérite, nous en perdons quelquefois le fruit.

908. Les gens vains ne peuvent être habiles, car ils n'ont pas la force de se taire.

909. C'est souvent un grand avantage pour un négociateur, s'il peut faire croire qu'il n'entend pas les intérêts de son maître, et que la passion le conseille ; il évite par là qu'on le pénètre, et réduit ceux qui ont envie de finir à se

relâcher de leurs prétentions, les plus habiles se croyant quelquefois obligés de céder à un homme qui résiste lui-même à la raison, et qui échappe à toutes leurs prises [69].

910. Tout le fruit qu'on a pu tirer de mettre quelques hommes dans les grandes places, s'est réduit à savoir qu'ils étaient habiles.

911. Il ne faut pas autant d'acquis pour être habile que pour le paraître.

912. Rien n'est plus facile aux hommes en place que de s'approprier le savoir d'autrui.

913. Il est peut-être plus utile, dans les grandes places, de savoir et de vouloir se servir de gens instruits, que de l'être soi-même.

914. Celui qui a un grand sens sait beaucoup.

915. Quelque amour qu'on ait pour les grandes affaires, il y a peu de lectures si ennuyeuses et si fatigantes que celle d'un traité entre des princes.

916. L'essence de la paix est d'être éternelle, et cependant nous n'en voyons durer aucune l'âge d'un homme, et à peine y a-t-il quelque règne où elle n'ait été renouvelée plusieurs fois. Mais faut-il s'étonner que ceux qui ont eu besoin de lois pour être justes, soient capables de les violer?

917. La politique fait entre les princes ce que les tribunaux de la justice font entre les particuliers: plusieurs faibles, ligués contre un puissant, lui imposent la nécessité de modérer son ambition et ses violences.

918. Il était plus facile aux Romains et aux Grecs de subjuguer de grandes nations, qu'il ne l'est aujourd'hui de conserver une petite province justement conquise, au

milieu de tant de voisins jaloux, et de peuples également
instruits dans la politique et dans la guerre, et aussi liés
par leurs intérêts, par les arts, ou par le commerce, qu'ils
sont séparés par leurs limites [70].

919. M. de Voltaire [71] ne regarde l'Europe que
comme une république formée de différentes souverai-
netés. Ainsi, un esprit étendu diminue en apparence les
objets, en les confondant dans un tout qui les réduit à leur
juste étendue ; mais il les agrandit réellement, en déve-
loppant leurs rapports, et en ne formant de tant de parties
irrégulières qu'un seul et magnifique tableau.

920. C'est une politique utile, mais bornée, de se
déterminer toujours par le présent, et de préférer le certain à l'incertain, quoique moins flatteur ; et ce n'est pas
ainsi que les États s'élèvent, ni même les particuliers.

921. Les hommes sont ennemis-nés les uns des autres,
non à cause qu'ils se haïssent, mais parce qu'ils ne
peuvent s'agrandir sans se traverser ; de sorte qu'en ob-
servant religieusement les bienséances, qui sont les lois
de la guerre tacite qu'ils se font, j'ose dire que c'est
presque toujours injustement qu'ils se taxent de part et
d'autre d'injustice.

922. Les particuliers négocient, font des alliances, des
traités, des ligues, la paix et la guerre, en un mot, tout ce
que les rois et les plus puissants peuples peuvent faire [72].

923. Dire également du bien de tout le monde est une
petite et mauvaise politique.

924. La méchanceté tient lieu d'esprit.

925. La fatuité dédommage du défaut de cœur.

926. Celui qui s'impose à soi-même, impose à
d'autres.

927. La nature n'ayant pas égalé tous les hommes par le mérite, il semble qu'elle n'a pu ni dû les égaler par la fortune.

928. Le lâche a moins d'affronts à dévorer que l'ambitieux.

929. On ne manque jamais de raisons, lorsqu'on a fait fortune, pour oublier un bienfaiteur ou un ancien ami ; et on rappelle alors avec dépit tout ce que l'on a si longtemps dissimulé de leur humeur.

930. Tel que soit un bienfait, et quoi qu'il en coûte, lorsqu'on l'a reçu à ce titre, on est obligé de s'en revancher, comme on tient un mauvais marché, quand on a donné sa parole [73].

931. Il n'y a point d'injure qu'on ne pardonne, quand on s'est vengé.

932. On oublie un affront souffert, jusqu'à s'en attirer un autre par son insolence.

933. S'il est vrai que nos joies soient courtes, la plupart de nos afflictions ne sont pas longues.

934. La plus grande force d'esprit nous console moins promptement que sa faiblesse.

935. Il n'y a point de perte que l'on sente si vivement, et si peu de temps, que celle d'une femme aimée.

936. Peu d'affligés savent feindre tout le temps qu'il faut pour leur honneur.

937. Nos consolations sont une flatterie envers les affligés.

938. Si les hommes ne se flattaient pas les uns les autres, il n'y aurait guère de société.

939. Il ne tient qu'à nous d'admirer la religieuse franchise de nos pères, qui nous ont appris à nous égorger pour un démenti ; un tel respect de la vérité, parmi des barbares qui ne connaissaient que la loi de la nature, est glorieux pour l'humanité.

940. Nous souffrons peu d'injures par bonté.

941. Nous nous persuadons quelquefois nos propres mensonges pour n'en avoir pas le démenti, et nous nous trompons nous-mêmes pour tromper les autres.

942. La vérité est le soleil des intelligences.

943. Pendant qu'une partie de la nation atteint le terme de la politesse et du bon goût, l'autre moitié est barbare à nos yeux, sans qu'un spectacle si singulier puisse nous ôter le mépris de la culture.

944. Tout ce qui flatte le plus notre vanité n'est fondé que sur la culture, que nous méprisons.

945. L'expérience que nous avons des bornes de notre raison nous rend dociles aux préjugés.

946. Comme il est naturel de croire beaucoup de choses sans démonstration, il ne l'est pas moins de douter de quelques autres malgré leurs preuves.

947. La conviction de l'esprit n'entraîne pas toujours celle du cœur.

948. Les hommes ne se comprennent pas les uns les autres : il y a moins de fous qu'on ne croit.

949. Pour peu qu'on se donne carrière sur la religion et sur les misères de l'homme, on ne fait pas difficulté de se placer parmi les esprit supérieurs.

950. Des hommes inquiets et tremblants pour les plus petits intérêts affectent de braver la mort.

951. Si les moindres périls dans les affaires nous donnent de vaines terreurs, dans quelles alarmes la mort ne
doit-elle pas nous plonger, lorsqu'il est question pour
toujours de tout notre être, et que l'unique intérêt qui
nous reste, il n'est plus en notre puissance de le ménager,
ni même quelquefois de le connaître !

952. Newton, Pascal, Bossuet, Racine, Fénelon,
c'est-à-dire les hommes de la terre les plus éclairés, dans
le plus philosophe de tous les siècles, et dans la force de
leur esprit et de leur âge, ont cru Jésus-Christ ; et le grand
Condé, en mourant, répétait ces nobles paroles : « Oui,
nous verrons Dieu comme il est, *sicuti est, facie ad
faciem*. »

953. Les maladies suspendent nos vertus et nos vices.

954. Le silence et la réflexion épuisent les passions,
comme le travail et le jeûne consument les humeurs.

955. Les hommes actifs supportent plus impatiem-
ment l'ennui que le travail.

956. Toute peinture vraie nous charme, jusqu'aux
louanges d'autrui.

957. Les images embellissent la raison, et le sentiment
la persuade.

958. L'éloquence vaut mieux que le savoir.

959. Ce qui fait que nous préférons très justement
l'esprit au savoir, c'est que celui-ci est mal nommé, et
qu'il n'est, ordinairement, ni si utile ni si étendu que ce
que nous connaissons par expérience, ou pouvons acquérir par réflexion. Nous regardons aussi l'esprit comme la
cause du savoir, et nous estimons plus la cause que son
effet : cela est raisonnable. Cependant, celui qui n'ignorerait rien aurait tout l'esprit qu'on peut avoir ; le plus
grand esprit du monde n'étant que science, ou capacité
d'en acquérir.

960. Les hommes ne s'approuvent pas assez pour s'attribuer les uns aux autres la capacité des grands emplois; c'est tout ce qu'ils peuvent, pour ceux qui les occupent avec succès, de les en estimer après leur mort. Mais proposez l'homme du monde qui a le plus d'esprit: oui, dit-on, s'il avait plus d'expérience, ou s'il était moins paresseux, ou s'il n'avait pas de l'humeur, ou tout au contraire; car il n'y a point de prétexte qu'on ne prenne pour donner l'exclusion à l'aspirant, jusqu'à dire qu'il est trop honnête homme, supposé qu'on ne puisse rien lui reprocher de plus plausible : tant cette maxime est peu vraie, *qu'il est plus aisé de paraître digne des grandes places, que de les remplir*[74].

961. Ceux qui méprisent l'homme se croient de grands hommes.

962. Nous sommes bien plus appliqués à noter les contradictions, souvent imaginaires, et les autres fautes d'un auteur, qu'à profiter de ses vues, vraies ou fausses.

963. Pour décider qu'un auteur se contredit, il faut qu'il soit impossible de le concilier.

QUATRIÈME PARTIE

TEXTES POUR UN PORTRAIT

DISCOURS SUR
LE CARACTÈRE
DES DIFFÉRENTS SIÈCLES [75]

Quelque limitées que soient nos lumières sur les sciences, je crois qu'on ne saurait nous disputer de les avoir poussées au-delà des bornes anciennes. Héritiers des siècles qui nous précèdent, nous devons être plus riches des biens de l'esprit ; cela ne peut guère nous être contesté sans injustice ; mais nous aurions tort nous-mêmes de confondre cette richesse empruntée avec le génie qui la donne. Combien de ces connaissances que nous prisons tant, sont stériles pour nous ! Étrangères dans notre esprit où elles n'ont pas pris naissance, il arrive souvent qu'elles confondent notre jugement beaucoup plus qu'elles ne l'éclairent. Nous plions sous le poids de tant d'idées, comme ces États qui succombent par trop de conquêtes, où la prospérité et les richesses corrompent les mœurs, et où la vertu s'ensevelit sous sa propre gloire.

Parlerai-je comme je pense ? Quelques lumières qu'on acquière encore, et en quelque siècle que ce puisse être, je suis vivement persuadé que dans le monde intelligent, comme dans le monde politique, le plus grand nombre des hommes sera toujours peuple.

A la vérité, on ne croira plus aux sorciers et au sabbat dans un siècle tel que le nôtre ; mais on croira encore à Calvin et à Luther. On parlera de beaucoup de choses, comme si elles avaient des principes évidents, et on disputera en même temps de toutes choses, comme si toutes étaient incertaines ; on blâmera un homme de ses vices, et on ne saura point s'il y a des vices ; on dira d'un poète qu'il est sublime, parce qu'il aura peint un grand personnage, et ces sentiments héroïques, qui font la grandeur du tableau, on les méprisera dans l'original. On n'estimera plus les vers de Colletet, mais on critiquera ceux de Racine, et on lui refusera nettement d'être poète ; on méprisera les romans, et on ne lira pas autre chose. L'effet d'une grande multiplicité d'idées, c'est d'entraîner dans des contradictions les esprits faibles ; l'effet de la science est d'ébranler la certitude, et de confondre les principes les plus manifestes.

Nous nous étonnons cependant des erreurs prodigieuses de nos pères, et si nous avons à prouver la faiblesse de la raison humaine, c'est toujours dans l'Antiquité que nous en cherchons des exemples. Quelles bonnes gens, disons-nous, que les Égyptiens, qui ont adoré des choux et des oignons ! Pour moi, je ne vois pas que ces superstitions témoignent plus particulièrement que d'autres choses la petitesse de l'esprit humain. Si j'avais eu le malheur de naître dans un pays où l'on m'eût enseigné que la Divinité se plaisait à reposer dans les tulipes ; que c'était un mystère que je ne comprenais pas, parce qu'il n'appartenait pas à un homme de juger des choses surnaturelles, ni même de beaucoup de choses naturelles ; que tous mes ancêtres, qui étaient pour le moins aussi éclairés que moi, s'étaient soumis à cette doctrine ; qu'elle avait été confirmée par des prodiges, et que je risquais de tout perdre, si je refusais de la croire ; supposé que, d'un autre côté, je n'eusse pas connu une religion plus sublime, telle que Dieu la manifestait aux yeux des Juifs ; soit raison, soit timidité sur un intérêt capital, soit connaissance de ma propre faiblesse, je sens que j'aurais déféré, sans beaucoup de peine, à l'autorité de tout un peuple, à celle du gouvernement, au témoignage successif de plusieurs siècles, et à l'instruction de mes pères. Aussi je ne suis point surpris que de si grandes superstitions se soient acquis quelque autorité : il n'y a rien que la crainte et l'espérance ne persuadent aux hommes, principalement dans les choses qui passent la portée de leur esprit et qui intéressent leur cœur [76].

Qu'on ait cru encore dans les siècles d'ignorance l'impossibilité des antipodes, ou telle autre opinion que l'on reçoit sans examen, ou qu'on n'a pas même les moyens d'examiner, cela ne m'étonne en aucune manière; mais que, tous les jours, sur les choses qui nous sont le plus familières et que nous avons le plus examinées, nous prenions néanmoins le change; que nous ne puissions avoir une heure de conversation un peu suivie sans nous tromper ou nous contredire, voilà à quoi je reconnais la petitesse de l'esprit humain. Un homme d'un peu de bon sens, qui voudrait écrire sur des tablettes tout ce qu'il entend dire dans le jour de faux et d'absurde, ne se coucherait jamais sans les avoir remplies.

Je cherche quelquefois parmi le peuple l'image de ces mœurs grossières que nous avons tant de peine à comprendre dans les anciens peuples; j'écoute ces hommes si simples : je vois qu'ils s'entretiennent de choses communes, qu'ils n'ont point de principes réfléchis, que leur esprit est véritablement barbare comme celui de nos pères, c'est-à-dire inculte et sans politesse; mais je ne trouve pas, qu'en cet état, ils fassent de plus faux raisonnements que les gens du monde; je vois, au contraire, qu'à tout prendre, leurs pensées sont plus naturelles, et qu'il s'en faut de beaucoup que les simplicités de l'ignorance soient aussi éloignées de la vérité que les subtilités de la science et l'imposture de l'affectation.

Aussi, jugeant des mœurs anciennes par ce que je vois des mœurs du peuple, qui me représente les premiers temps, je crois que je me serais fort accommodé de vivre à Thèbes, à Memphis, à Babylone; je me serais passé de nos manufactures, de la poudre à canon, de la boussole et de nos autres inventions modernes, ainsi que de notre philosophie. Je n'estime pas plus les Hollandais pour avoir un commerce si étendu, que je [ne] méprise les Romains pour l'avoir si longtemps négligé. Je sais qu'il est bon d'avoir des vaisseaux, puisque le roi d'Angleterre en a, et qu'étant accoutumés, comme nous sommes, à prendre du café et du chocolat, il serait fâcheux de perdre le commerce des îles; mais je ne pense pas que les peuples anciens, privés d'une partie des superfluités de notre commerce, aient été par là plus à plaindre : Xénophon n'a point joui de ces délicatesses, et il ne m'en paraît ni moins heureux, ni moins honnête homme, ni

moins grand homme. Que dirai-je encore? le bonheur
d'être né chrétien et catholique ne peut-être comparé à
aucun autre bien; mais s'il me fallait être quaker ou
monothélite, j'aimerais presque autant le culte des Chi-
nois, ou celui des anciens Romains.

Si la barbarie consistait uniquement dans l'ignorance,
certainement les nations les plus polies de l'Antiquité
seraient extrêmement barbares vis-à-vis de nous; mais si
la corruption de l'art, si l'abus des règles, si les conséquences mal tirées des bons principes, si les fausses
applications, si l'incertitude des opinions, si l'affectation,
si la vanité, si les mœurs frivoles, ne méritent pas moins
ce nom que l'ignorance, qu'est-ce alors que la politesse
dont nous nous vantons?

Ce n'est pas la pure nature qui est barbare, c'est tout ce
qui s'éloigne trop de la belle nature et de la raison. Les
cabanes des premiers hommes ne prouvent pas qu'ils
manquassent de goût; elles témoignent seulement qu'ils
manquaient des règles de l'architecture. Mais quand on
eut connu ces belles règles dont je parle, et qu'au lieu de
les suivre exactement, on voulut enchérir sur leur noblesse, charger d'ornements superflus les bâtiments, et, à
force d'art, faire disparaître la simplicité, alors ce fut, à
mon sens, une véritable barbarie et la preuve du mauvais
goût. Suivant ces principes, les dieux et les héros d'Homère, peints naïvement par le poète d'après les idées de
son siècle, ne font pas que l'*Iliade* soit un poème barbare,
car elle est un tableau très passionné, sinon de la belle
nature, du moins de la nature; mais un ouvrage véritablement barbare, c'est un poème où l'on n'aperçoit que
de l'art, où le vrai ne règne jamais dans les expressions et
les images, où les sentiments sont guindés, où les ornements sont superflus et hors de leur place.

Je vois de fort grands philosophes qui veulent bien
fermer les yeux sur ces défauts, et qui passent d'abord à
ce qu'il y a de plus étrange dans les mœurs anciennes.
Immoler, disent-ils, des hommes à la Divinité! verser le
sang humain pour honorer les funérailles des grands! etc.
Je ne prétends point justifier de telles horreurs; mais je
dis: Que nous sont ces hommes que je vois couchés dans

nos places et sur les degrés de nos temples, ces spectres vivants que la faim, la douleur et les maladies précipitent vers le tombeau ? Des hommes, plongés dans les superfluités et les délices, voient tranquillement périr d'autres hommes que la misère emporte à la fleur de l'âge. Cela paraît-il moins féroce ? et lequel mérite le mieux le nom de barbarie, d'un sacrifice impie fait par l'ignorance, ou d'une inhumanité commise de sang-froid, et avec une entière connaissance ?

Pourquoi dissimulerais-je ici ce que je pense ? Je sais que nous avons des connaissances que les anciens n'avaient pas : nous sommes meilleurs philosophes à bien des égards ; mais pour ce qui est des sentiments, j'avoue que je ne connais guère d'ancien peuple qui nous cède. C'est de ce côté-là, je crois, qu'on peut bien dire qu'il est difficile aux hommes de s'élever au-dessus de l'instinct de la nature. Elle a fait nos âmes aussi grandes qu'elles peuvent le devenir, et la hauteur qu'elles empruntent de la réflexion est ordinairement d'autant plus fausse qu'elle est plus guindée. Tout ce qui ne dépend que de l'âme ne reçoit nul accroissement par les lumières de l'esprit, et, parce que le goût y tient essentiellement, je vois qu'on perfectionne en vain nos connaissances ; *on instruit notre jugement, on n'élève point notre goût*. Qu'on joue *Pourceaugnac* à la comédie, ou telle autre farce un peu comique, elle n'y attirera pas moins de monde qu'*Andromaque ;* on entendra jusque dans la rue les éclats du parterre enchanté. Qu'il y ait des pantomimes supportables à la Foire, ils feront déserter la comédie ; j'ai vu nos petits-maîtres et nos philosophes monter sur les bancs pour voir battre deux polissons ; on ne perd pas un geste d'Arlequin, et Pierrot fait rire ce siècle savant qui se pique de tant de politesse. Le peuple est né en tout temps pour admirer les grandes choses, et pour adorer les petites ; son goût n'a pu suivre les progrès de sa raison, parce qu'on peut emprunter des jugements, non des sentiments ; de sorte qu'il est rare que le peuple s'élève du côté du cœur ; et ce peuple dont je veux parler n'est pas celui qui n'emporte, dans sa définition, que les conditions subalternes ; ce sont tous les esprits que la nature n'a point

élevés par un privilège particulier au-dessus de l'ordre
commun. Aussi, quand quelqu'un vient me dire : Croyez-
vous que les Anglais, qui ont tant d'esprit, s'accommo-
dassent des tragédies de Shakespeare, si elles étaient
aussi monstrueuses qu'elles nous [le] paraissent ? je ne
suis point la dupe de cette objection, et je sais ce que j'en
dois croire.

Détrompons-nous donc de cette grande supériorité que
nous nous accordons sur tous les siècles ; défions-nous
même de cette politesse prétendue de nos usages : il n'y a
guère eu de peuple si barbare qui n'ait eu la même
prétention. Croyons-nous, par exemple, que nos pères
aient regardé le duel comme une coutume barbare ? bien
loin de là. Qu'on me permette ici de retoucher un sujet
sur lequel on a déjà beaucoup écrit. Le duel est né de
l'opinion, très naturelle, qu'un homme ne souffrait ordinairement d'injures d'un autre homme, que par faiblesse ;
mais, parce que la force du corps pouvait donner aux
âmes timides un avantage très considérable sur les âmes
fortes, pour mettre de l'égalité dans les combats, et leur
donner d'ailleurs plus de décence, nos pères imaginèrent
de se battre avec des armes plus meurtrières et plus égales
que celles qu'ils tenaient de la nature, et il leur parut
qu'un combat, où l'on pourrait s'arracher la vie d'un seul
coup, aurait certainement plus de noblesse qu'une vile
lutte, où l'on n'aurait pu tout au plus que s'égratigner le
visage, et s'arracher les cheveux avec les mains. Ainsi,
ils se flattèrent d'avoir mis dans leurs usages plus de
hauteur et de bienséance que les Romains et les Grecs,
qui se battaient comme leurs esclaves. Ils pensaient que
celui qui ne se venge pas d'un affront n'a point de cœur ;
ils ne faisaient pas attention que la nature, qui nous
inspire de nous venger, pouvait, en s'élevant encore plus
haut, et par une force encore plus grande, nous inspirer de
pardonner ; ils oubliaient que les hommes sont obligés de
sacrifier souvent leurs passions à la raison. La nature
disait bien, à la vérité, aux âmes courageuses qu'il fallait
se venger ; mais elle ne leur disait pas qu'il fallût toujours
laver les moindres offenses dans le sang humain, ou
porter leur vengeance au-delà même de leur ressentiment.

Mais ce que la nature ne leur disait point, l'opinion le leur persuada; l'opinion attacha le dernier opprobre aux injures les plus frivoles, à une parole, à un geste, soufferts sans retour. Ainsi, le sentiment de la vengeance leur était inspiré par la nature; mais l'excès de la vengeance et la nécessité absolue de se venger furent l'ouvrage de la réflexion. Or, combien n'y a-t-il pas, encore aujourd'hui, d'autres usages que nous honorons du nom de politesse, qui ne sont que des sentiments de la nature poussés par réflexion au-delà de leurs bornes, contre toutes les lumières de la raison!

Qu'on ne m'accuse point ici de cette humeur chagrine qui fait regretter le passé, blâmer le présent, et avilir par vanité la nature humaine. En blâmant les défauts de ce siècle, je ne prétends pas lui disputer ses vrais avantages, ni le rappeler à l'ignorance dont il est sorti; je veux, au contraire, lui apprendre à juger des siècles passés avec cette indulgence que les hommes, tels qu'ils soient, doivent toujours avoir pour d'autres hommes, et dont eux-mêmes ont toujours besoin. Ce n'est pas mon dessein de montrer que tout est faible dans la nature humaine, en découvrant les vices de ce siècle; je veux, au contraire, en excusant les défauts des premiers temps, montrer qu'il y a toujours eu dans l'esprit des hommes une force et une grandeur indépendantes de la mode et des secours de l'art. Je suis bien éloigné de me joindre à ces philosophes qui méprisent tout dans le genre humain, et se font une gloire misérable de n'en montrer jamais que la faiblesse. Qui n'a des preuves de cette faiblesse dont ils parlent, et que pensent-ils nous apprendre? Pourquoi veulent-ils nous détourner de la vertu, en nous insinuant que nous en sommes incapables? Et moi, je leur dis que nous en sommes capables; car, quand je parle de vertu, je ne parle point de ces qualités imaginaires qui n'appartiennent pas à la nature humaine; je parle de cette force et de cette grandeur de l'âme qui, comparées aux sentiments des esprits faibles, méritent les noms que je leur donne; je parle d'une grandeur de rapport, et non d'autre chose, car il n'y a rien de grand parmi les hommes que par comparaison. Ainsi, lorsqu'on dit un grand arbre, cela ne veut pas dire autre chose si ce n'est qu'il est grand par rapport à d'autres arbres moins élevés, ou par rapport à nos yeux et à notre propre taille. Toute langue n'est que l'expression de ces rapports, et tout l'esprit du monde ne consiste qu'à les bien connaître. Que veulent donc dire ces philosophes ? Ils sont hommes, et ne parlent point un langage humain ; ils changent toutes les idées des choses, et abusent de tous les termes.

Un homme qui s'aviserait de faire un livre pour prouver qu'il n'y a point de nains ni de géants, fondé sur ce que la plus extrême petitesse des uns et la grandeur démesurée des autres demeureraient, en quelque manière, confondues à nos propres yeux, si nous les comparions à la distance de la terre aux astres ; ne dirions-nous pas d'un homme qui se donnerait beaucoup de peine pour établir cette vérité, que c'est un pédant, qui brouille inutilement toutes nos idées, et ne nous apprend rien que nous ne sachions ? De même, si je disais à mon valet de m'apporter un petit pain, et qu'il me répondît : Monsieur, il n'y en a aucun de gros ; si je lui demandais un grand verre de tisane, et qu'il m'en apportât dans une coquille, disant qu'il n'y a point de grand verre ; si je commandais à mon tailleur un habit un peu large, et qu'en m'en apportant un fort serré, il m'assurât qu'il n'y a rien de large sur la terre, et que le monde même est étroit ;... j'ai honte d'écrire de pareilles sottises, mais il me semble que c'est à peu près le raisonnement de nos philosophes. Nous leur demandons le chemin de la sagesse, et ils nous disent qu'il n'y a que folie ; nous voudrions être instruits des caractères qui distinguent la vertu du vice, et ils nous répondent qu'il n'y a dans les hommes que dépravation et que faiblesse. Il ne faut point que les hommes s'enivrent de leurs avantages ; mais il ne faut point qu'ils les ignorent ; il faut qu'ils connaissent leurs faiblesses, pour qu'ils ne présument pas trop de leur courage ; mais il faut en même temps qu'ils se connaissent capables de vertu, afin qu'ils ne désespèrent pas d'eux-mêmes. C'est le but qu'on s'est proposé dans ce discours, et qu'on tâchera de ne perdre jamais de vue [77].

CARACTÈRES (Extraits)

CLAZOMÈNE, OU LA *Vertu malheureuse*

Clazomène a fait l'expérience de toutes les misères humaines. Les maladies l'ont assiégé dès son enfance, et l'ont sevré, dans son printemps, de tous les plaisirs de la jeunesse. Né pour des chagrins plus secrets, il a eu de la hauteur et de l'ambition dans la pauvreté ; il s'est vu, dans ses disgrâces, méconnu de ceux qu'il aimait ; l'injure a flétri son courage, et il a été offensé de ceux dont il ne pouvait prendre de vengeance. Ses talents, son travail continuel, son application à bien faire, son attachement à ses amis, n'ont pu fléchir la dureté de sa fortune. Sa sagesse même n'a pu le garantir de commettre des fautes irréparables ; il a souffert le mal qu'il ne méritait pas, et celui que son imprudence lui a attiré. Quand la fortune a paru se lasser de le poursuivre, quand l'espérance trop lente commençait à flatter sa peine, la mort s'est offerte à sa vue ; elle l'a surpris dans le plus grand désordre de sa fortune ; il a eu la douleur amère de ne pas laisser assez de bien pour payer ses dettes, et n'a pu sauver sa vertu de cette tache. Si l'on cherche quelque raison d'une destinée si cruelle, on aura, je crois, de la peine à en trouver. Faut-il demander la raison pourquoi des joueurs très habiles se ruinent au jeu, pendant que d'autres hommes y font leur fortune ? ou pourquoi l'on voit des années qui n'ont ni printemps ni automne, où les fruits de l'année sèchent dans leur fleur ? Toutefois, qu'on ne pense pas que Clazomène eût voulu changer sa misère pour la prospérité des hommes faibles : la fortune peut se jouer de la sagesse des gens courageux ; mais il ne lui appartient pas de faire fléchir leur courage.

PHÉRÉCIDE, OU L'*Ambition trompée*

Phérécide a sacrifié une fortune médiocre à des espérances peu sages. Il a couru en même temps plusieurs carrières ; il n'a pas su borner ses désirs, et il s'est trop confié à son ambition et à son courage. Les événements et le monde lui étaient contraires, il s'est obstiné ; il a cru qu'on faisait soi-même ses destinées, et qu'on ne dépendait point de sa position et de la bizarrerie des choses humaines ; il a tenté au-delà de ses forces, il s'est confié sans succès à ses propres ressources, il n'a pu venir à bout de l'adversité. Il a vu ses égaux sortir de pair, et le devancer par divers hasards : les uns ont percé par le jeu, les autres par de riches successions ; quelques-uns se sont produits par la faveur des grands, ou par des talents très frivoles mais aimés du monde, et plusieurs n'ont eu besoin pour parvenir que de savoir bien danser, d'avoir des traits agréables, de beaux cheveux, ou de belles dents. Phérécide a fait une faute irréparable ; il a voulu hâter ses destinées ; il a trop négligé les moyens qui l'auraient mené à la fortune, lentement et par degrés, mais peut-être avec sûreté ; il a toujours tendu trop haut, et n'a cultivé aucun talent particulier, au lieu de s'attacher avec une application constante à un seul objet. Les grands avantages qu'il a recherchés lui ont fait mépriser les petits qui étaient à sa portée, et il n'a obtenu ni les uns, ni les autres. La fierté de son caractère, qu'il a voulu en vain dissimuler, l'a privé de la protection des gens en place ; ainsi, la hauteur même de son âme, son esprit et son mérite ont nui à son avancement et à ses desseins. S'il eût moins attendu de ses ressources, il aurait mieux proportionné ses espérances et ses démarches à son état : les esprits mûrs et modérés ne forcent point leur avenir ; ils mesurent leurs entreprises sur leur condition ; ils attendent leur fortune des événements, et la font quelquefois sans peine ; mais c'est une des illusions de la jeunesse de croire qu'on peut tout par ses forces et ses lumières, et de vouloir s'élever par son industrie, ou par des chemins que le seul mérite ne peut ouvrir aux hommes sans fortune.

Phérécide a été réduit à regretter les mêmes avantages qu'il avait méprisés; les gens qu'il a voulu surpasser se sont trouvés naturellement au-dessus de lui, et personne n'a eu pitié de ses disgrâces, ou n'a daigné seulement approfondir les causes de son infortune.

MASIS

Masis voudrait assujettir le genre humain à une seule règle, qui est celle qu'il vient d'adopter après bien des variations, et que, bientôt peut-être, il quittera pour une autre. Il dit que la vertu est une, comme la raison; il n'admet ni milieu, ni tempérament, et tous ses systèmes ont cela de commun qu'ils sont également étroits et sévères. Où Masis a vu de mauvaises qualités, jamais il ne veut en reconnaître d'estimables; ce mélange de faiblesse et de force, de grandeur et de petitesse, si naturel aux hommes, ne l'arrête pas; il ne sait rien concilier, et l'humanité, cette belle vertu qui pardonne tout, parce qu'elle voit tout en grand, n'est pas la sienne. Quoiqu'il ait besoin, plus que personne peut-être, de l'indulgence qu'il refuse aux autres, il recherche les motifs cachés de ceux qui font bien, et n'excuse jamais ceux qui font mal. Il se croit dégagé envers un ami, qui lui a manqué une fois, de la reconnaissance qu'il lui doit pour un long service; et, si sa maîtresse ou sa femme l'ont trompé dans quelque bagatelle, il s'en sépare. Il ne loue aucun homme vivant, et on ne lui parle d'aucun misérable qui n'ait mérité son malheur; il est dispensé par ses maximes d'aimer, d'estimer ou de plaindre qui que ce soit. Je veux une humeur plus commode et plus traitable, un homme humain, qui, ne prétendant point à être meilleur que les autres hommes, s'étonne et s'afflige de les trouver plus fous encore ou plus faibles que lui; qui connaît leur malice, mais qui la souffre; qui sait encore aimer un ami ingrat ou une maîtresse infidèle; à qui, enfin, il en coûte moins de supporter les vices, que de craindre ou de haïr ses semblables, et de troubler le repos du monde par d'injustes et inutiles sévérités.

Thyeste

Thyeste est né simple et naïf : il aime la pure vertu,
mais il ne prend pas pour modèle la vertu d'un autre ; il
connaît peu les règles de la probité, il la suit par tempérament. Lorsqu'il y a quelque loi de la morale qui ne
s'accorde pas avec son sentiment, il la laisse à part et n'y
pense point. S'il rencontre, la nuit, une de ces femmes
qui épient les jeunes gens, Thyeste souffre qu'elle l'entretienne, et marche quelque temps à côté d'elle ; et,
comme elle se plaint de la nécessité qui détruit toutes les
vertus, et fait les opprobres du monde, il lui dit qu'après
tout, la pauvreté n'est point un vice, quand on sait vivre
sans nuire à personne ; et, après l'avoir exhortée à une vie
meilleure, ne se trouvant point d'argent parce qu'il est
jeune, il lui donne sa montre, qui n'est plus à la mode, et
qui est un présent de sa mère ; ses camarades se moquent
de lui, et tournent en ridicule sa générosité ainsi placée ;
mais il leur répond : « Mes amis, vous riez de trop peu de
chose. Je plains ces pauvres femmes d'être obligées de
faire un tel métier pour vivre. Le monde est rempli de
misères qui serrent le cœur ; si on ne faisait de bien qu'à
ceux qui le méritent, on n'en trouverait guère d'occasions. Il faut être humain, il faut être indulgent avec les
faibles, qui ont besoin de plus de support que les bons ; le
désordre des malheureux est toujours le crime de la dureté
des riches. »

Phocas, ou la *Fausse singularité*

Le faux me déplaît et me blesse, sous quelque figure
qu'il se présente. Pendant que des hommes, complaisants
par goût et avec dessein, embrassent sans choix les idées
de tout le monde, qui croirait qu'on en trouvât d'autres,
qui se piquent de ne penser en rien comme personne, et
de n'emprunter de personne leurs opinions ? Ne parlez
jamais d'éloquence à Phocas, ou, si vous voulez lui
complaire, ne lui nommez pas Cicéron, il vous ferait

d'abord l'éloge d'Abdallah, d'Abutaleb et de Mahomet,
et vous assurerait que rien n'égale la sublimité des Arabes. Si l'on remet au théâtre quelque vieille comédie,
dont l'auteur soit depuis longtemps oublié, c'est cette
pièce qu'il préfère et qu'il admire entre toutes; il trouve
que le roman en est ingénieux, les vers et les situations
inimitables. Lorsqu'il est question de la guerre, ce n'est
ni du vicomte de Turenne, ni du grand Condé qu'il lui
faut parler; il met bien au-dessus d'eux d'anciens généraux, dont on ne connaît que les noms et quelques actions
contestées; enfin, en toute occasion, si vous lui citez
deux grands hommes, soyez sûr qu'il choisira toujours le
moins illustre, pour en faire son héros. Homme des plus
médiocres à tous égards, il pense follement se rendre
original à force d'affectation, et ne vise à rien de plus. Il
évite de se rencontrer avec qui que ce soit, et dédaigne de
parler juste, pourvu qu'il parle autrement que les autres;
il se fait aussi une étude puérile de n'être point suivi dans
ses discours, comme un homme qui ne pense et ne parle
que par soudaines inspirations et par saillies; dites-lui
sérieusement quelque chose de sérieux, il répondra par
une plaisanterie; parlez-lui de choses frivoles, il entamera
un discours sérieux; il ne daigne pas contredire, mais il
interrompt à tout propos; souvent aussi, au lieu de vous
répondre, il détourne les yeux, comme un homme occupé
d'idées plus profondes; il a l'air distrait, aliéné, et une
contenance dédaigneuse. Son rôle est de paraître dominé
par son imagination, et de n'avoir point d'oreilles pour
l'esprit d'autrui; il est bien aise de vous faire ainsi comprendre que vous ne dites rien qui l'intéresse, parce qu'il
est trop au-dessus de vos conceptions; ses discours, ses
manières, son ton, son silence même, tout vous avertit
que vous n'avez rien à dire qui ne soit usé pour un homme
qui pense et qui sent comme lui. Faible esprit, qui, ne
croyant pas qu'on puisse attacher par le mérite, imagine
qu'on peut imposer par des airs, et qu'on peut être singulier en s'éloignant de la raison.

L'ESPRIT DE MANÈGE

Celui qui a l'esprit de manège, et qui connaît les hommes, n'a pas besoin des artifices vulgaires de la flatterie pour surprendre les cœurs; il a l'air ouvert, ingénu et familier; il n'étale point non plus une vaine pompe d'expression, il ne sème pas ses discours de petites fleurs et de traits, qui ne serviraient qu'à faire paraître son esprit, sans intéresser celui des autres. Il ne raconte point, il ne plaisante point; il ne prend pas la parole dans un cercle pour arrêter sur lui seul l'attention de toute l'assemblée et prévaloir sur les autres; mais, là où le hasard le fait rencontrer, à table, en voyage, au chauffoir de la Comédie, dans l'antichambre du ministre, ou dans les appartements du prince, s'il se trouve à côté d'un homme qui soit en état de l'écouter, il le joint, s'empare de lui, l'entame par l'endroit sérieux et sensible de son esprit, l'oblige à s'épancher, excite, réveille en son cœur des passions et des intérêts qui étaient endormis, ou qu'il ne se connaissait pas, prévient ses pensées ou les devine, et s'insinue, en un moment, dans son entière confidence. Il sait gagner ainsi ceux qu'il ne connaît pas, comme il sait conserver ceux qu'il s'est acquis. Il entre si avant dans le caractère des personnes qui l'écoutent, ce qu'il leur dit est si justement mesuré sur leurs pensées et leurs sentiments, que tout autre personne n'y entendrait rien, ou n'y prendrait point de goût. Aussi aime-t-il les entretiens à deux; cependant, s'il est obligé par les circonstances de parler devant plusieurs personnes de mœurs ou d'opinions différentes, ou s'il doit prononcer entre deux hommes qui ne s'accordent point sur quelque objet, comme il connaît les diverses faces des choses humaines, comme il sait épuiser le pour et le contre du même sujet, mettre tout dans le meilleur jour, et rapprocher les contraires, il saisit en peu de temps le secret endroit par où l'on peut concilier des opinions extrêmes, et il conclut de manière qu'aucun de ceux qui s'en sont rapportés à ses lumières ne le désavoue. Il ne sait point briller dans un souper et dans une conversation coupée, interrompue, où chacun suit sans considération les vivacités de son imagination ou de son humeur; mais l'art de plaire et de dominer dans un entretien sérieux, les douces complaisances, et les charmes d'un commerce engageant et séducteur, sont les dons aimables que la nature lui a dispensés; l'homme du monde le plus éloquent quand il faut fléchir une âme hautaine ou exciter un homme faible, consoler un malheureux ou inspirer du courage et de la confiance à une âme timide et réservée, il sait attendrir, abattre, convaincre, échauffer, selon le besoin; il a cette sorte d'esprit qui sert à gouverner le cœur des hommes, et qui est propre à toutes les choses dont la fin est noble, utile, et grande.

CYRUS, OU L'*Esprit agité*

Cyrus cache sous un extérieur simple et calme un esprit ardent et inquiet; il a, au-dehors, cette insensibilité et cette indifférence qui couvrent si souvent une âme blessée et fortement occupée au-dedans. Plus agité dans le repos que dans l'action, son esprit remuant et ambitieux le tient appliqué sans relâche, et, lorsque les affaires lui manquent, il se lasse et se consume dans la réflexion. Trop libre et trop hardi dans ses idées pour donner des bornes à ses passions, plus près d'aimer les vices forts que les vertus faibles, il suit avec indépendance tous ses sentiments, et subordonne toutes les règles à son instinct, comme un homme qui se croit maître de son sort et ne répond qu'à soi de sa conduite. Dénué des petits talents, qui soulèvent les hommes médiocres dans les conditions subalternes, et qui ne se rencontrent pas avec des passions si sérieuses; supérieur à cette réputation qu'on acquiert par de frivoles agréments, et à cette fortune qui se renferme dans l'enceinte d'une ville ou d'une petite province, fruit ordinaire d'une sagesse assez bornée; éloquent, simple, véhément, profond, pénétrant, et impénétrable à ses amis même; né avec le discernement des hommes, découvrant sans envie le mérite des autres, et confiant au sien; insinuant et hardi, également propre à

persuader par la force de la raison et par les charmes de la
séduction ; fertile et puissant en moyens pour plier les
faits et les esprits à ses fins ; vrai par caractère, mais
faisant de la vérité même un artifice, et plus dangereux
lorsqu'il dit la vérité, que les plus trompeurs ne le sont
par les déguisements et le mensonge, c'est un de ces
hommes que les autres hommes ne comprennent point,
que la médiocrité de leur fortune déguise et avilit, et que
la prospérité seule peut développer et mettre à leur place.

THÉOPHILE, ou L'*Esprit profond*

Théophile a été touché, dès sa jeunesse, de cette
grande et louable curiosité de connaître le genre humain
et le différent caractère des nations ; mais, en remplissant
cet objet, il n'a pas négligé les hommes avec qui il devait
passer la plus grande partie de sa vie, car il ne ressemble
point à ceux qui entreprennent de longs voyages, pour
voir, disent-ils, d'autres mœurs, et qui n'ont jamais démêlé celles de leur propre pays. Poussé par ce puissant
instinct, et peut-être aussi par l'erreur de quelque ambition plus secrète, il a consumé ses beaux jours dans
l'étude et dans les voyages, et sa vie, toujours laborieuse,
a toujours été agitée. Né avec une pénétration singulière,
profond et adroit, il ne parle point sans dessein, et il n'a
pas de l'esprit pour ennuyer ; son esprit perçant et actif a
tourné de bonne heure son application du côté des grandes affaires et de l'éloquence solide ; il est simple dans ses
paroles, mais hardi et fort ; il parle quelquefois avec une
liberté qui ne peut lui nuire, et qui écarte la défiance de
l'esprit d'autrui. La nature a mis dans son cœur ce désir
de s'insinuer et de descendre dans le cœur des hommes,
qui inspire et enseigne les séductions les plus secrètes de
l'éloquence ; il paraît d'ailleurs comme un homme qui ne
cherche point à pénétrer les autres, mais qui suit la vivacité de son humeur. Quand il veut faire parler un homme
froid, il le contredit vivement pour l'animer, il l'engage
insensiblement à des discours où il est obligé de se découvrir, et, si celui-ci dissimule, sa dissimulation et son

silence parlent à Théophile, car il sait les choses que l'on cache, et il profite presque également de la confiance et de la dissimulation, de l'indiscrétion et du silence, tant il est difficile de lui échapper. Il tourne, il manie un esprit, il le feuillette, si j'ose ainsi dire, comme on parcourt un livre qu'on a dans ses mains, et qu'on ouvre à l'endroit qu'il plaît; et cela d'un air si naïf, si peu préparé, si rapide, que ceux qu'il a surpris par ses paroles se flattent eux-mêmes de lire dans ses plus secrètes pensées. Comme il ne perd jamais de temps en vains discours, et ne fait ni fausses démarches, ni préparations inutiles, il a l'art d'abréger les affaires les plus contentieuses, les négociations les plus difficiles, et son génie flexible se prête à toute sorte de caractères, sans quitter le sien; il est l'ami tendre, le père, le conseil et le confident de ceux qui l'entourent; on trouve en lui un homme simple, sans ostentation, familier, populaire; quand on a pu le voir une heure, on croit le connaître; mais son caractère est de démêler les autres hommes, et de n'en être pas démêlé. Théophile est la preuve que l'habileté n'est pas uniquement un art, comme les hommes faux se le figurent; une forte imagination, un grand sens, une âme éloquente, subjuguent sans efforts et sans finesse les esprits les plus gardés, les plus défiants, et la supériorité d'esprit nous cache bien plus sûrement que le mensonge et la dissimulation, toujours inutiles au fourbe contre la prudence.

ISOCRATE, OU LE *Bel-esprit moderne*

Le bel-esprit moderne n'est ni philosophe, ni poète, ni historien, ni théologien; il a toutes ces qualités réunies et beaucoup d'autres. Avec un talent très borné, il a une teinture de toutes les sciences, sans en posséder aucune; il connaît les arts, la navigation, le commerce; et, parler de tout sans rien savoir, tel est son système. Aussi mettons-nous à la tête des philosophes son illustre auteur, et je veux avouer qu'il y a peu d'hommes d'un esprit si philosophique, si fin, si facile, si net, et d'une si grande surface; mais nul n'est parfait; et je crois que les plus

sublimes esprits ont eux-mêmes des endroits faibles. Ce
sage et subtil philosophe n'a jamais compris que la vérité
nue pût intéresser; la simplicité, la véhémence, le sublime ne le touchent point. *Il me semble,* dit-il, *qu'il ne
faudrait donner dans le sublime qu'à son corps défen-
dant; il est si peu naturel!* Isocrate veut qu'on traite
toutes les choses du monde en badinant; aucune ne mérite, selon lui, un autre ton. Si on lui représente que les
hommes aiment sérieusement jusqu'aux bagatelles, et ne
badinent que des choses qui les touchent peu, il n'entend
pas cela, dit-il; pour lui il n'estime que le naturel; cependant son badinage ne l'est pas toujours, et ses réflexions
sont plus fines que solides. Isocrate est le plus ingénieux
de tous les hommes, et compte pour peu tout le reste.
C'est un homme qui ne veut ni persuader, ni corriger, ni
instruire personne; le vrai et le faux, le frivole et le grand,
tout ce qui lui est occasion de dire quelque chose d'agréable, lui est aussi propre. Si César vertueux peut lui fournir
un trait, il peindra César vertueux; sinon, il fera voir que
toute sa fortune n'a été qu'un coup du hasard, et Brutus
sera tour à tour un héros ou un scélérat, selon qu'il sera
plus utile à Isocrate. Cet auteur n'a jamais écrit que dans
une seule pensée; il est parvenu à son but: les hommes
ont enfin tiré de ses ouvrages ce plaisir solide de savoir
qu'il a de l'esprit. Quel moyen après cela de condamner
un genre d'écrire si intéressant et si utile?

On ne finirait point sur Isocrate et sur ses pareils, si on
voulait tout dire. Ces esprits si fins ont paru après les
grands hommes du siècle passé. Il ne leur était pas facile
de donner à la vérité la même autorité et la même force
que l'éloquence lui avait prêtées; et, pour se faire remarquer après de si grands hommes, il fallait avoir leur
génie, ou marcher dans une autre voie. Isocrate, né sans
passions, privé de sentiment pour la simplicité et l'éloquence, s'attacha bien plus à détruire qu'à rien établir.
Ennemi des anciens systèmes, et savant à saisir le faible
des choses humaines, il voulut paraître à son siècle
comme un philosophe impartial, qui n'obéissait qu'aux
lumières de la plus exacte raison, sans chaleur et sans
préjugés. Les hommes sont faits de manière que si on leur

Vauvenargues a Mirabeau

A Arras, le 9 avril 1739.

[...] Je conviens, mon cher Mirabeau, que je suis un homme faible, qui se conduit par sentiment, qui lui soumet sa liberté, et qui ne veut que par lui ; ma raison m'est inutile : elle est comme un miroir, où je vois mes faiblesses, mais qui ne les corrige point.

Cependant, mon cher Mirabeau, quelque chose me répugne dans les exemples que vous me donnez : il est vrai que peu de gens vivent au jour la journée : je suis le seul, peut-être ; les autres hommes ont un objet dans l'avenir, et ils y attachent le bonheur ; mais songez, je vous prie, qu'ils l'y attachent faussement, que cet objet les fuit toujours, et que leurs vaines poursuites les occupent, sans les satisfaire ; leurs soins, leurs inquiétudes, leurs travaux, leur activité, sont moins l'effet de leur raison, que du sentiment intérieur de leur misère. Je ne veux pas vous faire entendre que je me suffise à moi-même, et que, toujours, le présent remplisse le vide de mon cœur ; j'éprouve aussi, souvent et vivement, cette inquiétude qui est la source des passions. J'aimerais la santé, la force, un enjouement naturel, les richesses, l'indépendance, et une société douce ; mais, comme tous ces biens sont loin de moi, et que les autres me touchent fort peu, tous mes désirs se concentrent, et forment une humeur sombre, que j'essaie d'adoucir par toute sorte de moyens. Voilà où se bornent mes soucis, à l'égard de la vieillesse ; je ne l'envisage, cependant, que trop : il me semble que tous les hommes y touchent en naissant ; mais, comme la mort touche aussi à la vieillesse, ce n'est pas trop la peine de se mettre à la torture pour prévenir des maux qui doivent être si courts ; et, d'ailleurs, mon cher Mirabeau, nos soins sont assez inutiles ; la nature a son cours réglé, et elle a ses droits inviolables ; opposons-lui des vertus et des connaissances acquises, elle se joue de nos efforts ; elle nous ôte la mémoire, la raison, et le

parle avec autorité, leurs passions et leur pente à croire les persuadent facilement ; mais si, au contraire, on badine, et si on leur propose des doutes, ils écoutent également, ne se défiant pas qu'un homme qui raisonne de sang-froid puisse se tromper, car peu savent que le raisonnement n'est pas moins trompeur que le sentiment, et d'ailleurs l'intérêt des faibles, qui composent le plus grand nombre, est que tout soit cru équivoque. Isocrate n'a donc eu qu'à lever l'étendard de la révolte contre l'autorité et les dogmatiques, pour faire aussitôt beaucoup de prosélytes. Il a comparé le génie et l'esprit ambitieux des héros de la Grèce à l'esprit de ses courtisanes ; il a méprisé les beaux-arts. *L'éloquence,* a-t-il dit, *et la poésie sont peu de chose ;* et ces paradoxes brillants, il a su les insinuer avec beaucoup d'art, en se jouant, et sans paraître s'y intéresser. Qui n'eût cru qu'un pareil système n'eût fait un progrès pernicieux, dans un siècle si amoureux du raisonnement et du vice ? Cependant la mode a son cours, et l'erreur périt avec elle : on a bientôt senti le faible d'un auteur qui, paraissant mépriser les plus grandes choses, ne méprisait pas de dire des pointes, et n'avait point de répugnance à se contredire, pour ne pas perdre un trait d'esprit. Il a plu par la nouveauté et par la petite hardiesse de ses opinions ; mais sa réputation précipitée a déjà perdu tout son lustre ; il a survécu à sa gloire, et il sert à son siècle de preuve qu'il n'y a que la simplicité, la vérité et l'éloquence, c'est-à-dire toutes les choses qu'il a méprisées, qui puissent durer.

CORRESPONDANCE (Extraits)

VAUVENARGUES A MIRABEAU

A Aix, le 1ᵉʳ mars 1739.

[...] Rien n'est si sage et si vrai que les conseils obligeants dont vous m'offrez le secours : corriger son humeur, blanchir ses idées, se former un plan de vie, se conduire par principes, se soustraire aux préjugés, épurer ses inclinations, s'y livrer ensuite hardiment, et ne pas perdre de vue que la gaieté est le vrai bonheur ; voilà, mon cher Mirabeau, l'essence de la morale. Je n'y saurais rien ajouter ; et que pourrais-je vous écrire que vous n'eussiez pensé ? D'ailleurs, mes réflexions ne sont pas neuves, ou, s'il y en a qui le soient, elles ne méritent pas d'être mises à côté des autres.

Vous me faites trop d'honneur, en cherchant à me soutenir par le nom de *philosophe,* dont vous couvrez mes singularités ; c'est un nom que je n'ai pas pris ; on me l'a jeté à la tête, je ne le mérite point ; je l'ai reçu, sans en prendre les charges ; le poids en est trop fort pour moi.

Ce sont mes inclinations qui m'ont rendu *philosophe,* ou qui m'en ont acquis le titre : si ce titre les gênait, il leur deviendrait odieux ; je ne m'en suis jamais caché : toute ma philosophie a sa source dans mon cœur ; croyez-vous qu'il soit possible qu'elle recule vers sa source, et qu'elle s'arme contre elle ? une philosophie naturelle, qui ne doit rien à la raison, n'en saurait recevoir les lois : la philosophie que je suis, ne souffre rien que d'elle-même ; consiste proprement dans l'amour de l'indépendance le joug de la raison lui serait plus insupportable que des préjugés. [...]

courage ; et, quand nous sommes privés de ces ressources amassées avec tant de travail, elle nous apporte le dégoût, les infirmités, et la mort ! [...]

VAUVENARGUES A MIRABEAU

A Arras, ce 4 mai 1739.

[...] Je n'ignore pas les avantages que donnent les bons commerces ; je les ai toujours fort souhaités, et je ne m'en cache point ; mais j'accorde moins que vous aux gens de lettres : je ne juge que sur leurs ouvrages, car j'avoue que je n'en connais point ; mais je vous dirai franchement, qu'ôtez quelques grands génies, et quelques hommes originaux dont je respecte les noms, le reste ne m'impose pas. Je commence à m'apercevoir que la plupart ne savent que ce que les autres ont pensé ; qu'ils ne sentent point, qu'ils n'ont point d'âme ; qu'ils ne jugent qu'en reflétant le goût du siècle, ou les autorités, car ils ne percent point la profondeur des choses ; ils n'ont point de principes à eux, ou s'ils en ont, c'est encore pis : ils opposent à des préjugés commodes, des connaissances fausses, des connaissances ennuyeuses ou des connaissances inutiles, et un esprit éteint par le travail ; et, sur cela, je me figure que ce n'est pas leur génie qui les a tournés vers les sciences, mais leur incapacité pour les affaires, les dégoûts qu'ils ont eus dans le monde, la jalousie, l'ambition, l'éducation, le hasard. Il faut cependant, pour vivre avec tous ces gens-là, un grand fonds de connaissances qui ne satisfont ni le cœur, ni l'esprit, et qui prennent tout le temps de la jeunesse. Il est vrai qu'on se fait une réputation, et qu'elle impose au grand nombre, mais c'est l'acheter chèrement, et il est encore plus pénible de la soutenir ; et, quand il n'y aurait d'autre désagrément que de lire tous les mauvais livres qui s'impriment, afin d'en pouvoir raisonner, et d'entendre tous les jours de sottes discussions, ce serait encore trop pour moi, car

je ne parle pas des autres, et personne ne pourra se
plaindre que je lui fasse le tort de lui prêter mon caractère. Je suis assez juste là-dessus, mais je dis mon opinion
pour ce qui me regarde, et je la dis librement : il me serait
fort agréable d'avoir de la réputation, si elle venait me
chercher ; mais il est trop fatigant de courir après elle, et
trop peu flatteur de l'atteindre, lorsqu'elle coûte tant de
soins. Si j'avais plus de santé, et si j'aimais assez la
gloire pour lui donner ma paresse, je la voudrais plus
générale et plus avantageuse que celle qu'on attache aux
sciences. Pour vous, mon cher Mirabeau, qui avez une
âme agissante, et une santé robuste, vous ne seriez point
heureux si vous suiviez mes opinions, car vous n'avez
pas les mêmes sentiments, ni le même tempérament : les
objets se peignent à votre cœur sous des couleurs plus
riantes et plus flatteuses ; vous faites bien d'en embrasser
plusieurs à la fois ; cela vous est nécessaire, et il vous en
coûtera moins qu'à personne que ce soit, pour arriver à un
but.

Il est, entre les objets et notre cœur, de certaines
convenances, que la nature a formées, et que l'on ne
saurait rompre ; car on peut dire, en général, que nous
sommes maîtres de nos actions ; mais nous ne le sommes
guère de nos passions, et c'est une folie de les combattre,
quand elles n'ont rien de vicieux ; c'est même une injustice de s'en plaindre, car une vie sans passions ressemble
bien à la mort, et je compare un homme sans passions à
un livre de raisonnements : il n'est bon qu'à ceux qui le
lisent ; il n'a pas la vie en lui, il ne sent point, il ne jouit
de rien, pas même de ses pensées. [...]

VAUVENARGUES A MIRABEAU

                                A Arras, le 30 juin 1739.

[...] Je suis bien loin d'être raisonnable ; depuis deux
ans, je n'ai pas lu un quart d'heure tous les jours, j'entends un jour portant l'autre. Cet aveu-là est bien naturel,

mais ne vous met-il pas en colère? car vous avez horreur de mon oisiveté. Elle n'a pas toujours été aussi grande, mon cher Mirabeau; il y a eu des temps où j'ai lu; mais ces temps-là sont un point dans ma vie. J'ai toujours été obsédé de mes pensées et de mes passions; ce n'est pas là une *dissipation*, comme vous croyez, mais une distraction continuelle, et une occupation très vive, quoique presque toujours inquiète et inutile. Je serai d'un meilleur commerce quand je serai vieux; je veux, du moins, avoir cette espérance. La raison et vos conseils pourront alors beaucoup sur moi; il est vrai qu'il sera bien tard! Mais que puis-je y faire, mon cher Mirabeau? mes goûts, mon caractère, ma conduite, mes volontés, mes passions, tout était décidé avant moi; mon cœur, mon esprit, et mon tempérament ont été faits ensemble, sans que j'y aie rien pu, et, dans leur assortiment, on aurait pu voir ma pauvre santé, mes faiblesses, mes erreurs, avant qu'elles fussent formées, si l'on avait eu de bons yeux. — Il y a des remèdes, me dit-on, contre les infirmités du corps; on fortifie un homme faible par des secours étrangers; le régime le soutient! — Cela est vrai, quelquefois; mais on veut guérir les maux du corps, sans renoncer à ses folies, et la comparaison n'est pas juste, quoiqu'il y ait aussi des remèdes pour les maux de l'âme. Enfin, mon cher Mirabeau, si je m'étais formé moi-même, je crois que je vaudrais mieux. Mais finissons ce chapitre; me voilà retombé dans le *moi* plus que jamais, et voilà tout le commencement de ma lettre ridicule! Cela se fait sans qu'on le veuille; riez-en, mon cher Mirabeau, je n'en serai pas fâché. [...]

VAUVENARGUES A MIRABEAU

A Verdun, le 22 septembre 1739.

[...] Quand vous ne prendriez que les mauvais tours de phrase et l'accent du Bordelais, et ne perdriez pas de cent autre côtés, vous seriez toujours blâmable du long séjour que vous y faites[78]. Vous dites qu'il y a beaucoup

de gens d'esprit, des gens de lettres, etc. : je le crois, mais
pensez-vous qu'à Paris il n'y en ait pas davantage, et que
cette grande ville ne rassemble pas des hommes excellents dans tous les genres, ce qu'on ne trouve dans aucune
province ? Il est bon de les connaître, je dis les provinces,
parce que chacune d'elles renferme son instruction,
qu'elle a ses mœurs, ses préjugés, son caractère particulier, ses lois, son gouvernement, et qu'on s'instruit, sur
les lieux, bien mieux qu'on ne fait ailleurs, et avec bien
moins de peine ; outre que tous les provinciaux n'ayant
pas les dehors trompeurs qui confondent les gens du
monde, la différence que la nature a mise entre les hommes est bien plus sensible en eux ; mais, dès qu'on en a
tiré les lumières que l'on cherche, il faut les fuir rapidement, de peur de se gâter par la contagion de leurs
défauts, qui sont toujours supérieurs à leurs bonnes qualités. Dans les commencements, on en est si blessé, qu'on
ne craint pas cette contagion ; cependant, on s'y accoutume, parce qu'on ne voit rien de mieux, et, ensuite, on
les imite ; enfin, je ne crois pas qu'il y ait rien de plus
dangereux, et qui rétrécisse tant l'esprit, que de vivre
toujours avec les mêmes gens. C'est un danger qu'on ne
court point à Paris, à moins qu'on ne le veuille bien, et on
y trouve tant de différences dans les mœurs, dans les
goûts, dans les opinions, qu'au milieu de cette bigarrure,
on demeure maître de soi ; on n'imite que ce qu'on veut
imiter, et les différences infinies qu'on a toujours sous les
yeux étendent l'esprit, l'éclairent, et l'empêchent de se
prévenir. Et quel spectacle n'est-ce pas que cette variété !
Quel agrément de pouvoir vivre avec des hommes de tous
les Etats, de toutes les provinces, de toutes les nations, et
de réunir, en un point, tous les rayons de lumière épars
dans cette multitude, qui renferme en son sein toutes les
connaissances, tous les sentiments, et tous les talents du
monde ! — Mais, il y a des femmes trop aimables à
Bordeaux ! il est difficile de s'en détacher ! — Est-ce
qu'il n'y en a pas ailleurs, qui, avec autant de beauté, ont
plus de délicatesse, plus de monde, plus de tour, plus de
raffinement dans l'esprit, et dont le commerce vous serait
aussi avantageux qu'agréable ? Qu'est devenue votre am-

bition ? elle est donc tout à fait éteinte ? ne songez-vous
jamais que vous pourriez aimer ailleurs, être heureux,
jouir de même, et faire servir vos plaisirs à votre fortune ? [...]

VAUVENARGUES A MIRABEAU

A Verdun, le 16 janvier 1740.

[...] Il vous est aisé de comprendre que je ne passe pas
ma jeunesse, par choix, dans une société qui touche peu
mon cœur, à qui j'ai peu d'envie de plaire, et qui m'exile
du monde, par le peu de goût et d'intérêt que je trouve
dans son commerce : mais vous voudriez que, contraint
de vivre dans la solitude, j'essayasse de la remplir de
l'amour des belles-lettres, de cultiver ma raison, ne pouvant suivre mon cœur, et de m'enivrer d'écriture, au
défaut de conversations, afin de tenir au monde, au moins
par cet endroit-là et de communiquer mon âme. Cela est
bien pensé ; on ne peut dire mieux ; mais, comme je me
connais, que je sais me faire justice, et que je ne me vante
pas, je ne vous cacherai point que je n'ai ni la santé, ni le
génie, ni le goût qu'il faut avoir pour écrire ; que le public
n'a point besoin de savoir ce que je pense, et que, si je le
disais, ce serait ou sans effet, ou sans aucun avantage.
Cela vous satisfait-il ? Je n'irai pas à présent vous faire
une énumération de toutes mes infirmités, il y aurait trop
de ridicule ; ni vous parler de mes inclinations, j'en ai de
trop reprochables ; ni des défauts de mon esprit, car à quoi
servirait cela ? mais je puis bien vous dire encore, en
général, qu'il n'y a ni proportion, ni convenance, entre
mes forces et mes désirs, entre ma raison et mon cœur,
entre mon cœur et mon état, sans qu'il y ait plus de ma
faute que de celle d'un malade qui ne peut rien savourer
de tout ce qu'on lui présente, et qui n'a pas en lui la force
de changer la disposition de ses organes et de ses sens, ou
de trouver des objets qui leur puissent convenir. Mais,
quoique je ne sois point heureux, j'aime mes inclinations,

et je n'y saurais renoncer ; je me fais un point d'honneur
de protéger leur faiblesse ; je ne consulte que mon cœur ;
je ne veux point qu'il soit esclave des maximes des
philosophes, ni de ma situation ; je ne fais pas d'inutiles
efforts pour le régler sur ma fortune ; je veux former ma
fortune sur lui. Cela, sans doute, ne comble pas mes
vœux ; tout ce qui pourrait me plaire est à mille lieues de
moi ; mais je ne veux point me contraindre, j'aimerais
mieux rendre ma vie ! Je la garde, à ces conditions ; et je
souffre moins des chagrins qui me viennent par mes
passions, que je ne ferais par le soin de les contrarier sans
cesse. Il n'est nullement en moi d'avoir à ma portée les
objets que vous donnez à mon cœur ; je ne manque pas,
cependant, de principes de conduite, et je les suis exactement ; mais, comme ils ne sont pas les mêmes que les
vôtres, vous croyez que je n'en ai point, et vous vous
trompez en cela, comme lorsque vous croyez que mon
âme est inactive, quoiqu'elle soit sensible et présente,
qu'elle ne supporte la solitude que par là, et qu'elle aime
à se tourner sur ce qui peut la former et lui être utile,
quand ma santé le permet. Voilà, mon cher Mirabeau, ce
qu'il faut que vous sachiez, puisque vous le demandez. [...]

Vauvenargues a Mirabeau

A Verdun, le 3 mars 1740.

[...] Je vous relevais vos passions, parce que je pen-
sais qu'elles vous conduisaient ; vous voulez vous faire un
bonheur séparé de leur intérêt ; je croyais cela difficile ;
mais vous connaissez vos forces, et vous osez m'en
répondre ; me voilà donc convaincu ; et, dans le fond, je
n'ai jamais douté du pouvoir de la raison. La nature met en
nous des penchants irréfléchis, et de secrets rapports entre
tous les objets ; mais cela ne prouve rien contre la force
d'esprit ; la raison ne nous est point étrangère ; son principe
est dans la nature, tout comme celui des passions ; c'en est

le fruit le plus lent, le plus délicat, le plus rare, le plus facile à se corrompre, le plus difficile à mûrir ; mais c'en est aussi le meilleur, et le plus puissant sur l'âme, lorsqu'il vient à sa perfection ; l'on ne peut le cultiver trop, ni s'en promettre assez, lorsqu'on le cultive. Ceux qui bornent la nature à des mouvements aveugles, n'en connaissent point l'excellence, ni l'infinie profondeur. Si quelque chose est hors de la nature, c'est l'erreur et le mensonge ; cependant l'erreur même en est aussi le fruit, quoique flétri et gâté. C'est donc s'expliquer bien mal que de dire que la nature l'emporte sur la raison, puisque la raison fut toujours la production de la nature la plus forte et la plus heureuse ; et l'on peut dire encore plus, c'est que la plupart des passions dépendent beaucoup de nos vues, et les affections constantes, sans reproches et sans remords, des vues droites et raisonnables. Il n'est donc pas impossible de noyer et d'effacer, dans une vive lumière, ces ombres et ces fantômes que suit notre âme trompée dans la nuit de ses erreurs. Si nos propres sentiments n'étaient pas en notre pouvoir, comment pourrions-nous espérer de soumettre les autres hommes, les événements, la fortune, et tout ce qui est hors de nous ? Il n'est pas facile de changer son cœur, mais il est encore plus difficile de détourner le cours rapide et puissant des choses humaines ; c'est donc principalement sur nous que nous devons travailler, et la véritable grandeur se trouve dans ce travail. La pompe et les prospérités d'une fortune éclatante n'ont jamais élevé personne, aux yeux de la vertu et de la vérité ; l'âme est grande par ses pensées et par ses propres sentiments, le reste lui est étranger ; cela seul est en son pouvoir. Mais, lorsqu'il lui est refusé d'étendre au-dehors son action, elle l'exerce en elle-même, d'une manière inconnue aux esprits faibles et légers, que l'action du corps seul occupe. Semblables à des somnambules qui parlent et qui marchent en dormant, ces derniers ne connaissent point cette suite impétueuse et féconde de pensées, qui forment un si vif sentiment dans le cœur des hommes profonds ; leur agitation n'est qu'un sommeil ; leurs passions, des songes bizarres ; leurs joies, une vile ivresse, et leurs plaisirs, un abrutissement ; mais la raison et la sagesse savent créer des plaisirs, des occupations, des vertus, sans emprunter de la gloire, ni de l'éclat de la fortune, une félicité trop souvent reprochable, trop fragile, et trop achetée. [...]

VAUVENARGUES A MIRABEAU

A Verdun, le 13 mars 1740.

[...] Ce Brutus, qui était si haut, qui adorait l'indépendance, qui tua son bienfaiteur pour venger la liberté, qui écrivait à Cicéron avec tant de hauteur en Grèce, qui était si courageux, si fier, si ferme dans le malheur, si hardi dans ses desseins, si dédaigneux de la mort; ce même Brutus était simple, aimable et doux dans le commerce; il n'avait point l'austérité grossière des anciens Romains; il n'était ni dur ni sévère; il aimait à gagner les cœurs; son âme était remplie de cette humanité si naturelle aux grands hommes, et si rare dans les petits. Si sa main trempa dans le sang, c'est qu'il avait pris pour règle de faire, toute sa vie, ce qu'il y avait de plus grand et de meilleur; il crut qu'il devait cette mort à la patrie, à la vertu, à la gloire, à ses aïeux, aux mânes de ses amis; s'il avait pu satisfaire par son propre sang à ses devoirs, je suis persuadé qu'il l'eût fait, et qu'il eût sauvé César, aux dépens de sa propre vie; sans cela, ce héros serait trop odieux, au lieu qu'il faut l'adorer; et, néanmoins, malgré de si grandes vertus, le premier mouvement éteint, je crois que César valait mieux!

Il faut que je vous parle vrai: j'aime un homme fier et violent, pourvu qu'il ne soit point sévère; les paroles fières, hautaines, me ravissent malgré moi: ce que dit M. le Prince[79] au maréchal de Gassion: *qu'il saurait bien se passer d'un vieux caporal comme lui;* le discours du sire de Giac, au milieu de toute la cour, qu'il faudrait, *s'il en était cru, jeter l'évêque Combaret, et ses fauteurs, dans la rivière,* ces paroles, quoique injustes, m'entraînent avec empire; mais je ne saurais souffrir un homme

dur et rigide, qui voudrait resserrer tous les hommes dans
ses maximes étroites, dominer les esprits par son tempérament, et régner sur les cœurs par son austérité. Catilina
me plaît mille fois plus que l'aïeul de Caton d'Utique ; ce
misérable censeur, qui courait la Sicile à pied, n'est, pour
moi, qu'un homme incommode, fâcheux, et de peu d'esprit ; j'aurais très bien vécu avec Catilina, au hasard d'être
poignardé, d'être brûlé dans mon lit ; mais, pour Caton, il
eût fallu qu'un de nous deux eût quitté Rome ; jamais la
même enceinte n'aurait pu nous contenir.

   Ce que mon inclination me rend cher, c'est un homme
constant dans ses passions, car je suis de votre avis :

> Ce qu'un grand cœur commence, il le doit achever.

   Un homme haut et ardent, inflexible dans le malheur,
facile dans le commerce, extrême dans ses passions,
humain par-dessus toutes choses, avec une liberté sans
bornes dans l'esprit et dans le cœur, me plaît par-dessus
tout ; j'y joins, par réflexion, un esprit souple et flexible,
et la force de se vaincre, quand cela est nécessaire ; car il
ne dépend pas de nous d'être paisible et modéré, de n'être
pas violent, de n'être pas extrême ; mais il faut tâcher
d'être bon, d'adoucir son caractère, de calmer ses passions, de posséder son âme, d'écarter les haines injustes,
d'attendrir son humeur autant que cela est en nous, et,
quand on ne le peut pas, de sauver, du moins, son esprit
du désordre de son cœur, d'affranchir ses jugements de la
tyrannie des passions, d'être libre dans ses idées, lors
même qu'on est esclave dans sa conduite. Caton le Censeur, s'il vivait, serait magister de village, ou recteur de
quelque collège ; du moins serait-ce là sa place : Caton
d'Utique, au contraire, serait un homme singulier, courageux, philosophe, simple, aimable parmi ses amis, et
jouissant avec eux de la force de son âme et des vues de
son esprit ; mais César serait un ministre, un ambassa-
deur, un monarque, un capitaine illustre, un homme de
plaisir, un orateur, un courtisan possédant mille vertus, et
une âme vraiment noble, dans une extrême ambition. Les
deux premiers n'ont que l'esprit de leur siècle, et les

mœurs de leur patrie ; mais le génie de César est si flexible à
toutes les mœurs, à tous les hommes, à tous les temps, qu'il
l'emporte. [...]

VAUVENARGUES A MIRABEAU

A Verdun, le 22 mars 1740.

[...] Je hais le jeu comme la fièvre, et le commerce
des femmes comme je n'ose pas dire ; celles qui pourraient
me toucher, ne voudraient seulement pas jeter un regard
sur moi. Je ne sais s'il vous souvient de m'avoir vu en
compagnie ? Je voudrais, quelquefois, avoir un bras de
moins, vous comprenez bien pourquoi. Il faut pourtant
bien que je vous dise quelque chose de plaisant, c'est
que, dans mes distractions, qui ne sont que trop fréquentes, il m'arrive, parfois, de me représenter à moi-même
avec un air de finesse, ou de grandeur, ou de majesté,
selon la pensée qui m'occupe ; je monte là-dessus l'idée
de ma figure, et si, par hasard, je rencontre et regarde un
miroir, je suis presque aussi surpris que si je voyais un
cyclope, ou un habitant du Tartare ; il me semble que ce
n'est pas moi, que je suis dans le corps d'un chien,
comme le roi de Babylone ; je crois à la transmigration ;
enfin, cela me fait comprendre comment la plupart des
sots, qui s'estiment sans pudeur, se croient aussi d'une
belle figure, car rien n'est si naturel que de former son
image sur le sentiment bizarre dont on se trouve rempli. [...]

VAUVENARGUES A MIRABEAU

A Metz, le 3 juin 1740.

[...] J'ai été tant soit peu surpris de votre idée sur la
justesse [80]. Quoi ! vous croyez que rarement elle est parmi
les grands génies ! J'aurais souhaité que vous m'expli-

quassiez comment vous entendez cela. Manquent-ils dans
les principes, ou dans le raisonnement, ces esprits dont
vous parlez ? Je crois concevoir à merveille comment les
hommes supérieurs veulent assujettir jusqu'à la raison ; la
violence de leurs passions veut soumettre la vérité elle-
même, et la vérité, délaissée, mal expliquée, mal défen-
due, ne succombe que trop souvent. L'orgueil, l'intérêt,
le plaisir, l'avidité de connaître, l'impatience du travail,
l'impétuosité du génie, l'amour des grandeurs, les affaires, traînent les hommes dans des erreurs infinies ; trop
ambitieux de savoir, ils parcourent trop d'objets ; ils ne
sauraient les creuser tous ; mais, saisis de la nouveauté et
de l'éclat de leurs idées, la hardiesse de leur cœur passe
bientôt dans leur jugement, et leurs décisions audacieuses
flattent, avec trop d'empire pour qu'ils y résistent, leur
goût pour l'indépendance ; elles leur sont d'autant plus
chères, qu'elles leur appartiennent en propre ; d'où suit,
très ordinairement, que l'on est bien plus opiniâtre dans
l'illusion qu'on a créée soi-même, que dans le vrai, qui
n'appartient en propre à personne ; l'antique vérité trop
familière et trop connue, nous intéresse beaucoup moins
que l'erreur qui nous appartient. Mais ce qui sert, à mon
avis, à confirmer l'égarement des hommes dont nous
parlons, c'est la justesse des conséquences qu'ils tirent
d'un principe faux ; voilà ce qui fait l'illusion ; aussi je
suis bien loin de croire qu'ils n'aient pas l'esprit conséquent. Leurs erreurs sont aussi hardies, aussi puissantes,
aussi fortes, aussi extrêmes que leurs passions, et cela est
naturel ; mais elles tirent une partie de leur force de la
justesse de leur esprit, qui donne un ordre, une suite, et
des proportions admirables, à des idées que des esprits
vulgaires ne pourraient jamais allier, parce qu'ils ne sauraient en trouver les rapports. Que si ceux-ci, cependant,
paraissent plus attachés à la vérité, c'est parce qu'ils
n'osent braver la coutume, ou les droits de l'éducation ;
ils servent la vérité sans connaître son étendue, et faute
d'avoir assez d'idées pour la combattre, ou pour autoriser
l'erreur ; leur conduite et leurs opinions sont pleines de
justesse, parce qu'ils agissent sans discuter ; mais leurs
raisonnements seraient faux, s'ils se mêlaient de raison-

ner; tout au contraire pour les autres; leurs raisonnements seraient justes encore, leur première idée étant fausse. Ainsi, les premiers agissent bien, parce qu'ils ne pensent rien que de simple et de connu; et les grands génies agissent souvent mal, parce qu'ils ne pensent rien de simple et de trivial. Mais, lorsque la profondeur, l'étendue, la nouveauté, et la multiplicité de leurs idées les confond et les égare, leur en peut-on faire un crime, et croyez-vous que leur esprit soit entièrement sans justesse? Celle que l'on voit briller dans les lettres de Pascal, et qui fait, certainement, un des principaux caractères de son génie et de son éloquence, ne l'a pas sauvé peut-être de bien des principes faux; un homme sans religion pourrait vous citer encore le grand évêque de Meaux, et le Père Bourdaloue, qui ne sont pas non plus, peut-être, sans erreurs; mais il serait insupportable et de la dernière injustice de leur refuser l'esprit juste, quand même ils se seraient trompés sur une infinité d'objets. [...]

VAUVENARGUES A SAINT-VINCENS

(Dernière lettre)   A Metz, le 10 mars 1747.

[...] Il y a deux mois et demi que je garde ma chambre, avec des infirmités que cette vie trop sédentaire ne soulage point; je n'ai pas besoin, mon cher ami, de tant d'ennui et de solitude, pour songer à vous; mais je vous regrette souvent, et je voudrais bien être à portée de vous demander du secours contre la tristesse de mes rêveries. Rendez-moi compte d'une vie qui m'est chère, et qui est plus heureuse que la mienne; vous écarterez les chagrins qui me surmontent. Vous savez si je suis sensible aux charmes de votre amitié et de votre conversation: un enchaînement malheureux de plusieurs causes me fait passer ma vie éloigné de vous; cela changera, si je vis, et vous me tiendrez lieu des pertes que j'ai faites, et de la santé qui me manque.

TÉMOIGNAGES

VOLTAIRE,
*Éloge funèbre
des officiers qui sont morts
dans la guerre de 1741.*

Tu n'es plus, ô douce espérance du reste de mes jours ! ô ami tendre, élevé dans cet invincible régiment du roi, toujours conduit par des héros ! qui s'est tant signalé dans les tranchées de Prague, dans la bataille de Fontenoy, dans celle de Lawfelt où il a décidé la victoire. La retraite de Prague pendant trente lieues de glaces, jeta dans ton sein les semences de la mort, que mes tristes yeux ont vu depuis se développer : familiarisé avec le trépas, tu le sentis approcher avec cette indifférence que les philosophes s'efforçaient jadis ou d'acquérir ou de montrer : accablé de souffrances au-dedans et au-dehors, privé de la vue, perdant chaque jour une partie de toi-même, ce n'était que par un excès de vertu que tu n'étais point malheureux, et cette vertu ne te coûtait point d'effort. Je t'ai vu toujours le plus infortuné des hommes et le plus tranquille. On ignorerait ce qu'on a perdu en toi, si le cœur d'un homme éloquent n'avait fait l'éloge du tien dans un ouvrage consacré à l'amitié, et embelli par les charmes de la plus touchante poésie. Je n'étais point surpris que dans le tumulte des armes tu cultivasses les lettres et la sagesse : ces exemples ne sont pas rares parmi nous. Si ceux qui n'ont que de l'ostentation ne t'imposèrent jamais ; si ceux qui, dans l'amitié même, ne sont conduits que par la vanité, révoltèrent ton cœur, il y a des âmes nobles et simples qui te ressemblent. Si la hauteur de tes pensées ne pouvait s'abaisser à la lecture de ces ouvrages licencieux, délices passagers d'une jeunesse égarée à qui le sujet plaît plus que l'ouvrage ; si tu méprisais cette foule d'écrits que le mauvais goût enfante ; si ceux qui ne veulent avoir que de

l'esprit, te paraissaient si peu de chose ; ce goût solide
t'était commun avec ceux qui soutiennent toujours la
raison contre l'inondation de ce faux goût qui semble nous
entraîner à la décadence. Mais par quel prodige avais-tu à
l'âge de vingt-cinq ans la vraie philosophie et la vraie
éloquence, sans autre étude que le secours de quelques
bons livres ? Comment avais-tu pris un essor si haut dans le
siècle des petitesses ? et comment la simplicité d'un enfant
timide couvrait-elle cette profondeur et cette force de
génie ? Je sentirai longtemps avec amertume le prix de ton
amitié ; à peine en ai-je goûté les charmes : non pas de cette
amitié vaine qui naît dans les vains plaisirs, qui s'envole
avec eux, et dont on a toujours à se plaindre, mais de cette
amitié solide et courageuse, la plus rare des vertus. C'est ta
perte qui mit dans mon cœur ce dessein de rendre quelque
honneur aux cendres de tant de défenseurs de l'État, pour
élever aussi un monument à la tienne. Mon cœur, rempli
de toi, a cherché cette consolation sans prévoir à quel
usage ce discours sera destiné, ni comment il sera reçu
de la malignité humaine qui à la vérité épargne d'ordinaire les morts, mais qui quelquefois aussi insulte à leurs
cendres, quand c'est un prétexte de plus de déchirer les
vivants.

Juin 1748.

N. B. Le jeune homme qu'on regrette ici avec tant de
raison, est M. de *Vauvenargues,* longtemps capitaine au
régiment du roi. Je ne sais si je me trompe, mais je crois
qu'on trouvera, dans la seconde édition de son livre, plus
de cent pensées qui caractérisent la plus belle âme, la plus
profondément philosophe, la plus dégagée de tout esprit
de parti.

Que ceux qui pensent, méditent les maximes suivantes :

La raison nous trompe plus souvent que la nature.

*Si les passions font plus de fautes que le jugement,
c'est par la même raison que ceux qui gouvernent font
plus de fautes que les hommes privés.*

Les grandes pensées viennent du cœur.

(C'est ainsi que, sans le savoir, il se peignait lui-même.)

La conscience des mourants calomnie leur vie.

La fermeté ou la faiblesse à la mort dépend de la dernière maladie.

(J'oserais conseiller qu'on lût les maximes qui suivent celles-ci, et qui les expliquent.)

La pensée de la mort nous trompe, car elle nous fait oublier de vivre.

La plus fausse de toutes les philosophies est celle qui, sous prétexte d'affranchir les hommes des embarras des passions, leur conseille l'oisiveté.

Nous devons peut-être aux passions les plus grands avantages de l'esprit.

Ce qui n'offense pas la société n'est pas du ressort de la justice.

Quiconque est plus sévère que les lois est un tyran.

On voit, ce me semble, par ce peu de pensées que je rapporte, qu'on ne peut pas dire de lui ce qu'un des plus aimables esprits de nos jours a dit de ces philosophes de parti, de ces nouveaux stoïciens qui en ont imposé aux faibles :

> Ils ont eu l'art de bien connaître
> L'homme qu'ils ont imaginé ;
> Mais ils n'ont jamais deviné
> Ce qu'il est ni ce qu'il doit être.

J'ignore si jamais aucun de ceux qui se sont mêlés d'instruire les hommes, a rien écrit de plus sage que son

chapitre sur le bien et sur le mal moral. Je ne dis pas que
tout soit égal dans le livre ; mais si l'amitié ne me fait pas
illusion, je n'en connais guère qui soit plus capable de
former une âme bien née et digne d'être instruite. Ce qui
me persuade encore qu'il y a des choses excellentes dans
cet ouvrage que M. de *Vauvenargues* nous a laissé, c'est
que je l'ai vu méprisé par ceux qui n'aiment que les plus
jolies phrases et le faux bel esprit.

MARMONTEL, *Denys le tyran,*
ÉPÎTRE A VOLTAIRE

...
Toi, qui dans l'ennemi que tes succès aigrissent
Distingues le talent des mœurs qui le flétrissent,
Toi, dont le cœur sensible et né pour l'amitié,
Aux fureurs de l'envie oppose la pitié ;
Ne verrons-nous jamais des enfants du génie
En un trésor commun la gloire réunie,
Et les talents amis dans leur rivalité
L'un l'autre se pousser vers l'immortalité ?
De cet accord heureux tu goûtas les délices,
Tandis qu'à la vertu les destins plus propices
Laissèrent parmi nous ce Socrate nouveau
Dont tes larmes encore arrosent le tombeau,
Ce Vauvenargue enfin qui fit voir à la terre,
Un juste dans le monde, un sage dans la guerre,
Un cœur stoïque et tendre et qui, maître de lui,
Insensible à ses maux sentait tous ceux d'autrui.
Je vous vis, l'un de l'autre admirateurs sincères,
Confidents éclairés, et critiques sévères,
Vous exercer dans l'art ingrat et généreux
De rendre les humains meilleurs et plus heureux.
Tendre arbrisseau, planté sur la rive inféconde
Où ces fleuves mêlaient les trésors de leur onde,
Mon esprit pénétré de leurs sucs nourrissants
Sentait développer ses rejetons naissants,
Quand la mort... O douleur ! O perte irréparable !
O jour funeste au monde, et pour nous lamentable !

Le flambeau de l'esprit, le temple des vertus,
L'exemple des amis, Vauvenargues n'est plus.
C'est à toi, Peintre né des héros et des sages,
C'est à toi de tracer aux yeux de tous les âges
L'âme de ce mortel trop peu connu du sien;
L'éloge de son cœur fera celui du tien.
Fais revivre pour moi la moitié de toi-même.
J'eus deux amis en vous; l'un d'eux respire et m'aime;
Seul il peut remplacer celui que j'ai perdu.
Redouble ta tendresse, il me sera rendu.

Note

Il était né en Provence et d'une famille distinguée par sa noblesse. Il embrassa d'abord le parti des armes et servit quelques années capitaine dans le régiment du roi. Les officiers de ce corps heureusement capables d'apprécier ce rare mérite, avaient conçu pour lui une si tendre vénération, que je lui ai entendu donner par quelques-uns d'entre eux le respectable nom de père.

*Les fatigues de la campagne de Bohême avaient dérangé la santé de M. de Vauvenargues au point de le mettre hors d'état de servir. Alors son zèle pour sa patrie tourna ses vues du côté des négociations. Une étude assidue, les réflexions profondes dont il s'était nourri, et la prodigieuse étendue de son génie le mirent bientôt en état de se présenter au ministère. Ses services furent acceptés, et en attendant le moment d'être employé, il se retira dans le sein de sa famille pour s'y livrer paisiblement au nouveau genre de travail qu'il venait d'embrasser. C'est là que la petite vérole mit le comble à ses infirmités. Défiguré par les traces qu'elle avait laissées, attaqué d'un mal de poitrine qui l'a conduit au tombeau, et presque privé de la vue, il se vit obligé de remercier le ministère des desseins qu'il avait sur lui. Mais au milieu des douleurs il ne put renoncer au désir d'être utile aux hommes. L'étude de la philosophie, c'est-à-dire, de l'âme, occupa ses dernières années. Le livre de l'*Introduction à la connaissance de l'esprit humain *a été le fruit de cette étude, monument précieux qu'on peut appeler le* triomphe de la raison, du génie, et de la vertu, et où l'on voit que personne ne mérita mieux que lui cet éloge qu'il adresse lui-même à M. de Fénelon :

« Quelle bonté de cœur, quelle sincérité se remarquent dans des écrits ! Quel éclat de paroles et d'images ! Qui sema jamais tant de fleurs dans un style si naturel, si mélodieux et si tendre ? qui orna jamais la raison d'une si touchante parure ? Ah ! que de trésors, d'abondance, dans ta riche simplicité ! »

Un petit nombre d'amis firent toute sa consolation dans ses souffrances. Il connaissait le monde, et ne le méprisait point. Ami des hommes, il mettait le vice au rang des malheurs, et la pitié tenait dans son cœur la place de l'indignation et de la haine. Jamais l'art et la politique n'ont eu sur les esprits autant d'empire que lui en donnaient la bonté de son naturel et la douceur de son éloquence, il avait toujours raison, et personne n'en était humilié. L'affabilité de l'ami faisait aimer en lui la supériorité du maître.

L'indulgente vertu nous parlait par sa bouche.

Doux, sensible, compatissant, il tenait nos âmes dans ses mains. Une sérénité inaltérable dérobait ses douleurs aux yeux de l'amitié. Pour soutenir l'adversité, l'on n'avait besoin que de son exemple, on n'osait être malheureux auprès de lui.

Plus il se vit près de son terme plus il se hâta de mettre à profit des moments qui lui échappaient ; les derniers de sa vie ont été employés à perfectionner son livre, et il est mort avec la constance et les sentiments d'un chrétien philosophe dans le sein de la paix et dans les bras de ses amis.

MARMONTEL. Lettre à Mme d'Espagnac,
6 octobre 1796.

Le libraire chargé de la nouvelle édition [81] des précieux ouvrages de M. de Vauvenargues, m'a déjà écrit pour avoir de moi une notice sur la vie de ce nouveau Socrate ; et je lui ai témoigné mon regret de ne pouvoir lui en donner d'autres détails, que ce que j'en ai dit dans une note de mon épître dédicatoire de Denis-le-Tyran, à M. de Voltaire. C'était chez lui que j'avais connu M. de Vauvenargues, et, à l'exemple de M. de Voltaire, il m'avait pris en amitié. J'étais fort jeune alors. Je les écoutais avidement l'un et l'autre, et jamais entretiens n'ont été plus intéressants ; mais comme il n'y était pas question de ce que l'on me demande, je n'en ai su que ce que j'en ai écrit. Tout ce que je puis ajouter, madame, c'est que M. de Voltaire, bien plus âgé que M. de Vauvenargues, avait pour lui le plus tendre respect ; et en général jamais l'attrait de l'éloquence et le charme de la vertu n'ont obtenu un plus doux empire sur les esprits et sur les âmes. Le peu d'écrits qu'il a laissés sont le fruit des méditations sublimes et profondes qui lui faisaient oublier ses douleurs. Il n'avait lu qu'un petit nombre de livres, mais les meilleurs et les plus exquis, et il les relisait sans cesse. Racine et Fénelon étaient ceux qui lui étaient le plus analogues ; et il en faisait ses délices. On le sent bien à la manière dont il les a peints. C'est avec leur plume qu'il a tracé leur caractère. Le sien est vivement et fidèlement exprimé dans tout ce qu'il a écrit. En le lisant, je crois l'entendre encore ; et je ne sais si la conversation n'avait pas même quelque chose de plus délicat et de plus animé que ses divers écrits. J'ai toujours regretté que M. de Voltaire n'ait pas fait pour lui ce que Platon et Xénophon avaient fait pour Socrate. Ses entretiens n'étaient pas moins intéressants à recueillir. Hélas ! ce ne sont pas les hommes, c'est la nature elle-même qui lui a versé à longs traits la ciguë ; et je la lui ai vu boire avec une égalité d'âme inaltérable. Tandis que tout son corps tombait en dissolution, son âme conservait cette tranquillité parfaite dont jouissent les purs esprits. C'était avec lui qu'on apprenait à vivre, et qu'on apprenait à mourir.

Son sang s'était comme figé de froid dans la retraite de Prague ; et dans l'Eloge des officiers morts dans cette campagne, M. de Voltaire lui a donné une place distinguée. C'est là, madame, qu'on le trouvera dignement loué. Pour moi, je ne puis offrir à sa mémoire qu'un tribut de vénération. Mais je lui conserve ce sentiment aussi vif et aussi profond que peut l'inspirer la vertu (…)

MARMONTEL, *Mémoires,* livre III.

Ce fut dans ce temps-là que je vis chez lui l'homme du monde qui a eu pour moi le plus d'attrait, le bon, le vertueux, le sage Vauvenargues. Cruellement traité par la nature du côté du corps, il était, du côté de l'âme, l'un de ses plus rares chefs-d'œuvre. Je croyais voir en lui Fénelon infirme et souffrant. Il me témoignait de la bienveillance, et j'obtins aisément de lui la permission de l'aller voir. Je ferais un bon livre de ses entretiens, si j'avais pu les recueillir. On en voit quelques traces dans le recueil qu'il nous a laissé de ses pensées et de ses méditations ; mais, tout éloquent, tout sensible qu'il est dans ses écrits, il l'était, ce me semble, encore plus dans ses entretiens avec nous. Je dis *avec nous,* car le plus souvent je me trouvais chez lui avec un homme qui lui était tout dévoué, et qui par là eut bientôt gagné mon estime et ma confiance. C'était ce même Bauvin [82] qui, depuis, a donné au théâtre la tragédie des *Chérusques,* homme de sens, homme de goût, mais d'un naturel indolent ; épicurien par caractère, mais presque aussi pauvre que moi.

Comme nos sentimens pour le marquis de Vauvenargues se rencontraient parfaitement d'accord, ce fut pour tous les deux une espèce de sympathie.

[…]

Surtout quelle école pour moi que celle où tous les jours, depuis deux ans, l'amitié des deux hommes les plus éclairés de leur siècle m'avait permis d'aller m'instruire ! Les conversations de Voltaire et de Vauvenargues étaient ce que jamais on put entendre de plus riche et de plus fécond : c'était, du côté de Voltaire, une abondance intarissable de faits intéressants et de traits de lumière ; c'était, du côté de Vauvenargues, une éloquence pleine d'aménité, de grâce et de sagesse. Jamais dans la dispute on ne mit tant d'esprit, de douceur et de bonne foi; et, ce qui me charmait plus encore, c'était, d'un côté, le respect de Vauvenargues pour le génie de Voltaire, et, de l'autre, la tendre vénération de Voltaire pour la vertu de Vauvenargues : l'un et l'autre, sans se flatter, ni par de vaines adulations, ni par de molles complaisances, s'honoraient à mes yeux par une liberté de pensée qui ne troublait jamais l'harmonie et l'accord de leurs sentiments mutuels. Mais dans le moment dont je parle, l'un de ces deux amis illustres n'était plus, et l'autre était absent. Je fus trop livré à moi-même.

SUARD, Notice sur Vauvenargues
des *Œuvres complètes* de Vauvenargues (1806)[83].

Vauvenargues, après avoir langui plusieurs années dans un état de souffrance sans remède, qu'il supportait sans se plaindre, voyait sa fin prochaine comme inévitable; il en parlait peu, et s'y préparait sans aucune apparence d'inquiétude et d'effroi. Il mourut en 1747, entouré de quelques amis, distingués par leur esprit et leur caractère, qui n'avaient pas cessé de lui donner des preuves du plus tendre dévouement. Il les étonnait autant par le calme inaltérable de son âme que par les ressources inépuisables de son esprit, et souvent par l'éloquence naturelle de ses discours.

Cette sérénité d'âme qu'il montra jusqu'à ses derniers moments, il ne la dut qu'à la fermeté de caractère dont la nature l'avait doué, et à la philosophie qu'il s'était faite. Il n'était point soutenu par les puissantes consolations que la religion offre à l'homme qui souffre, et par les espérances qui lui montrent, dans un avenir sans terme, un dédommagement aux maux de cette existence éphémère. Vauvenargues n'avait pas le bonheur d'être persuadé des dogmes chrétiens; mais il avait l'intime conviction qu'il existait un Dieu infiniment bon, qui ne pouvait vouloir que le bonheur des êtres qu'il avait créés sensibles, et qui ne pouvait pas punir les faiblesses attachées à leur nature. *O mon Dieu!* s'écriait-il quelques heures avant d'expirer, *je crois ne t'avoir jamais offensé, et je vais, avec la confiance d'un cœur sincère, retomber dans le sein de celui qui m'a donné la vie.*

Mais du moins Vauvenargues ne joignait pas au malheur de l'incrédulité la sottise de s'en glorifier; il parlait très peu de religion, qu'il regardait comme une affaire de sentiment plus que de raisonnement. Il croyait surtout que c'était un sujet trop grave pour qu'on pût se permettre d'en parler légèrement, et il répondait toujours sérieusement aux plaisanteries que Voltaire ne pouvait se refuser dans la conversation. Il désapprouvait hautement les écrits qui attaquaient directement la religion établie. A l'exemple des meilleurs esprits, même parmi les incrédules, il regardait les préceptes religieux inculqués dans l'enfance, comme un frein plus puissant que les lois mêmes pour contenir les passions du peuple. Il pensait qu'aucun système de morale purement spéculative ne pouvait servir à diriger la conduite de cette classe nombreuse, à qui la nécessité d'un travail continuel et pénible ne laisse ni le temps de réfléchir, ni les moyens de s'instruire. Il croyait en même temps que c'était servir la morale publique et la religion même, que d'attaquer les absurdités de la superstition et les crimes de l'intolérance.

Il était surtout blessé du ton dogmatique et tranchant dont quelques esprits forts prononçaient sur des questions qui lui paraissaient essentiellement enveloppées de ténèbres, que toutes les lumières de la raison ne pouvaient dissiper.

Je tiens presque tous les détails que je rapporte ici d'un homme de lettres peu connu, nommé Bauvin, professeur à l'École-Militaire, et l'ami de Marmontel, qui parle de lui dans ses Mémoires; c'était un homme sage, qui n'avait pas quitté Vauvenargues jusqu'à sa mort; il l'aimait avec passion, et n'en parlait jamais sans attendrissement. Je me suis entretenu souvent avec Marmontel de Vauvenargues, et il avait la même opinion que Bauvin des sentiments religieux de leur ami commun. M.d'Ar-

gental, qui en parlait avec plus de connaissance encore,
m'a raconté l'anecdote suivante. On avait pressé Vauvenargues de recevoir son curé, qui s'était présenté plusieurs fois pour le voir. Le malade s'y refusait. On parvint cependant à introduire dans sa chambre un théologien pieux et éclairé, que le curé avait choisi comme en
état de faire impression sur l'esprit d'un philosophe
égaré, mais de bonne foi. Après une courte conférence
entre le prêtre et le mourant, M. d'Argental entra dans la
chambre, et dit à son ami : « Eh bien ! vous avez vu le bon
ecclésiastique qu'on vous a envoyé ? — Oui, dit Vauvenargues,

> Cet esclave est venu,
> Il a montré son ordre, et n'a rien obtenu. »

Quoique ce dernier trait contrarie l'idée que j'ai voulu
donner de la sage circonspection de Vauvenargues, je
n'ai pas cru devoir taire un fait qui a déjà été cité, mais
inexactement, et je rapporte avec une scrupuleuse fidélité
ce que m'ont dit des hommes dignes de foi.

NOTES

1. Pascal, *Pensées,* éd. Ph. Sellier, n° 458 (Br. 380).

2. Il s'agit bien entendu, comme toujours chez Vauvenargues, du poète Jean-Baptiste Rousseau (1671-1741).

3. On les lira dans les « Textes retranchés ».

4. Cet ordre n'est donc pas indifférent. On peut le reconstituer en tenant compte de critères stylistiques et philosophiques.

5. Montaigne, *Essais,* liv. III, chap. v.

6. La théorie des traces du cerveau se trouve dans Malebranche, *De la Recherche de la Vérité,* notamment liv. II, partie I, chap. v. Malebranche écrit : « Dès que l'âme reçoit quelques nouvelles idées, il s'imprime dans le cerveau de nouvelles traces, et dès que les objets produisent de nouvelles traces, l'âme reçoit de nouvelles idées. »

7. Les « esprits animaux », tels que les définit Descartes (*Les Passions de l'âme,* art. X).

8. Notamment La Rochefoucauld, Jacques Esprit (*Traité de la fausseté des vertus humaines,* 1678), Pascal et les jansénistes, dont Nicole (*Essais de morale,* 1671 et suiv.).

9. Vauvenargues pense aux ouvrages commentés ou écrits à l'occasion de la Querelle du pur amour, en particulier : Abbadie, *L'Art de se connaître soi-même ou la recherche des sources de la morale* (1692) et Malebranche, *Traité de l'amour de Dieu,* 1697 (voir *Œuvres complètes,* Vrin, t. XIV).

10. S'agit-il de Jean-Joseph Mouret, compositeur originaire de Provence, fort célèbre en son temps (1682-1738), auteur d'opéras-comiques et surnommé « le musicien des grâces » ?

11. Vauvenargues vise peut-être les représentants de la pensée spinoziste ou matérialiste, dont il a pu lire la critique dans Crousaz ou le père Buffier. Mais il pense surtout au pessimisme radical des moralistes et des jansénistes : la suite du chapitre le prouve.

12. Chef d'une conjuration fomentée à Rome en 63 av. J.-C. et combattue par Cicéron. L'historien Salluste a conté la vie de ce conspirateur célèbre.

13. J.-P. de Crousaz, philosophe suisse, est l'auteur d'une *Logique* (1712), d'un *Examen du Pyrrhonisme ancien et moderne* (1733), d'un *Traité du beau* (1715).

14. Pascal, *Pensées*, éd. cit. n° 158 (Br. 92).

15. Le XVIIIe siècle exploite une conception mythique des langues orientales que caractériseraient « leur vie et leur chaleur » ; elles conserveraient la spontanéité des langues parlées.

16. Voir Montaigne, I, 4 et III, 10.

17. *Pensées*, éd. cit. n° 81 (Br. 366).

18. *Id.* n° 522 (Br. 417) et Montaigne, II, 1.

19. Guy Joly, conseiller au Châtelet qui fut au service de Retz et le juge sévèrement dans ses *Mémoires*.

20. Un escamoteur, qui sait jouer de ces vases spéciaux appelés gobelets. Au figuré, un fourbe.

21. *Pensées*, éd. cit. n° 117 (Br. 327).

22. Vauvenargues désigne ceux qui, à la suite de la Querelle d'Homère et d'après Houdar de la Motte, contestent la spécificité de la forme poétique : on peut nommer Fontenelle lui-même, l'abbé de Pons, Montesquieu.

23. *La Mort de Jules César* est une tragédie de Voltaire, représentée en 1735.

24. « Porter » signifie « supporter ».

25. Signifie : ce qui fait qu'un écrivain se méprend sur son œuvre.

26. « Passe » signifie dépasse ou surpasse.

27. « Quadrille » : jeu de cartes semblable à l'hombre, qui se joue à quatre.

28. Comprendre : le contentement de soi et le bonheur qui en résulte.

29. « Habileté » signifie : ruse, machination, fraude.

30. « Nouvelliste » : celui qui recueille et communique les nouvelles.

31. Changements considérables et accomplissement de cycles complets.

32. Cette maxime figure telle quelle dans la lettre au Roi du 8 avril 1743. En a-t-elle été extraite ou y a-t-elle été insérée ?

33. Cette maxime semble avoir été dégagée de la lettre à Mirabeau du 22 mars 1740.

34. Porte à son comble.

35. On a reconnu Voltaire.

36. Allusion à l'occupation par les Espagnols des duchés italiens, le duché de Toscane en particulier, après l'accord de Vienne de 1737, et aux conflits et résistances qui s'ensuivirent.

37. Mettre au jour, avouer.

38. Faut-il lire : papier verre ?

39. Vauvenargues pense probablement à l'invasion de la Provence par les Austro-Sardes à la fin de 1746.

40. Titulaires d'offices. Les officiers civils étaient en nombre considérable.

41. Grand seigneur adepte de l'idéal romanesque de l'Hôtel de Rambouillet.

42. Fontenelle, *Nouveaux Dialogues des Morts*, dialogue 5, Homère-Ésope.

43. *Pensées*, éd. cit. n° 230 (Br. 72).

44. Les cartésiens français ne cessent de protester contre l'attraction, qualité « incompréhensible », dit Fontenelle, force magique inacceptable dans l'univers intelligible de la science mécaniste.

45. Maxime 137 de La Rochefoucauld : « On parle peu, quand la vanité ne fait pas parler. »

46. Après l'expérience de Law.

47. Vauvenargues connaît les œuvres et les thèses de Boulainviller. Ses préoccupations de politique positive le rapprochent cependant des points de vue de Fontenelle et de l'abbé Terrasson.

48. Il s'agit de Crébillon le père, dont l'*Electre* fut représentée en 1708.

49. Dans la tragédie *Mariamne*.

50. La phrase a été supprimée par Voltaire.

51. Voltaire publie en 1742 les *Remarques sur l'Histoire*, en 1744 les *Nouvelles Considérations sur l'Histoire*.

52. Voltaire, *Lettres philosophiques*, XXV, 57.

53. *Essai sur l'Entendement humain*, liv. II, chap. XXI.

54. L'histoire des Tirynthiens qui vont consulter l'Oracle de Delphes « pour lui demander les moyens de recouvrer un peu de sérieux », est rapportée par Fontenelle, *Nouveaux Dialogues des Morts*, 23, Parménisque-Théocrite de Chio.

55. Compositeur et violoniste célèbre, auteur d'un opéra biblique, *Jephté* (1732), dont l'abbé Pellegrin avait écrit le livret.

56. Vauvenargues fait sans doute référence aux vues politiques de l'abbé Castel de Saint-Pierre.

57. Conception de l'histoire inspirée par l'abbé Dubos et surtout par Voltaire : *Essai sur l'histoire du siècle de Louis XIV* (1739), *Lettre à l'abbé Dubos* (1739).

58. Par elle-même la prudence manquerait donc de lumière.

59. Bienveillance à l'égard de tous les hommes : sentiment dont se prévaut le « philosophe ».

60. De belle apparence.

61. Cette réflexion et la précédente sont inspirées par Fontenelle : « histoire de l'esprit humain » et succession des époques de la pensée et de l'art, le XVIIIᵉ siècle se définissant lui-même par rapport au précédent.

62. Érudits illustres du XVIIᵉ siècle. Huet, qui meurt en 1721, déplorait d'ailleurs le mépris où tombait la saine érudition : voir *Huetiana ou Pensées diverses de M. Huet,* publié en 1722.

63. Auteur, fort connu en son temps, d'un *Traité des Études* et d'ouvrages historiques que Voltaire même ne méprisait pas.

63 *bis.* Sous ce titre l'édition de 1746 groupait 63 pensées, réparties en 4 sections :
1° « De l'art et du goût d'écrire », où figuraient les nᵒˢ 701 à 706.
2° « Sur la vérité et l'éloquence », où figuraient les nᵒˢ 707, 708 et 275.
3° « Contre la mauvaise foi et le mensonge », où figuraient les nᵒˢ 709, 276 qui regroupe 3 fragments primitifs, et 277.
4° « Pensées diverses », où figuraient les nᵒˢ 710 à 731.

64. Juriste, cardinal, diplomate, dont les *Lettres* attestent le talent politique. Il meurt en 1604.

65. Célèbre négociateur anglais, auteur principal du traité d'Aix-la-Chapelle. Écrivain, il est notamment l'auteur de *Mémoires* et de *Miscellanea.* Il fut le protecteur de Swift.

66. Cette partie est subdivisée en trois livres dans l'édition de 1746 : le 1ᵉʳ de 192 maximes, le 2ᵉ de 200 maximes, le 3ᵉ de 124 maximes. Nous remettons les maximes retranchées à leur place, compte tenu des intervalles correspondant aux maximes reprises dans l'édition de 1747.

67. Fontenelle, sans doute, toujours vivant en 1746.

68. Il se peut, comme le pense Suard, que Vauvenargues se souvienne des apologies d'Homère que Madame Dacier opposait aux critiques de La Motte. Gilbert préfère renvoyer aux traductions de Shakespeare : on pourrait évoquer, par exemple, le *Théâtre anglais* de La Place, ouvrage publié à partir de 1745 et contenant un intéressant Discours préliminaire.

69. A propos de cette maxime, Voltaire évoque la *Conjuration des Espagnols contre Venise* de Saint-Réal et le *Manlius* de La Fosse.

70. Vauvenargues pense peut-être à la Lorraine, difficilement acquise en 1737 à Stanislas Leczinski et à la France, à la suite de la Guerre de Succession de Pologne.

71. Dans l'*Essai sur le siècle de Louis XIV* (1740), le passage correspondant au chap. II du *Siècle de Louis XIV.*

72. Selon Voltaire cette pensée est empruntée à Pecquet. Sur Pecquet consulter Robert Mauzi, *L'Idée de bonheur au XVIIIᵉ siècle.*

73. « Tel que » est, au XVIIIᵉ siècle encore, et malgré Vaugelas, employé pour « Quel que ». « Se revancher » signifie « rendre la pareille » sans mauvaise intention.

74. C'est à peu près la maxime 164 de La Rochefoucauld : « Il est plus facile de paraître digne des emplois qu'on n'a pas que de ceux que l'on exerce. »

75. Ce *Discours* et l'*Essai sur quelques caractères* ont été publiés d'après les manuscrits de Vauvenargues. On en connaît différentes versions qui présentent des variantes nombreuses et dignes d'intérêt : ce serait l'objet d'une édition critique que de les collationner et de faire valoir le travail de la pensée et du style.

76. Nous ne pouvons proposer ici un commentaire suivi de ce texte trop chargé d'allusions au débat contemporain et nourri de trop d'emprunts aisément décelables. Fontenelle fut le principal diffuseur, l'initiateur même de semblables analyses, mais à l'époque où écrit Vauvenargues ses idées se retrouvent partout : dans Montesquieu, dans Marivaux, dans Voltaire, pour ne citer que de grands noms. Nous avons consacré un livre à ce sujet : *L'Histoire de l'esprit humain dans la pensée française de Fontenelle à Condorcet,* Klincksieck, 1977 (« Bibliothèque française et romane », série C. Études littéraires, 60).

77. Gilbert n'a pas tort de noter que cette dernière phrase appartiendrait plutôt à un exorde qu'à une péroraison ; quelle était donc l'intention de l'auteur ?

78. Mirabeau est à Bordeaux depuis un an et il vient de confier à Vauvenargues la naissance de l'une de ses fréquentes et courtes passions.

79. Le Grand Condé.

80. Raisonnant sur l'exemple du Régent, Mirabeau prétendait prouver que la justesse est incompatible avec le génie.

81. Il s'agit de l'édition Fortia.

82. Jean-Grégoire Bauvin était né à Arras en 1714. Il mourut en 1776.

83. J.-B.-Antoine Suard (1734-1817) est un témoin indirect, assez proche toutefois, en raison de ses relations, avec Voltaire et Marmontel en particulier. Les opinions de Suard, modérées et opportunistes, n'empêchent pas d'accorder quelque crédit à ses propos.

INDEX

Les noms communs sont en romain, les noms propres en petites capitales. Les chiffres renvoient aux pages. Pour les Réflexions et Maximes des Première et Deuxième Parties et pour la totalité de la Troisième, nous précisons entre parenthèses le numéro du fragment, étant entendu que la numérotation de tous ces fragments est continue. Du fait de la conception même de notre édition, les numéros des Réflexions et Maximes de la Première Partie, c'est-à-dire de l'édition de 1747, apparaissent dans le texte en chiffres romains ; l'Index donne ces numéros en chiffres arabes : le lecteur saura transposer.

A

TABLE DES MATIÈRES

GF — TEXTE INTÉGRAL — GF

7849-1981. — Impr.-Reliure Maison Mame, Tours.
Nº d'édition 11048. — 4ᵉ trimestre 1981. — Printed in France.